« PAVILLONS »
Collection dirigée par
Maggie Doyle et Jean-Claude Zylberstein

MARGARET MAZZANTINI

ÉCOUTE-MOI

traduit de l'italien par Vincent Raynaud

ROBERT LAFFONT

Titre original : NON TI MUOVERE
© Arnoldo Mondadori Editore S.p.A, 2001
Traduction française : Éditions Robert Laffont, S.A., Paris, 2004

ISBN 2-221-09654-1
(édition originale : ISBN 88-04-48947-2 Mondadori, Milan)

À Sergio

Tu n'as pas respecté le stop. Tu es passée à pleine vitesse, dans ta veste en fausse fourrure, ton baladeur posé sur les oreilles. Il avait plu et bientôt il pleuvrait à nouveau. Au-dessus du feuillage des platanes, au-dessus des antennes, les étourneaux emplissaient la lumière cendrée, rafales de plumes et de piaillements, taches noires qui tremblaient, se frôlaient sans se blesser, puis s'ouvraient, se perdaient, avant de former un autre vol. En bas, les passants tenaient leur journal au-dessus de leur tête, ou simplement les mains, pour se protéger de la grêle de fiente qui pleuvait du ciel et s'accumulait sur l'asphalte, mêlée aux feuilles humides tombées des arbres, répandant une odeur douceâtre et accablante que tous avaient hâte de laisser derrière eux.

Tu es arrivée du fond de l'avenue à toute vitesse, en direction du croisement. Tu avais presque réussi et le type de la voiture avait presque réussi à t'éviter. Mais il y avait de la boue par terre, le guano huileux des étourneaux rassemblés. Les roues de la voiture ont dérapé sur cette croûte glissante, juste un peu, mais ça a suffi pour qu'elle frôle ton scooter. Tu es montée vers les oiseaux et tu es retombée dans leur merde, et avec toi ton sac à dos couvert d'autocollants. Deux de tes cahiers ont fini au pied du trottoir dans une flaque d'eau noire. Le casque a rebondi sur la route comme une tête vide, tu ne l'avais pas attaché. Les pas de quelqu'un t'ont tout de suite rejointe. Tu avais les yeux ouverts, la bouche sale, sans incisives. L'asphalte avait pénétré ta peau, te piquetant les joues comme une barbe d'homme. La musique s'était interrompue, les écouteurs du baladeur avaient glissé dans tes cheveux. L'homme de la voiture a laissé sa portière grande ouverte et est venu vers toi. Il a regardé ton front entaillé, il a porté la main à sa poche pour chercher son portable, l'a trouvé, mais il lui est tombé des mains. Un jeune type l'a ramassé, c'est lui qui a appelé les premiers secours. Entre-temps, la circulation s'était arrêtée. Il y avait une voiture en travers des rails et le tram ne pouvait pas passer. Le conducteur est descendu. D'autres aussi, nombreux, et ils ont marché vers toi. Des gens que tu n'avais jamais vus ont posé leur regard sur toi. Un petit gémissement est sorti de tes lèvres en même temps qu'une bulle d'écume rosée tandis que tu quittais la vie consciente. Il y avait de la circulation, l'ambulance a tardé. Tu n'étais plus pressée. Tu étais immobile dans ta veste en poil comme un oiseau privé de vent.

Puis ils ont doublé le trafic toutes sirènes hurlantes. Les voitures se sont serrées contre le rail de sécurité, ont empiété sur le trottoir du côté du fleuve, tandis que la bouteille de sérum physiologique dansait au-dessus de ta tête et qu'une main pressait et relâchait le ballon bleu autogonflable pour pomper l'air de tes poumons. Aux urgences, la réanimatrice qui t'a prise en charge a glissé un doigt entre la mandibule et l'os hyoïde, sur un point sensible. Ton corps a réagi trop mollement. Elle a attrapé de la gaze et nettoyé le sang qui coulait de ton front. Elle a regardé tes pupilles, elles étaient fixes et asymétriques. Tu étais bradycarde. Ils t'ont mis dans la bouche une canule de Guedel pour remettre en place la langue qui avait glissé à l'intérieur, puis ils ont installé la sonde d'aspiration. Ils en ont sorti du sang, du goudron, du mucus, une dent. Ils t'ont passé la pince du saturomètre au doigt pour mesurer l'oxygénation du sang, la saturation était trop basse, à quatre-vingt-cinq. Alors ils t'ont intubée. La lame du laryngoscope a glissé dans ta bouche dans un éclair de lumière froide. Un infirmier est entré en poussant la colonne du monitorage cardiaque, il a branché la prise, mais la machine n'a pas démarré. Il lui a donné un coup, un léger coup sur le côté, et le moniteur s'est allumé. Ils ont relevé ton tee-shirt, ont pressé sur ta poitrine les ventouses des électrodes. Tu as attendu un peu parce que le scanner n'était pas libre, puis ils t'ont poussée dans le tunnel d'irradiation. Le traumatisme était localisé dans la zone temporale. Derrière la vitre, la réanimatrice a demandé au radiologue de faire de nouvelles coupes, plus rapprochées. Ils ont vu la profondeur et l'étendue de l'hématome hors du tissu cérébral. L'hématome de contrecoup, s'il y en avait un, n'était pas encore visible. Mais ils ont injecté dans tes veines les substances de contraste, ils craignaient des complications rénales. Ils ont tout de suite appelé le troisième étage pour qu'ils préparent la salle d'opération. La réanimatrice a demandé :

— Qui est de garde en neurochirurgie ?

Alors ils ont commencé à te préparer. Une infirmière t'a déshabillée lentement, coupant tes vêtements avec des ciseaux. Ils ne savaient pas comment faire pour prévenir ta famille. Ils espéraient trouver sur toi une pièce d'identité, mais tu n'en avais pas. Tu avais un sac à dos, dedans ils ont pris ton cahier de textes. La réanimatrice a lu le prénom, puis le nom. Elle est restée sur le nom et seulement après un moment est revenue sur le prénom. Une bouffée de chaleur lui est montée au visage, elle a eu besoin de respirer et a eu du mal à le faire, comme si une bouchée déplaisante empêchait le passage de l'air. Alors elle a oublié son rôle sanglant et, comme n'importe quelle autre femme, elle a regardé ton visage. Elle a fouillé tes traits tuméfiés, dans l'espoir d'éloigner cette pensée effrayante. Mais tu me ressembles, et Ada n'a pas pu ne pas s'en apercevoir. L'infirmière te rasait la tête, tes cheveux tombaient sur le sol. Ada a tendu le bras vers cette chute de cheveux châtains.

— Doucement, fais doucement, a-t-elle murmuré.

Elle a marché vers la réanimation, vers le neurochirurgien de garde :

— La gamine, celle qu'ils viennent d'amener...

— Tu n'as pas de masque, sortons.

Ils ont quitté ce lieu stérile où les parents ne sont pas admis, où les malades gisent nus à côté du souffle de leur respiration artificielle, et ensemble ils sont retournés dans la pièce où l'infirmière te préparait. Le neurochirurgien a regardé sur le moniteur le tracé de l'électrocardiogramme et de la pression sanguine.

— Elle est hypotendue, il a dit, vous avez exclu des lésions thoraciques ou abdominales ?

Puis il t'a regardée, du coin de l'œil, et t'a écarté les paupières d'un mouvement rapide des doigts.

— Alors ? a fait Ada.

— Ils sont prêts, en salle d'op' ? il a demandé lui-même à l'infirmière.

— Ils sont en train de préparer.

Ada a insisté :

— Tu ne trouves pas qu'elle lui ressemble ?

Le neurochirurgien s'est tourné et a soulevé le cliché du scanner vers la lumière qui entrait par la fenêtre :

— L'hématome s'étend du cerveau à la dure-mère...

Ada a serré ses mains l'une dans l'autre et elle a dit, d'une voix plus forte :

— Elle lui ressemble, hein ?

— ... il pourrait aussi être extradural.

Dehors il pleuvait. Ada a traversé le bout de chemin pavé qui séparait les urgences du pavillon de médecine générale, les bras croisés serrés sous la blouse à manches courtes, ses pas silencieux dans ses sabots de caoutchouc vert. Elle n'a pas pris l'ascenseur pour monter en chirurgie, elle est montée à pied. Elle avait besoin de bouger, de faire quelque chose. Je la connais depuis vingt-cinq ans. Avant de me marier, pendant une brève période, je lui ai fait une cour qui mêlait trop le jeu et la sincérité. Elle a ouvert toute grande la porte. Dans la salle de repos des médecins, un infirmier remportait les tasses à café. Elle a tiré de leurs boîtes un bonnet et un masque, les a enfilés en vitesse, puis est entrée.

J'ai dû la remarquer au bout d'un moment, quand mon regard s'est tourné vers l'infirmière pour lui passer les pinces. Je me suis dit que c'était étrange de la voir là, elle est affectée à la réanimation et nous nous rencontrons rarement, la plupart du temps à la cafétéria, au sous-sol. Mais je ne lui ai pas prêté d'attention particulière, je ne lui ai même pas fait un signe de tête pour la saluer. J'ai décroché une autre paire de pinces et je l'ai transmise. Ada a attendu que mes mains ne soient plus dans le champ opératoire.

— Professeur, il faut que vous veniez, elle a murmuré.

L'infirmière était en train de retirer l'aiguille lancéolée de son enveloppe stérile, j'ai entendu le bruit de l'emballage plastique qu'on déchirait tandis que mon regard pivotait et s'arrêtait dans celui d'Ada. Elle était tout près de moi et je ne m'en étais pas aperçu. J'ai trouvé deux yeux de femme, nus, sans maquillage, dont l'éclat vibrait. Avant de passer à la réanimation, elle a été une des meilleures anesthésistes de l'hôpital, elle a insufflé du protoxyde d'azote à beaucoup de mes patients. Je l'ai vue figer ses émotions même dans les moments les plus graves et je l'ai toujours appréciée pour cela, car je sais quels efforts cela lui a coûté de s'enterrer vivante à l'intérieur de sa blouse verte.

— Après, j'ai dit.

— Non, c'est urgent, professeur, je vous en prie.

Le ton de sa voix était altéré par une étrange autorité. Je crois n'avoir pensé à rien, mais mes mains se sont faites plus lourdes. L'infirmière me tendait le porte-aiguille. Je n'ai jamais abandonné une intervention avant de l'avoir menée à son terme. J'ai serré la main et je me suis aperçu que l'impulsion était arrivée en retard. Je m'apprêtais à recoudre la paroi abdominale. J'ai fait un pas en arrière pour m'écarter du patient et j'ai heurté quelqu'un derrière moi.

— Tu finis, j'ai dit à mon assistant.

L'infirmière lui a passé le porte-aiguille. J'ai entendu le bruit du fer qui frappait la main gantée, un son sourd qui m'est remonté par les oreilles, amplifié. Tous ceux qui étaient présents ont effleuré Ada du regard.

La porte du bloc s'est refermée, silencieuse et ample, derrière nous. Nous étions debout l'un en face de l'autre devant la salle de préanesthésie.

— Alors ?

La poitrine d'Ada haletait sous sa blouse, ses bras découverts étaient tachetés de froid.

— On a une jeune fille en bas, professeur, avec un trauma crânien...

Presque sans m'en apercevoir, d'un geste mécanique, j'avais retiré les gants.

— Dites-moi.

— J'ai trouvé son cahier de textes... Il y avait votre nom de famille, professeur.

Ma main s'est levée, je lui ai arraché son masque du visage. Il n'y avait plus d'agitation dans sa voix, son courage s'était épuisé. Il y avait une demande d'aide, calme et essoufflée :

— Comment se prénomme votre fille ?

Je crois m'être courbé au-dessus d'elle pour mieux la regarder, pour chercher au fond de ses yeux un prénom qui ne fût pas le tien.

— Angela, j'ai soufflé dans ces yeux. Et je les ai vus déborder.

J'ai couru dans les escaliers pour descendre, j'ai couru dehors sous la pluie, j'ai couru pendant qu'une ambulance qui arrivait à toute allure s'immobilisait à deux pas de mes jambes, j'ai couru contre les battants de la porte en verre de la salle de garde, j'ai couru à travers la salle des infirmiers, j'ai couru à travers une salle où quelqu'un avec un membre fracturé criait, j'ai couru dans la pièce d'à côté, vide et en désordre. Il y avait tous tes cheveux par terre. Tes cheveux châtains et frisés rassemblés en un petit tas avec des gazes imbibées de sang.

En un instant, je ne suis plus que poussière en mouvement. Je me traîne à l'intérieur du service de réanimation, le long du couloir, jusqu'à la paroi de verre. Tu es là, rasée, intubée, des bandages clairs autour de ton visage gonflé et cerné. C'est toi. Je franchis la vitre et je suis près de toi. Je suis un père quelconque, un pauvre père effondré de douleur, la bouche sèche, la transpiration et le froid entre les cheveux. C'est quelque chose qui ne passe pas, qui reste bloqué dans de vagues limbes de stupeur. Je suis en pleine prostration, en pleine embolie de douleur. Je ferme les yeux et je refuse cette douleur. Tu n'es pas ici, tu es à l'école. Si je rouvre les yeux, je ne te trouverai pas. Je trouverai quelqu'un d'autre, peu importe qui, une autre prise au hasard dans le monde. Mais pas toi, Angela. J'ouvre grands les yeux et c'est vraiment toi, prise au hasard dans le monde.

Il y a une boîte par terre, avec la mention « Déchets dangereux ». Je prends l'homme et je le jette dedans. Je dois le faire, c'est mon devoir, la seule chose qui me reste. Je dois te regarder comme si tu ne m'appartenais pas. Une électrode te lèche maladroitement un téton, je la retire et la repositionne de façon plus décente. Je regarde le moniteur : cinquante-quatre battements. Moins, maintenant : cinquante-deux. Je soulève tes paupières, les pupilles sont asymétriques, celle de droite est complètement dilatée, la lésion intracrânienne est dans cet hémisphère. Il faut t'opérer immédiatement, pour que ton cerveau respire. Cette masse déplacée par l'hématome appuie contre la boîte crânienne, dure, inextensible, elle étouffe les centres qui innervent tout ton corps et te prive à chaque instant qui passe d'une partie de toi-même. Je me tourne vers Ada :

— Vous lui avez passé la cortisone ?
— Oui, professeur, et aussi un gastroprotecteur.
— Il y a d'autres lésions ?
— Une suspicion de rupture de la rate.
— Hémoglobine ?
— Douze.

— Qui est en neurochirurgie?

— Moi. C'est moi. Salut, Timoteo.

Alfredo pose une main sur mon épaule. Sa blouse est déboutonnée, ses cheveux et son visage mouillés.

— Ada m'a téléphoné, je venais juste de partir.

Alfredo est le meilleur de son service et pourtant personne ne le tient en grande considération, ses manières sont trop hésitantes. Souvent distant, sans mérites visibles, il opère dans l'ombre du chef de service, il se crève pendant que l'autre est là à le regarder. Je lui ai donné des conseils il y a bien des années de cela, mais il ne m'a pas écouté, son caractère n'est pas à la hauteur de son talent. Il est séparé de sa femme et je sais qu'il a un fils adolescent, plus ou moins de ton âge. Il n'était pas de garde, il aurait pu se défiler, ça ne fait plaisir à aucun chirurgien d'opérer le parent d'un collègue. Au contraire, il a sauté dans un taxi et s'est fait déposer au milieu de la circulation. Pour faire plus vite, il a zigzagué entre les voitures sous la pluie. Je ne sais pas si j'aurais fait la même chose.

— C'est prêt, là-haut? demande Alfredo.

— Oui, répond l'infirmière.

— Montons tout de suite.

Ada s'approche de toi, débranche le respirateur artificiel et te met à nouveau le ballon Ambu pour le transport. Puis ils te conduisent. Je vois un de tes bras qui glisse du brancard pendant qu'ils te chargent dans l'ascenseur. Ada se baisse pour le remettre en place.

Je reste avec Alfredo, nous nous asseyons dans la salle attenante à la réanimation. Alfredo allume la lumière du négatoscope, pose dessus le cliché du scanner et le regarde de très près. Il s'arrête sur un point, plisse le front entre les sourcils et oblige ses yeux à accommoder. Je sais ce que cela signifie de chercher une trace qui nous vienne en aide dans la nébuleuse d'une radio.

— Tu vois, dit-il, ça, c'est l'hématome principal, juste au-dessus de la dure-mère, j'y arrive facilement... Il faut voir à quel point souffre le cerveau, ça, je ne peux pas le prévoir. Et puis il y a un point ici, plus à l'intérieur, je ne sais pas, peut-être un épanchement de contrecoup...

Nous nous regardons dans la lumière blafarde que projette ton cerveau dans notre dos. Nous savons que nous ne pouvons pas nous raconter d'histoires.

— Il pourrait déjà y avoir des complications ischémiques en cours, je murmure.

— Je dois l'ouvrir, comme ça on saura.

— Elle a quinze ans.

— Tant mieux, le cœur est solide.

— Elle n'est pas solide... Elle est jeune.

Je m'accroupis et maintenant je pleure, sans retenue, pressant les mains sur mon visage trempé :

— Elle va mourir, n'est-ce pas ? On le sait tous les deux, elle a la tête remplie de liquide.

— On sait que dalle, Timoteo.

Il s'est accroupi près de moi, il me prend par les bras et me secoue fort. Et en même temps il se secoue lui-même :

— Maintenant on ouvre et on voit. J'aspire l'hématome, je donne de l'air au cerveau et on voit ce qui se passe.

Il se relève.

— Tu viens à l'intérieur avec moi, n'est-ce pas ?

Je me passe l'avant-bras sous le nez et sur les yeux avant de me relever. Il me reste sur le duvet une trace brillante de morve.

— Non, je ne me rappelle rien du cerveau, je ne te servirais à rien...

Alfredo me fixe de son regard imperturbable. Il sait que je mens.

Dans l'ascenseur, nous ne parlons plus. Nous regardons au-dessus de nous les chiffres lumineux des étages qui disparaissent. Nous nous séparons sans un mot, sans même nous toucher. Je fais quelques pas et je m'assieds dans la salle de repos des médecins. Alfredo est en train de se préparer. J'accompagne par la pensée ses gestes, ce rituel que je connais si bien. Les bras glissent jusqu'au coude dans le grand lavabo en acier, les mains défont l'emballage de l'éponge désinfectante, j'ai l'odeur d'ammoniaque dans les narines... Une infirmière lui passe les champs pour se sécher, une autre lui attache sa blouse. Il y a un silence inhabituel autour de moi, un silence de gens muets de peur. Un infirmier que je connais bien passe devant la porte ouverte. Je croise son regard : un regard qui se baisse tout de suite vers le sol, vers ses pas de caoutchouc. À présent Ada est dans l'embrasure de la porte. Ada qui ne s'est jamais mariée, qui a un appartement en rez-de-chaussée avec un jardin dans lequel tombe le linge des voisins.

— On commence. Vous êtes sûr que vous ne voulez pas venir ?

— Oui.

— Vous avez besoin de quelque chose ?

— Non.

Elle hoche la tête, essaie de sourire.

Je l'arrête :

— Attendez, Ada.

Elle se tourne à nouveau :

— Professeur ?

— Si ça devait arriver, faites sortir tout le monde, et, avant de venir me chercher, ôtez-lui le respirateur, les aiguilles, retirez tout, recouvrez la partie... Enfin, rendez-la-moi de façon digne.

Maintenant Alfredo a franchi le sas et est entré dans la salle d'opération, les bras levés, son assistant va à sa rencontre pour lui enfiler ses gants. Tu es sous le Scialytique. Il me reste, à moi, la tâche la plus atroce : prévenir ta mère. Elle est partie pour Londres ce matin, tu le sais, interviewer quelqu'un, un ministre, je crois, elle était très excitée. Le taxi qui l'emportait t'a précédée de peu sous le portail. Je vous ai entendues discuter dans la salle de bains. Samedi tu es rentrée un peu trop tard, à minuit et quart, ces quinze minutes de retard sur l'horaire convenu l'ont beaucoup agacée. Pour certaines choses elle n'est pas du tout indulgente, elle ne supporte pas les entorses, ça lui semble un véritable attentat contre sa tranquillité. C'est une bonne mère, malgré ces rigidités, qui la protègent, certes, mais l'oppriment aussi, crois-moi. Je sais bien que tu ne fais rien d'illicite, tu retrouves tes amis devant l'école fermée à double tour. Vous restez à parler dans le noir, dans le gel, les mains serrées aux manches de pull-over que vous avez étirées, sous les tags, sous ce grand graffiti. Je t'ai toujours laissée faire. J'ai confiance en toi, j'ai même confiance en tes erreurs. Je connais celle que tu es à la maison et dans les rares moments où nous sommes ensemble, mais je ne sais pas ce que tu es avec les autres. Je sais que ton cœur est bon, tu le sèmes tout entier dans le sillon d'amitiés grandioses. Tu as raison, c'est une étincelle qui vaut la peine de vivre. Mais ta mère n'est pas de cet avis, elle pense que tu ne travailles pas assez, que tu gaspilles ton énergie et que tu ne franchiras pas à temps les étapes de tes études.

Quelquefois tes amis et toi vous traversez à pied le pâté de maisons et vous vous enterrez dans ce pub à l'angle, ce boyau enfumé en entresol. J'y ai glissé un œil une fois, d'en haut, par une des fenêtres basses sur le trottoir. Je vous ai vus rire, vous enlacer, écraser vos mégots dans les cendriers. J'étais un quinquagénaire élégant et seul, en promenade dans la nuit, et vous étiez là en bas, derrière ces soupiraux grillagés que les chiens s'arrêtent pour renifler. Vous étiez si jeunes, si unis. Vous êtes magnifiques, Angela, je voulais te le dire. Magnifiques. Je vous ai épiés, un peu honteusement, avec la curiosité d'un vieux qui regarderait un enfant déballer un cadeau. Oui, je vous ai vus déballer la vie, là en bas, dans ce pub rempli de fumée.

Je viens de parler avec ma secrétaire. Elle a réussi à avertir l'aéroport de Heathrow. Ils iront chercher Elsa au bas de la passerelle et ils la conduiront dans un salon privé pour lui expliquer la situation. C'est terrible de la savoir là-haut dans le ciel, avec son tas de journaux sur les genoux, ignorant tout. Elle nous croit sains et saufs là en bas, ma chérie, et je voudrais que son vol ne finisse jamais, qu'il continue à l'infini à traverser les ciels du monde. Peut-être observe-t-elle un nuage, un de ces nuages qui laissent à peine passer le soleil, une traînée scintillante qui pénètre à travers le hublot pour illuminer son visage. Elle doit être en train de lire l'article d'un collègue et de le ponctuer de petits mouvements de la bouche. Je connais si bien sa gestuelle involontaire, c'est comme si chaque émotion se traduisait sur son visage par un minuscule révélateur. Je l'ai eue tant de fois à côté de moi en avion. Je connais les plis de son cou, ce petit repli que forme la peau sous le menton quand elle baisse la tête pour lire. Je connais la fatigue de ses yeux, quand elle retire ses lunettes et ferme les paupières en appuyant la tête en arrière sur le siège.

L'hôtesse lui tend le plateau du petit déjeuner, elle le refuse dans un anglais parfait, demande « *Just a black coffee* » et attend que l'odeur de cette nourriture préemballée s'éloigne d'elle. Ta mère reste toujours sur terre, même quand elle est dans le ciel. À présent elle a le front tourné vers le hublot, peut-être a-t-elle tiré le store rigide sur la vitre : c'est sa demi-heure de repos. Elle pense aux tours et détours qu'elle doit faire, aujourd'hui aussi elle veut sûrement aller dans le centre acheter quelque chose. La dernière fois elle t'a rapporté ce poncho magnifique, tu te souviens? Mais non, peut-être est-elle encore en colère contre toi... À quoi pensera-t-elle quand l'hôtesse au sol viendra à sa rencontre? Comment ses jambes vacilleront-elles? Quel regard posera-t-elle sur le flot cosmopolite des gens qui vont et viennent? Quels yeux effarés? Elle prendra un coup de vieux, tu sais, Angela. Elle prendra un gros coup de vieux. Elle t'aime tellement. C'est une femme moderne, émancipée, tellement faite pour la vie en société. Elle a tout appris, mais elle ne connaît pas la douleur. Elle croit la connaître, mais elle ne sait pas. Elle est là-haut et elle ne sait pas encore ce que ça veut dire, là en bas. C'est l'horreur plantée dans la poitrine, là où il n'y a plus de poitrine. C'est un vide qui avale tout à une vitesse frénétique, comme un tourbillon. Il avale les tiroirs, les vêtements, les photos, les serviettes hygiéniques, les feutres, les CD, les odeurs, les anniversaires, les nourrices, les brassards gonflables, les couches-culottes. Tout doit disparaître. Elle devra faire un sacré ménage, là, dans cet aéroport. Il lui restera la grand-place déserte de sa vie et un sac vide pendant à son épaule. Peut-être courra-t-elle vers la baie vitrée d'où l'on voit partir les avions et heurtera-t-elle ce mur de ciel comme un animal emporté par le courant.

Ma secrétaire a parlé avec un responsable de l'aéroport. Il lui a assuré qu'ils feraient preuve de la plus grande délicatesse, qu'ils feraient tout ce qu'il faut pour ne pas trop l'alarmer. Tout est organisé, elle prendra le premier vol pour faire demi-tour, il y a un vol British Airways qui part immédiatement après son arrivée. Tout est organisé, ils la feront asseoir dans un coin tranquille, lui apporteront du thé, lui passeront le combiné du téléphone. J'ai le portable allumé dans la poche. J'ai déjà contrôlé, la réception est bonne, quatre petites barres, c'est important. Je mentirai, j'essaierai de ne pas lui dire que ton état est très grave. Naturellement elle ne me croira pas. Elle croira que tu es morte. Mais je ferai tout ce que je peux pour être convaincant. Tu portes un anneau au pouce, je ne m'en étais pas aperçu. Ada a eu du mal à te le retirer, à présent je l'ai dans la poche. J'essaie de le passer au mien, de pouce, mais je n'y arrive pas. Puis j'essaie avec le médius, peut-être que celui-là entre. Mais toi, ne meurs pas, Angela, ne meurs pas avant que ta mère ait atterri. Ne laisse pas ton âme traverser les nuages qu'elle observe sereinement. Ne coupe pas la route de son avion, ma chérie, reste. Ne bouge pas.

J'ai froid, je suis encore en blouse de travail. Peut-être devrais-je me changer, mes affaires sont dans le casier métallique à mon nom. J'ai suspendu avec soin ma veste par-dessus la chemise, j'ai laissé mon portefeuille et les clés de la voiture dans le compartiment supérieur, et j'ai fermé le cadenas. Quand était-ce ? Il y a trois heures, peut-être même moins. Il y a trois heures, j'étais un homme pareil à tous les autres. Comme la douleur est sournoise, comme elle va vite. C'est comme si un acide accomplissait son travail de corrosion en profondeur. J'ai les bras posés sur les cuisses. Au-delà des stores vénitiens, je vois une partie du pavillon d'oncologie. Je ne suis jamais resté dans cette pièce, je n'y ai été que de passage. Je suis assis sur un canapé en moleskine, devant moi il y a une table basse et deux chaises vides. Le carrelage est vert, mais avec dans sa pâte des grains sombres qui s'agitent hystériquement devant mes yeux, comme des virus au microscope. Car à présent j'ai l'impression d'avoir attendu cette tragédie.

Un couloir, deux portes et le coma nous séparent. Je me demande s'il est possible de franchir la prison de la distance, de parvenir à se l'imaginer protectrice comme un confessionnal et, sur les grains dansants de ce carrelage, de te demander audience, ma chérie.

Je suis un chirurgien, un homme qui a appris à diviser, à séparer les parties saines et malades. J'ai sauvé beaucoup de vies, mais pas la mienne, Angela.

Depuis quinze ans, toi et moi habitons la même maison. Tu connais mon odeur, le bruit de mes pas, la façon dont je touche les choses, ma voix privée d'inflexions. Tu connais les côtés doux et les côtés hostiles de mon caractère, tellement irritants qu'ils en deviennent indéfendables. Je ne sais pas quelle idée tu t'es faite de moi, mais je peux l'imaginer. L'idée d'un père responsable, non dépourvu d'un certain sens de l'humour bien à lui, plutôt sardonique, mais trop en retrait. Tu es liée par un sentiment solide à ta mère, parfois impétueux, mais vivant. Moi, j'ai été un costume d'homme suspendu à côté de votre relation. Plus que ma personne, mes absences, mes livres, mon imperméable dans l'entrée ont parlé pour moi. C'est un récit que je ne connais pas, écrit par vous à partir des indices que je vous ai laissés. Comme ta mère, toi aussi tu as préféré sentir ce manque, peut-être parce que m'avoir près de toi te coûtait trop d'efforts. Très souvent le matin, en sortant, j'ai eu la sensation que c'était vous deux, avec votre énergie commune, qui me poussiez vers la porte d'entrée pour vous libérer de mon poids. J'aime votre union si naturelle, je l'observe en souriant. D'une certaine façon, c'est vous qui m'avez protégé de moi-même. Moi je ne me suis jamais senti « naturel ». Je me suis efforcé de l'être, tentatives grinçantes tant s'efforcer d'être naturel constitue déjà une défaite. Ainsi ai-je accepté la silhouette que vous avez découpée pour moi dans le papier de soie de vos attentes. Je suis resté un invité à demeure dans ma propre maison. Je ne me suis pas indigné, même quand, en mon absence, les jours de pluie, la femme de ménage a déplacé le sèche-linge avec vos vêtements près du radiateur dans mon bureau. Je me suis habitué à ces intrusions humides sans me rebeller. Je suis resté dans mon fauteuil sans pouvoir allonger les jambes, j'ai posé mon livre sur mes genoux et je me suis arrêté pour regarder votre lingerie. J'ai trouvé dans ces vêtements humides une compagnie peut-être plus réelle que la vôtre, parce que dans ces trames fines et immaculées je capturais le parfum fraternel de la nostalgie. Nostalgie de vous, sans doute, mais surtout de moi-même, de ma fuite. Je le sais, Angela, mes étreintes, mes baisers ont toujours été maladroits, laborieux, peut-être même irritants. Toi, tu ne m'as pas aidé. Chaque fois que je t'ai serrée dans mes bras, j'ai senti ton corps parcouru d'un frisson d'impatience, voire de malaise. Tu ne t'y retrouvais pas, voilà tout. Il t'a suffi de me regarder de loin, de savoir que j'étais là. Me regarder à la façon de ta mère, comme un voyageur penché à la fenêtre d'un autre train, une silhouette brouillée par une vitre. Cela convenait à ta mère de me laisser ainsi, dans un train différent, pendant toute une vie.

Tu es une gamine sensible et solaire, mais d'un coup ton humeur change, tu deviens irascible, aveugle. J'ai toujours eu le soupçon que cette colère mystérieuse, d'où tu émerges déconcertée et un peu triste, a grandi en toi par ma faute. J'ai été un père hypocrite, je me suis soustrait à toi. Peut-être t'attendais-tu à un geste qui brise cet étrange embarras. Au lieu de cela, je n'ai pas bougé le petit doigt, j'ai préféré me tenir à l'écart.

Angela, adossée à ton corps innocent, il y a une chaise vide. À l'intérieur de moi, il y a une chaise vide. Je la regarde, je regarde son dossier, ses pieds, et j'attends, et il me semble entendre quelque chose. C'est le bruit de l'espoir. Je le connais, je l'ai entendu s'essouffler au plus profond des corps et affleurer dans les yeux des myriades de patients que j'ai eus devant moi. Je l'ai entendu se suspendre entre les murs de la salle d'opération, chaque fois que les gestes de mes mains décidaient du cours d'une vie. Je sais exactement de quoi je me persuade. Dans les grains de ce carrelage qui, à présent, bougent aussi lentement que des particules de suie, que des ombres mourantes, je me persuade qu'une femme remplit cette chaise vide, ne serait-ce que le temps d'un éclair, pas de son corps, non, mais de sa pitié. Je vois deux chaussures échancrées couleur lie-de-vin, deux jambes sans bas, un front trop haut. Et déjà elle est devant moi pour me rappeler que je suis celui qui donne l'onction, un homme qui signe sans remords le front de ceux qu'il aime. Tu ne la connais pas, elle est passée dans ma vie quand tu n'étais pas encore là. Elle est passée, mais a laissé une empreinte fossile. Je veux te rejoindre, Angela, dans ces limbes de tubes où tu t'es pelotonnée, où le trépan t'ouvrira le crâne, pour te parler de cette femme.

Je l'ai rencontrée dans un café. Un de ces troquets de banlieue où le café est mauvais, comme l'odeur qui venait de la porte des toilettes entrouverte, derrière un vieux baby-foot aux bonshommes décapités par la fureur des consommateurs. On suffoquait de chaleur. Comme chaque vendredi, je devais retrouver ta mère dans la maison au bord de la mer que nous louions sur la côte, au sud de la ville. Ma voiture s'était éteinte sans un soubresaut, comme une bougie, sur la nationale déserte bordée par un champ sec et sale et par quelques hangars industriels. J'avais marché sous le soleil pour rejoindre les seuls immeubles qu'on voyait de loin dans les marges extrêmes de cette banlieue. C'était au début de juillet, il y a seize ans.

J'entrai dans le café en sueur et de très mauvaise humeur. Je commandai un café et un verre d'eau et demandai s'il y avait un garagiste. Elle était courbée et s'affairait, un bras à l'intérieur du réfrigérateur. « Entier, y a pas ? » furent les premiers mots que je l'entendis prononcer, s'adressant au gars derrière le comptoir, un jeune type au visage grêlé qui portait un petit tablier gris terne serré autour de la taille.

— Ma foi, répondit-il, tandis qu'il me versait l'eau, prenant même la peine de glisser sous mon verre une petite assiette en étain dégoulinante.

— Ça fait rien, fit-elle, et elle posa sur le comptoir, à quelques millimètres de moi, une brique de lait écrémé.

Ses doigts glissèrent dans un petit sac d'enfant, en plastique à fleurs avec une fermeture à déclic. Elle en tira l'argent et le déposa à côté du lait.

— Un garagiste, y en a bien un, dit-elle en ramassant sa petite monnaie, mais savoir s'il est ouvert...

— Je me tournai au son de cette voix assourdie comme le miaulement d'un chat. Ce fut la première fois que nos regards se croisèrent. Elle n'était pas belle, ni même bien jeune. Ses cheveux mal décolorés encadraient un visage maigre mais à l'ossature robuste, au centre duquel brillaient deux yeux tristes d'avoir été trop maquillés. Elle laissa le lait sur le comptoir et se dirigea vers le juke-box. Et le café, si sombre au milieu de tant de soleil, avec sa puanteur âcre d'égouts bouchés, se remplit des notes écœurantes d'un groupe anglais très en vogue dans ces années-là. Elle resta debout, presque agrippée au juke-box. Elle ferma les yeux et commença à dodeliner lentement de la tête. Elle demeura ainsi, une silhouette tremblante, dans l'ombre, au fond du café. Le serveur se glissa de derrière son comptoir et, à côté de moi, sur le pas de la porte, m'indiqua le chemin. Je fis le tour du pâté de maisons sans réussir à trouver l'atelier. Dans la rue, il n'y avait personne. En haut, sur une petite terrasse, un vieux secouait une nappe. Je retournai dans le café, encore plus en sueur.

— Je me suis perdu.

Je pris au distributeur quelques serviettes en papier et me séchai le front.

Le juke-box était éteint. Elle était encore là. Assommée sur son siège, elle regardait devant elle en mâchant du chewing-gum. Elle se leva, prit son carton de lait sur le comptoir et salua le serveur. Sur le seuil, elle s'arrêta.

— Je passe devant, si vous voulez...

Je mis mes pas dans les siens sous le soleil brûlant. Elle portait un tee-shirt violet et une jupe courte vert vif, aux pieds une paire de sandales à rubans de toutes les couleurs et à talons hauts, sur lesquels ses jambes maigres s'épuisaient sans grâce. Elle avait glissé le lait dans un sac en patchwork à la bandoulière interminable, qui lui arrivait quasiment au genou. Elle ne faisait pas attention à moi, elle marchait vite sans se retourner, en traînant les pieds sur l'asphalte défoncé, trop près des murs, au point de les effleurer.

Elle s'arrêta devant un rideau métallique. L'atelier était fermé, un billet jauni fixé avec du Scotch informait qu'il rouvrirait d'ici deux heures. Je pensai à ta mère, il fallait que je la prévienne du contretemps. Depuis les tempes, la sueur me coulait derrière les oreilles, le long du cou. Nous étions arrêtés au milieu de la route. Elle s'était tournée, seulement la tête, elle me regardait, les yeux mi-clos sous l'effet de la canicule et de la lumière.

— Vous avez un morceau de papier sur le front.

Je cherchai ce bout de serviette noyé dans la sueur.

— Il y a une cabine téléphonique ?

— Il faut que vous retourniez en arrière. Je ne sais pas si elle fonctionne, ici ils cassent tout.

Elle avait encore le chewing-gum dans la bouche, ses joues mastiquaient vigoureusement. D'une main, elle protégea sa vue contre le soleil. Ses yeux, qui dans la lumière naturelle se révélaient d'un gris pâle, me parcoururent en un éclair. L'alliance au doigt et la cravate la rassurèrent peut-être, encore qu'elle n'eût pas l'air de quelqu'un qui craignait les étrangers.

— Vous pouvez téléphoner de chez moi, si vous voulez. J'habite là-derrière.

Et elle étira le cou vers un lieu indéterminé de l'autre côté de la route. Elle traversa sans regarder. Je la suivis le long d'un chemin de terrassement, dans un dédale de bâtiments de plus en plus fantomatiques, jusqu'à un immeuble encore en construction mais déjà habité. Poutres en métal nues sur lesquelles auraient dû reposer des terrasses, grandes ouvertures qui donnaient dans le vide fermées par des sommiers métalliques retournés.

— On prend un raccourci, dit-elle.

Nous marchions entre les piliers en ciment de ce qui semblait un immense garage désaffecté, et enfin le soleil nous laissait en paix. Puis nous nous glissâmes dans une entrée sombre infestée de tags, où stagnait une odeur de vespasienne à laquelle se mêlait un vent de friture de provenance mystérieuse. L'ascenseur était grand ouvert. On voyait les fils électriques par les trous des boutons manquants.

— On monte à pied.

Je la suivis dans une cage d'escalier traversée de cris soudains, éclairs de vies infernales et de téléviseurs allumés. Sur les marches crasseuses gisaient des seringues usagées qu'elle enjambait de ses pieds nus dans leurs sandales sans y prêter attention. Je voulais revenir en arrière, Angela. Je me retournais à chaque bruit, craignant de voir surgir quelqu'un prêt à me dévaliser, à me tuer peut-être, un complice de cette femme vulgaire qui avançait devant moi. Par moments, son odeur me parvenait, avec le bruit sourd de son sac qui battait contre les marches et se couvrait de poussière, chaud mélange de cosmétiques qui se dissolvaient et de sueur. J'entendis le bruissement de sa voix : « C'est dégueulasse, mais ça va plus vite », comme si elle avait senti mes craintes.

Sa voix avait une légère inflexion méridionale, elle était plus profonde sur certaines syllabes et en avalait d'autres, qu'elle laissait s'éteindre dans sa gorge.

Elle s'arrêta à l'étage au-dessus. Elle se dirigea promptement dans l'humus de ce palier vers une porte métallique. Elle glissa le bout de ses doigts dans le trou où manquait la serrure et tira le lourd battant à elle. La lumière m'arriva si violemment en plein visage que je dus me protéger d'un bras : le soleil semblait tout proche.

— Venez, dit-elle, et je vis son corps sombrer.

Elle est folle, je suis en train de suivre une malade mentale, elle m'a levé dans ce troquet juste pour me faire assister à son suicide. Je m'avançai sur l'escalier extérieur, un escalier de sécurité, raide spirale de fer. Elle descendit sans peur. D'en haut, je voyais la racine noire de ses cheveux jaunes. À présent elle paraissait incroyablement agile sur ses talons, comme un enfant, comme un chat. Je m'aventurai dans la cage de cet escalier incertain, agrippé à la rambarde de tubes et de boulons rouillés. Ma veste se coinça, je tirai et j'entendis le tissu qui se déchirait. Soudain un grand bruit me parvint. Sous mes yeux, tout proche, il y avait un immense viaduc. De l'autre côté du rail de sécurité, les voitures filaient à toute allure. Je ne réussissais plus à comprendre où nous étions. Je regardai autour de moi. La fille était derrière, assez loin déjà, elle s'était arrêtée au milieu d'un terrain vague. Les cheveux jaunes, le visage cerné de maquillage, le sac multicolore : on aurait dit un clown oublié par un cirque.

31

— On est arrivés, cria-t-elle.

Et, en effet, il y avait une construction derrière elle, un mur rose, vieux, qui n'avait pas l'air d'appartenir à une maison encore debout. Elle se tourna vers ce mur. C'était une habitation autonome, une sorte de minuscule pavillon en ruine, juste sous les piliers du viaduc. Nous descendîmes parmi les broussailles poussiéreuses, puis nous grimpâmes à nouveau deux marches jusqu'à une porte de planches, verte comme sa jupe.

Elle passa le bras au-dessus de la porte dans un trou entre les briques et en sortit une clé qui y était collée avec un morceau de chewing-gum. Elle ouvrit la porte, puis retira de sa bouche la chique qu'elle mastiquait, et colla de nouveau la clé en haut d'une pression des doigts. Pendant qu'elle se dressait sur la pointe des pieds, je regardai ses aisselles entièrement nues. Elles n'étaient pas épilées, mais pas fournies non plus. Juste une touffe de poils fins et longs, collés par la sueur.

À l'intérieur une transversale de lumière coupait l'air. Ce fut la première chose qui se posa sur moi, avec l'odeur. Une odeur de suie, de maison de campagne, couverte par une acidité d'eau de Javel, de poison, celui qu'on utilise pour tuer les rats. C'était une pièce carrée avec un sol en grès couleur café. Sur le mur du fond, il y avait une cheminée, grande bouche noire et triste. Un intérieur digne, ordonné, juste un peu borgne, car la lumière pénétrait par une seule fenêtre. Par les volets entrouverts, on apercevait un pilier du viaduc. Trois chaises modèle suédois étaient poussées sous une table recouverte d'une nappe en toile cirée. Une porte s'ouvrait sur le côté. On entrevoyait une étagère de cuisine recouverte de Formica imitation liège. Elle se glissa à l'intérieur de la pièce.

— Je mets le lait au frigo.

Elle avait dit qu'elle avait le téléphone. Je le cherchai sans le trouver, sur une petite table basse avec un cendrier en forme de coquillage, sur un meuble laqué à tiroirs envahi de bibelots, sur un vieux canapé égayé par un drap à fleurs. Accroché au mur, je vis un poster de singe portant une coiffe de nouveau-né sur la tête et serrant un biberon entre ses jambes, immortalisé par la lumière factice des flashs et des ombrelles de polyéthylène d'un studio de photographe.

Elle revint aussitôt.

— Le téléphone est par là, dans la chambre, dit-elle en désignant un rideau en lanières de plastique juste derrière moi.

— Merci, murmurai-je en direction de ce rideau de bar, et à nouveau j'eus peur d'un piège.

Son sourire dévoila une rangée de petites dents imparfaites.

De l'autre côté du rideau se trouvait une chambre étroite, entièrement occupée par un lit double sans chevet et couvert d'un tissu chenille couleur tabac. Sur le papier peint pendait un crucifix, légèrement de travers. Le téléphone était par terre près de sa prise. Je le pris, m'assis sur le lit et composai le numéro d'Elsa. Je suivis par la pensée la sonnerie qui pénétrait dans la maison. Elle courait sur le tapis en fibres de coco du salon, montait le long de l'escalier de bois clair, dans les pièces du haut, dans la grande salle de bains avec les morceaux de miroir encastrés dans l'enduit indigo, effleurait les draps de lin de notre lit encore défait, la table de travail couverte de livres, glissait dans le jardin à travers les rideaux de gaze, sur la tonnelle enveloppée par l'inflorescence blanche du jasmin, sur le hamac, sur mon vieux chapeau colonial avec ses œillets rouillés. Aucune réponse. Elsa était peut-être en train de nager ou peut-être était-elle déjà sortie de l'eau. Je pensai à son corps étendu sur le drap de bain, à l'eau qui léchait ses jambes. Le téléphone sonnait dans le vide. Je laissais courir une main sur la chenille du couvre-lit, et pendant ce temps je découvris une paire de pantoufles fuchsia, noires à force d'être mises, sous une commode de brocanteur. Appuyée contre le miroir, la photographie d'un homme jeune, mais d'une autre époque. Je me sentais mal à l'aise dans cette pièce, assis sur un lit où d'ordinaire couchait une étrangère, ce clown hagard qui m'attendait à côté. Depuis l'intérieur d'un tiroir entrouvert rempli de lingerie brillait un morceau de satin amarante. Presque sans m'en apercevoir, je glissai une main dans ce soupirail et effleurai ce tissu soyeux. Le clown passa la tête entre les lanières de plastique.

— Vous voulez un café ?

Je m'assis sur le canapé devant le poster du singe. Une gêne flottait au fond de ma gorge, sèche, farineuse. Je regardai autour de moi et mon malaise s'insinua dans cet environnement modeste. Sur une étagère, une poupée de porcelaine avec une ombrelle en voile appuyait son visage effaré contre le premier d'une rangée de livres tous identiques, une de ces encyclopédies universelles qu'on achète à crédit. La tristesse était bien emballée, soignée, honorable. Je regardai la femme qui était tournée vers moi avec son plateau à la main. Plongée dans le décor de sa maison, elle était moins vive, elle avait une décence misérable qui allait avec le reste. Je la trouvai déprimante. Il y avait à côté de mon bras cette surface couverte de bibelots... Je déteste ces objets, Angela, tu le sais. J'aime les surfaces vides avec seulement une petite lampe dans un coin, quelques livres et rien d'autre. Je fis un petit mouvement de l'épaule, j'avais senti mon bras parcouru du désir de flanquer par terre toutes ces cochonneries. Elle me servait le café.

— Vous voulez combien de sucres ?

Je collai mes lèvres sur la tasse et avalai. Le café était bon, mais j'avais la bouche pâteuse de fatigue, de mauvaise humeur, si bien qu'il me resta sur la langue une patine amère. La femme vint s'asseoir à côté de moi sur le canapé, légèrement à l'écart. Elle était à contre-jour. Une frange de cheveux effilochée ne suffisait pas à dissimuler son front, trop proéminent par rapport au reste du visage concentré en une unique grimace immobile dans le sillon entre le nez et la bouche exagérée par le rouge à lèvres. Je regardai la main dans laquelle elle tenait la tasse. Autour des ongles courts, qu'elle dévorait sans nul doute, la chair était rougie et gonflée. Je pensai à l'odeur de salive caillée sur le bout de ces doigts et je frémis. Entre-temps elle s'était penchée. Je baissai les yeux et vis le museau d'un chien pointer de sous le canapé. Un petit chien endormi, de taille moyenne, au poil sombre et frisé, avec de longues oreilles couleur d'ambre. Il lui lécha la main, ces ongles rongés, heureux comme s'il avait reçu une récompense.

— Crevalcore, murmura-t-elle, tandis qu'elle frottait son grand front contre celui du chien, qui s'était rendu compte de ma présence, mais semblait me regarder sans le moindre intérêt, de ses yeux voilés par un étrange brouillard.

Elle ramassa le plateau et les tasses sales.

— Il est aveugle, ajouta-t-elle en baissant la voix, comme pour ne pas se faire entendre de l'animal.

— Vous me donneriez un verre d'eau ?

— Vous vous sentez mal ?

— Non, j'ai chaud.

Je regardai ses fesses tandis qu'elle marchait vers la cuisine. Elles étaient maigres, comme celles d'un homme. Mon regard glissa de haut en bas le long de son corps qui me tournait le dos, un dos étroit, courbé, plus bas un creux là où les cuisses auraient dû se rejoindre. Il n'était pas désirable, ce corps. Au contraire, il paraissait inhospitalier. Elle se tourna vers moi, oscillant sur ses talons. Elle me tendit l'eau et attendit debout que je lui rende le verre.

— Ça va mieux?

Oui, l'eau m'avait nettoyé la bouche.

Elle ne m'accompagna pas à la porte.

— Merci, alors...

— C'est rien...

Il faisait toujours aussi chaud. La chaleur flottait dans l'air, agitait imperceptiblement les choses. L'asphalte se dérobait mollement sous mes pas. Je m'installai pour attendre l'heure de réouverture à côté du rideau de l'atelier baissé. Je transpirais à nouveau, et à nouveau j'avais soif. Je retournai au café. Je demandai encore une fois de l'eau, mais ensuite, quand le gars au visage grêlé se déplaça, dévoilant une rangée de bouteilles derrière sa tête, je changeai d'idée et commandai une vodka. Je me la fis servir dans un grand verre, avec de la glace, qu'il alla chercher au fond d'un récipient en aluminium et qui, peut-être, en fondant, libérerait la même odeur que ce lieu, de mayonnaise rance, de serpillière mal essorée. J'allai m'asseoir au fond du café, à côté du juke-box. Je bus une longue gorgée sonore. L'alcool m'envahit comme une douleur sèche, une flambée qui se transforma aussitôt en fraîcheur prolongée et intense. Je regardai ma montre. J'avais encore une heure et quelque à attendre.

Je n'étais pas encore habitué aux temps morts, Angela. J'avais tout juste quarante ans et, depuis cinq ans déjà, j'étais chef de service adjoint en chirurgie générale, le plus jeune de l'hôpital. La clientèle de mon cabinet augmentait et, avec un peu de réticence, mais de plus en plus souvent, j'opérais en clinique privée. Je me surprenais à apprécier ces lieux payants, propres, organisés, silencieux. J'avais tout juste quarante ans et déjà, peut-être, je n'aimais plus mon métier. Jeune, j'avais foncé tête baissée. Après la spécialisation, les premières années d'exercice avaient été fébriles, difficiles, à l'image de ce coup de poing décoché à un infirmier coupable de ne pas avoir attendu que l'autoclave de stérilisation à vapeur des instruments eût achevé correctement son cycle. Puis, presque sans m'en apercevoir, un voile d'apaisement, accompagné d'un doux sentiment de désillusion, était tombé sur moi. J'en avais parlé avec ta mère. Elle avait dit que j'étais simplement en train de glisser vers le train-train de la vie adulte, une transition nécessaire et somme toute agréable. J'avais tout juste quarante ans et depuis un bon moment déjà j'avais cessé de m'indigner. Non que j'eusse vendu mon âme au diable. Simplement, je ne l'avais pas offerte aux dieux, mais mise dans ma poche, dans cette poche de grisaille estivale où elle se trouvait à présent, au fond de ce café sordide.

La vodka m'avait donné un coup de fouet. « Il fait chaud, allume ! » aboya un grand type couvert de mortier qui se dirigeait vers le baby-foot, suivi d'un compagnon trapu, en regardant les pales immobiles du ventilateur. D'un coup sec il tira le levier cylindrique et les balles tombèrent du ventre de bois. Le type trapu jeta la première balle sur le terrain, il la laissa tomber d'un geste décidé, qui devait correspondre à une espèce de rituel. Puis la partie commença. Tous deux parlaient peu. Les mains agrippées aux poignées, ils faisaient pivoter leurs poignets et assénaient des coups précis et secs qui faisaient vibrer les tiges de métal. À contrecœur, le serveur sortit de derrière son bar en se séchant les mains sur son tablier et mit le ventilateur en marche. Tandis qu'il retournait vers le comptoir, je lui tendis le verre : « Apporte-m'en un autre, s'il te plaît. » Les pales du ventilateur commencèrent à brasser avec nonchalance l'air chaud qui emplissait les lieux. Une nappe vola à terre. Je me baissai pour la ramasser. J'aperçus quelques copeaux de sciure crasseuse et, un peu plus loin, les jambes des deux joueurs. Quand je me relevai, je réalisai que ma tête se ressentait de ce mouvement brusque et que le sang y était monté. Le barman posa le verre avec la vodka sur ma table. Je l'avalai d'un trait. Mon regard flotta vers le juke-box. C'était un vieux modèle d'un bleu jaspé, de la façade on voyait le bras en métal qui glissait sur les disques quand il était en marche. Je songeai que cela me plairait d'écouter une chanson. N'importe laquelle. Le visage de cette femme me revint à l'esprit, trop maquillé, il ondulait, rustre et ébahi, dans la lumière qui irradiait du bas de cette boîte à musique. Une petite balle jaillit du baby-foot et heurta le sol. Avant de sortir, je laissai un bon pourboire au garçon, qui posa l'éponge avec laquelle il astiquait le comptoir et engloutit l'argent dans sa main mouillée.

Je marchai à nouveau vers l'atelier. Devant moi un groupe d'enfants à moitié nus se traînaient en chevauchant un sac-poubelle rempli d'eau qui pissait en plusieurs endroits. Le rideau du garagiste était enfin à demi levé. Je baissai la tête et entrai. À l'intérieur, sous les seins huilés d'une fille de magazine, je vis un homme robuste, plus ou moins de mon âge, ficelé dans un bleu de travail couvert de graisse. Je montai avec lui dans une vieille Diane aux sièges brûlants et nous rejoignîmes ma voiture. Il fallait remplacer la pompe à huile et le manchon. Nous revînmes en arrière pour prendre les pièces de rechange. Le garagiste me laissa devant l'atelier, jeta dans le coffre les outils nécessaires et repartit.

Je traînai sans but, la chemise imbibée de sueur, les lunettes embrumées, désormais indifférent à la chaleur. Le flegme provoqué par l'alcool coïncidait pourtant avec un de mes désirs les plus intimes. J'avais trimé dur pendant cette dernière année pleine de succès. J'avais toujours été là, toujours joignable. Par un pur hasard, j'avais glissé hors du radar et, à présent, cette absence que je m'autorisais me fit l'effet d'une récompense inattendue, maintenant que je ne me rebellais plus et m'y abandonnais comme un touriste. Je retournai vers l'immeuble inhabité. Les enfants avaient vidé l'eau sur un monticule de roche volcanique et construisaient une cabane, sorte de grand œuf noir. Je restai à les regarder, hébété, sous le ciel ardent. Ma mère ne voulait pas que je descende jouer dans la cour avec les autres enfants. Après son mariage, elle s'était habituée à vivre dans un quartier populaire. Il n'était pas triste du tout, ni même trop excentré. Il était populeux et joyeux. Mais ta grand-mère se refusait à regarder par la fenêtre. Pour elle, le quartier n'était pas triste, la tristesse elle savait bien comment la supporter. Non, c'était pire. C'était juste une marche au-dessus de la misère. C'était le dernier palier avant ses rêves. Elle vivait isolée dans cet appartement comme sur un nuage où elle aurait reconstruit son monde, où elle avait installé son piano et son fils. J'aurais voulu, dans certaines heures languides de l'après-midi, me précipiter vers cette vie que je voyais grouiller là en bas, mais je n'avais pas le courage de l'humilier. Je faisais comme si pour moi non plus ce monde n'existait pas. Hâtivement, elle me mettait dans l'autobus qui nous conduisait vers la maison de sa famille, vers sa mère, et dans cet endroit plein d'arbres et de petits chemins je pouvais enfin ouvrir les yeux. Là-bas elle était radieuse, elle était une autre. Ensemble nous nous jetions sur le lit de ce qui avait été sa chambre de jeune fille et nous riions. Elle rechargeait ses batteries et sa personne aussi se remplissait d'une nouvelle splendeur. Puis elle reprenait son manteau et, avec lui, son regard habituel. Nous rentrions alors qu'il faisait déjà nuit, quand dehors on ne voyait plus rien. De l'arrêt d'autobus jusqu'à la porte de la maison, elle courait, terrorisée par cet abîme qui l'entourait.

Le visage de ma mère me passa devant les yeux, tous ses visages à la suite, jusqu'au dernier, le visage fermé de la mort, quand je demandai aux croquemorts encore un instant pour la regarder. Je secouai la tête dans un mouvement de colère pour chasser cette pensée.

À présent je marcherai jusqu' à ma voiture, je paierai le garagiste, je me mettrai en route et j'arriverai jusqu' à Elsa. Elle aura les cheveux encore humides, et son chemisier d'organdi cyclamen. Nous irons dans ce restaurant, à la table du fond où, avec la nuit, pénètrent les lumières du golfe. Je la laisserai conduire, ainsi je pourrai poser ma tête sur son épaule...

Elle ne parut pas surprise. J'eus même l'impression qu'elle m'attendait. Elle rougit en reculant pour me laisser entrer. Involontairement, je fis un faux pas et heurtai l'étagère accrochée au mur. La poupée de porcelaine tomba à terre. Je me baissai pour la ramasser.

— Ne vous en faites pas, dit-elle, et elle oscilla vers moi.

Elle portait un tee-shirt différent, blanc, avec une fleur en strass trop voyante.

— Et la voiture ? murmura-t-elle.

Sa voix était hésitante, comme sa bouche sans rouge à lèvres. Je regardai derrière elle, cet intérieur ordonné et misérable, et il me parut encore plus triste qu'avant. Mais je n'éprouvai aucune gêne. Au contraire, j'éprouvai un étrange plaisir en sentant que tout ce qui m'entourait était vraiment sordide.

— Ils la réparent.

J'entendis le frottement de ses mains. Elle les tenait derrière son dos. Elle baissa les yeux, puis les leva à nouveau. Il me sembla que toute sa personne vibrait imperceptiblement. Peut-être étais-je seulement saoul.

— Vous voulez téléphoner ?

— Oui.

À nouveau dans la chambre, à nouveau les mains sur la chenille couleur tabac. Je regardai le téléphone, je le regardai comme un ustensile en plastique qui ne me mettrait en communication avec rien. Je ne l'effleurai même pas. Je fermai le tiroir de la commode. Je remis droit le christ de travers sur le mur. Je me levai et me dirigeai vers la porte. Je voulais partir et c'est tout. La vodka m'avait rendu mon sale caractère. *Et si je n'allais pas à la mer ? Et si je retournais vers la ville ? Je me mettrais au lit. Je n'ai envie de rien ni de personne.*

— Il y avait quelqu'un ?

— Non.

Derrière elle, une cheminée éteinte, vide et noire comme une bouche édentée. Je la prends par un bras et je la retiens. Elle respire, la bouche ouverte. Son haleine est celle d'un rat. Dans cette soudaine proximité, son visage se déforme. Ses yeux cernés sont immenses, ils se débattent entre les cils comme deux insectes prisonniers. Je lui tords le bras. Elle est si étrangère et si proche de moi. Je pense aux faucons, à la peur que j'en avais quand j'étais gamin. Je lève la main pour la chasser loin de moi, elle, ses bibelots, sa misère. Pourtant je saisis cette fleur de strass et je l'attire à moi. Elle essaie de mordre ma main, sa bouche s'agite dans le vide. Je ne sais pas encore de quoi elle doit avoir peur, je ne connais pas mes intentions. Je sais seulement qu'avec l'autre main je serre ces cheveux en raphia. Je les ai pris à pleine main et je les tire comme un épi de maïs. Puis mes dents sont sur elle. Je dévore son menton, ses lèvres rigides de peur. Je la laisse gémir, maintenant elle a une bonne raison. Maintenant que je lui ai arraché de la poitrine cette fleur de strass, maintenant que j'ai saisi ses seins décharnés et que je les frotte. Et mes mains sont déjà entre ses jambes, entre ses os. Elle n'assiste pas à ce déchaînement. Elle baisse son visage sur son cou, lève un bras vague en l'air et ce bras tremble. Car j'ai trouvé son sexe, maigre comme le reste, et déjà j'attrape le mien. Je la pousse contre le mur, vite. Et même plus vite que ça. Sa tête jaune rejetée vers le bas, c'est une marionnette démantibulée contre le mur. Je repousse ses mandibules vers le haut, ma salive dégouline dans l'anse de son oreille, elle court le long de son dos, pendant que je m'agite sur son sac d'os comme un prédateur dans un nid usurpé. Ainsi je massacre tout, elle, moi, et cet après-midi stupide.

Je ne sais si, après, elle haletait. Peut-être pleurait-elle. Elle était à terre, recroquevillée sur elle-même. J'étais littéralement hors de moi, précipité de l'autre côté de la pièce. Le museau du chien aveugle reposait sur une patte et dépassait de sous le canapé, les oreilles basses, les yeux blancs. Sur le mur, le singe tétait son biberon, immobile. Mes lunettes étaient par terre, près de la porte, un verre cassé. Je fis quelques pas et me penchai pour les ramasser. J'attrapai les pans humides de ma chemise, les enfilai dans mon pantalon et sortis sans dire un mot.

La voiture était garée devant l'atelier. La clé était sur le contact, je démarrai et partis. La ligne droite bordée de pins maritimes et de cannaies flétries défila. Je freinai sans réussir à m'arrêter, j'ouvris la portière et vomis, toujours en mouvement. Je fouillai sous le siège à la recherche de l'eau que j'avais avec moi. Je la trouvai, désagréablement chaude dans son emballage de plastique. Je me rinçai la bouche, sortis la tête et me renversai dessus ce qui restait de la bouteille. L'asphalte défilait et, avec lui, une bouffée de chaleur et de mer désormais toute proche. Je lâchai le volant et portai les mains à mon visage pour les renifler. Je cherchais une trace de mes atrocités, Angela. Je trouvai seulement une odeur de rouille, peut-être celle de l'escalier. Je crachai dessus. Je crachai sur les plaies de ma vie, de mon bien-être, de mon cœur. Puis je frottai mes paumes l'une contre l'autre, jusqu'à ce qu'elles brûlent.

La maison au bord de la mer était une construction des années cinquante, basse, carrée, sans fioritures. Un jasmin déversait son parfum étourdissant sur la tonnelle devant la cuisine, à côté d'un grand palmier. Pour le reste, le jardin était nu, délimité par une clôture de petites lances de fer rongées par les embruns. La grille, qui à chaque coup de vent grinçait sur ses gonds avec un bruit strident pareil au cri des mouettes effrayées par la tempête, donnait directement sur la plage. La parcelle de marina devant la maison était à peu près déserte. Les complexes balnéaires étaient alignés plus bas, au-delà de l'embouchure du fleuve, au-delà des grands filets de pêche immobiles dans l'air comme des bouches affamées.

C'est ta mère qui avait choisi cette maison de vacances. Elle lui faisait penser, disait-elle, à une tente dans le désert, surtout au coucher du soleil, quand le reflet de la mer semblait faire bouger les murs. Elle la choisit aussi grâce à un chat. Endormi, celui-ci se laissa prendre par Elsa et demeura dans ses bras pendant tout le temps où la fille de l'agence ouvrait les volets des pièces, dans lesquelles stagnait l'odeur de moisi des maisons restées fermées tout l'hiver. C'était un jour de la semaine vers la fin de mars. Ta mère portait un manteau de *casentino*, orange électrique comme le soleil que nous trouverions en été. Au retour, nous nous arrêtâmes pour déjeuner dans un restaurant trop grand pour nous seuls, dont les baies vitrées, opacifiées par les embruns, surplombaient les rochers. Il faisait froid, il ne nous en fallut pas beaucoup pour être saouls, un bitter chacun et une carafe de vin. Nous sortîmes en titubant, bras dessus bras dessous, avec l'assiette souvenir du restaurant à la main. Nous nous cachâmes dans la pinède et nous fîmes l'amour. Après, je posai ma tête sur le ventre d'Elsa. Nous restâmes ainsi, à l'écoute du futur qui nous attendait. Puis ta mère se leva et alla ramasser quelques pignes noircies. Je la regardai sans bouger. Je crois que ce fut le jour le plus heureux de notre vie ensemble. Mais naturellement nous ne nous en rendîmes pas compte.

Depuis ce jour de mars presque dix ans s'étaient écoulés et je passais près de cette pinède sans me retourner, tandis que le sable blanchissait l'asphalte sous les roues. Je garai la voiture sous la claie à l'arrière du jardin. Je me baissai pour ne pas heurter le fil où pendaient la serviette et le maillot de bain d'Elsa. Un maillot une pièce couleur prune en tissu élastique nid-d'abeilles, qu'elle roulait sous son nombril quand elle prenait le soleil. Il était à l'envers, de l'épaule j'effleurai le morceau de tissu blanc de l'entrejambe, ce bout de Lycra qui couvrait la fourche des jambes de ma femme.

Je tournai autour de la maison et j'entrai dans le salon au grand canapé d'angle couvert de lin bleu. Le sable grattait sous mes chaussures. Je les retirai, je ne voulais pas qu'Elsa m'entende. Je marchai pieds nus sur le sol en pierre toujours frais. J'écartai les doigts de pied et j'appuyai la plante pour mieux adhérer à cette fraîcheur, tandis que je descendais la marche qui conduisait à la cuisine. Le robinet mal fermé gouttait sur une assiette sale. Sur la table, il y avait un morceau de pain abandonné parmi les miettes à côté d'un couteau. Je pris le pain et commençai à le manger.

Ta mère était à l'étage, elle se reposait. Je l'épiai à travers la porte entrouverte dans la pénombre : ses jambes nues, le bustier en soie à fines bretelles, le drap tire-bouchonné au bas du lit, où elle l'avait repoussé avec les pieds, le visage couvert par la masse dense de ses cheveux. Peut-être dormait-elle déjà auparavant, de sorte qu'elle n'avait pas entendu le téléphone. Et cette pensée me tranquillisait, de la savoir endormie tandis que je... Comme dans un rêve. Je mastiquais le pain. Ma femme dormait. Sa respiration était calme comme la mer au-delà des fenêtres.

Je jetai mes sous-vêtements dans le panier de linge sale et me glissai dans la douche. Je redescendis en peignoir et laissai des empreintes humides sur les marches. Je cherchai mes lunettes de soleil et sortis sous la tonnelle. À travers les verres fumés, la mer était d'un bleu plus intense et vibrant que le vrai. J'étais chez moi, dans le parfum des choses familières. La peur était ailleurs, loin. J'avais laissé derrière moi un incendie, je sentais encore les flammes sur mon visage. Je regardais et j'essayais de me focaliser lentement sur les choses. Je devais me réhabituer à cet homme que je croyais connaître et qui s'était perdu dans un verre de vodka en répondant à un appel sordide, liquéfié comme ces cubes de glace crasseux. Je portai la main à ma bouche pour sentir mon haleine. Non, elle ne puait pas l'alcool.

— Bonjour, mon amour.

Elsa posa la main sur mon épaule. Je me retournai et l'embrassai immédiatement. Mon baiser manqua sa cible, il ne trouva pas les lèvres. Elle portait sa chemise de voile, sous la trame on devinait les tétons brunis de soleil. Son regard était encore plein de sommeil. Je l'attirai à nouveau à moi pour un baiser plus réussi.

— Tu en as mis du temps.

— J'ai eu une opération pénible.

J'avais menti d'instinct et maintenant j'étais là, ferme dans le mensonge. Je lui pris la main et nous marchâmes sur le sable vers la rive.

— Tu veux sortir pour dîner ?

— Si tu veux...

— Non. Toi, si tu veux.

— Restons à la maison.

Nous nous assîmes. Le soleil commençait à être plus clément. Elsa allongea les jambes, étira la pointe des pieds jusqu'à l'eau et resta à regarder ses ongles qui apparaissaient et disparaissaient sous le sable humide. Nous étions habitués à demeurer ainsi, l'un à côté de l'autre, en silence. Cela ne nous déplaisait pas. Mais, après quelques jours d'éloignement, il fallait faire violence à nos intimités corrompues par la solitude. Je trouvai la main de ta mère et la caressai. Elle avait trente-sept ans. Peut-être qu'elle aussi regrettait la fille au manteau de casentino orange qui titubait complètement saoule et riait, pliée en deux sur le môle que le vent éclaboussait de mer. Peut-être la cherchait-elle sur le bout de ses pieds, là où une écume claire allait et venait. Mais non, c'était moi, le *desaparecido*. Moi, avec mon travail sans horaires. Moi qui donnais avec parcimonie, prenais avec hâte. Mais nous n'allions certainement pas nous mettre à creuser le sable à la recherche de nos manquements respectifs. Le courage n'avait plus sa place parmi nous. Le courage, Angela, appartient aux amours nouvelles. Les amours anciennes sont toujours un peu viles. Non, je n'étais plus son mec, j'étais l'homme qui l'attendait dans la voiture quand elle entrait dans un magasin. La main d'Elsa glissait, plus douce, dans la mienne, comme le museau d'un cheval qui reconnaît son avoine.

— Tu veux te baigner ?

— Oui.

— Je vais enfiler mon maillot.

Je la regardai se diriger vers la maison. Je regardai ses jambes qui remontaient la plage, volontaires et fermes. Je repensai à ces autres jambes, maigres et molles à l'intérieur, là où je les avais serrées. Et je sentis à nouveau le goût de la sueur, le goût de la peur. « À l'aide... » À un certain moment, elle avait murmuré : « À l'aide... » À présent Elsa se glissait dans le jardin. Je souris, comme on sourit aux choses qui nous appartiennent. Je me mis à nouveau à regarder le soleil qui descendait sur la mer dans un reflet rose et je me dis que j'étais un imbécile. Cet après-midi était un splendide moment de ma vie. Cet instant de sérénité devait rogner les ailes de mon embarras.

Elle revint dans son costume de bain couleur prune, avec une serviette sous le bras. Elle était encore incroyablement belle, plus maigre que quand je l'avais connue, plus dure peut-être, mais plus loyale. Son physique bien entretenu correspondait parfaitement à son âme.

— On y va ?

Ce morceau de tissu blanc au revers de son maillot, devant lequel j'avais tremblé comme devant un juge, avait disparu entre ses cuisses. Je me redressai d'un bond. Elle était immobile au bord de l'eau. Je regardai la courbure de son dos. J'étais l'homme de sa vie, le vieux qui l'attendrait devant les magasins garé en double file. Peut-être désirait-elle quelqu'un d'autre. Peut-être l'avait-elle déjà connu, la fidélité n'est pas une valeur de l'âge mûr. L'infidélité, oui, parce qu'elle exige précautions, parcimonie, discrétion, et toutes sortes de qualités séniles. Nous deux, ensemble, commencions à être comme un vieux manteau qui a perdu sa forme d'origine, et avec elle son encombrante raideur, et c'est précisément cet affaissement, cette usure naturelle du tissu, qui le rendent unique, inimitable.

J'ouvris mon peignoir et le laissai tomber sur le sable. Elsa releva la tête d'un mouvement brusque.

— Tu es nu !

Elle riait en marchant dans l'eau derrière mon cul blanc, trop large pour un cul d'homme. Lui plaisais-je encore ? Sans nul doute me préférait-elle vêtu, protégé par mes nippes. Je ne rentrais pas le ventre et je n'avais pas des bras musclés. Je voulais qu'elle me regarde sans clémence, qu'elle jauge les imperfections de l'homme avec lequel elle passerait le reste de sa vie. Je plongeai et nageai sans sortir la tête jusqu'à ce que je sente ma poitrine se gonfler, durcir. Je me mis sur le dos et restai à flotter ainsi, avec l'eau qui clapotait dans ma bouche. Je sentis d'abord ses bras qui remuaient l'eau, puis ta mère fit surface à côté de moi. Ses cheveux mouillés laissaient son visage nu. Non, même si je lui avais raconté mon aventure érotique, elle ne m'aurait pas cru. Je songeai à certaines scènes de sexe au cinéma, des images osées qui depuis l'écran s'abîmaient au fond de nos corps, dans la pénombre de la salle. Elle se taisait d'un coup, cessait de respirer. Moi je m'agitais, agacé, sur mon fauteuil. *Elle n'est quand même pas assez bête pour croire que dans la vie on peut vraiment baiser comme ça ?* Mais quand nous sortions de la salle, elle était aussi absente qu'une silhouette en carton.

Elle me cracha un peu de mer au visage, puis s'immergea et continua à nager devant moi. J'écoutais le bruit de son corps qui fendait l'eau, de plus en plus loin. J'étais immobile, j'avais les yeux entrouverts, les jambes un peu écartées, je me laissais bercer par le courant. Peut-être quelque petit poisson là-dessous scrutait-il la quille de mon corps. Je me tournai et descendis, les yeux ouverts, dans la lueur qui pénétrait l'eau azur. Je descendis jusqu'au froid et demeurai sur le fond, où le sable s'agitait doucement. Je remuai les lèvres dans la surdité de l'eau.

— J'ai violé une femme, je hurlai.

Puis je remontai, enveloppé de bulles, les bras ouverts comme un grand poisson blanc, vers la lumière qui recouvrait la surface.

Quand j'étais étudiant, Angela, j'avais peur du sang. Pendant les cours d'anatomie, je restais à l'écart, à l'abri derrière quelqu'un. J'écoutais les bruits de cette intense activité interne et la voix du professeur qui détaillait l'intervention. Là où on disséquait les corps, le sang n'était pas gris comme dans les livres, il avait sa couleur et son odeur. Bien sûr, j'aurais pu modifier le projet que j'avais formé, je pouvais devenir un spécialiste de médecine interne sans talent, comme mon père. Moi non plus je n'aurais jamais été un bon diagnosticien, je n'avais pas d'intuition. Le mal muré dans la chair ne m'intéressait pas. Ce que je voulais, c'était ouvrir, voir, toucher, extirper. Je savais que je serais fort dans les profondeurs, là et seulement là. Je me suis acharné contre mon destin. J'ai lutté pied à pied contre lui, qui me chassait de mes rêves, qui me poussait dans une autre direction.

Alors un matin, dans les toilettes des étudiants, je me blessai à la main gauche. Avec une lame de rasoir, j'incisai lentement le long du muscle adducteur du pouce. Je sentis la blessure s'humidifier, couler. Je devais résister, ouvrir les yeux et résister. Et à la fin j'y parvins. Je regardai mon sang goutter dans le lavabo et je n'éprouvai qu'une légère nausée. Ce jour-là, je m'approchai de la table d'opération et enfin je regardai. Mon cœur demeura immobile. Il demeura également immobile la première fois que j'insérai un bistouri dans un corps en vie. Il est particulier, le temps qui glisse sur la chair ouverte avant qu'elle ne commence à s'épancher. Le sang n'arrive pas tout de suite à la surface. Pendant une fraction de seconde, l'incision demeure blanche. J'ai pratiqué des milliers d'interventions et l'incision est le seul moment qui me cause un léger vertige, car le combat que j'ai mené est encore vivant en moi. Je lève les mains et je laisse à mon assistant le soin de cautériser. Pour le reste, je n'ai jamais perdu ma lucidité, pas même dans les moments les plus désespérés. J'ai toujours fait tout ce qui était en mon pouvoir et, quand il a fallu, j'ai accepté que les gens meurent. J'ai retiré mon masque, je me suis lavé la figure et les mains jusqu'aux bras, et j'ai regardé dans le miroir les traces que l'effort avait laissées sur mon visage, sans me poser de questions inutiles. Ma chérie, je ne sais pas où vont les personnes qui meurent, mais je sais où elles reposent.

À présent, Alfredo doit avoir commencé. Les lèvres de la blessure sont écartées, les vaisseaux coagulés. Ils incisent le fascia du muscle temporal, puis ils scieront l'os. C'est une opération difficile, il ne faut pas exercer trop de pression, sinon on risque d'entailler la dure-mère. Après, si c'est nécessaire, ils envelopperont le volet osseux dans ton ventre pour le garder stérile. Après, à la fin. Pour le moment, il n'y a pas de temps pour les subtilités. Pour le moment, il faut aller droit à la poche de sang. En espérant que l'hématome n'ait pas trop comprimé le cerveau. Je voudrais être un père quelconque, un de ces hommes confiants qui s'en remettent à une blouse et se retirent comme devant une autorité sacrée. Mais je ne peux feindre d'ignorer combien la volonté d'un excellent chirurgien est inopérante face à l'accomplissement d'un destin. Les mains d'un homme sont prisonnières de la pesanteur, ma chérie. Dieu, s'il existe, regarde par-dessus notre épaule.

Tu sais, trésor, je n'entre pas par pudeur. Car, si tu t'en vas, je ne veux pas avoir surveillé tes ultimes battements de vie dans des circonstances indécentes. Je veux me souvenir de toi en père. Je préfère ne pas avoir vu ton cerveau nu pulser. Je veux me rappeler tes cheveux. Ces cheveux que j'ai caressés, la nuit, penché sur ton petit visage crispé en une moue de sommeil, tandis que naissaient tant de pensées à ton sujet. L'une d'elles concernait le jour de ton mariage. J'ai imaginé ton bras blanc sur ma manche noire, et ce chemin à l'issue duquel je te remettrais entre les mains d'un autre. C'est ridicule, je sais. Mais la vérité des hommes est souvent ridicule.

Ici, dehors, tout n'est que silence. Silence sur ces chaises vides face à moi. Silence sur le sol carrelé. Ici, dehors, je pourrais prier. Je pourrais demander à Dieu de pénétrer les mains d'Alfredo et de te sauver. Une fois seulement j'ai prié. Il y a longtemps, quand j'ai compris que je n'y arriverais pas et que je ne pouvais pas renoncer. J'ai levé mes mains souillées vers le ciel et j'ai intimé à Dieu l'ordre de m'aider, car si la créature qui gisait sous mes instruments mourait, avec elle mourraient les arbres, les chiens, les fleuves et même les anges. Et tout ce qu'il y a de vivant en ce monde.

Je les ai vus trop tard, quand déjà je ne pouvais plus reculer. Je les ai vus quand déjà j'avais peur. À la moitié du couloir, peu avant la radiologie. Deux agents de police près d'une porte, des bras gris dans leurs uniformes, des pistolets dans leur étui en cuir. Ils en écoutent un troisième, en civil, qui parle à voix basse, en remuant à peine des lèvres aussi noires que si elles avaient sucé de la réglisse. Ses pupilles se posent sur moi, comme s'il visait, deux sphères de matière vitreuse qui me sautent dessus dans le vide estival de l'hôpital. L'homme me regarde, et maintenant un des deux policiers s'est lui aussi tourné vers moi. L'ascenseur est derrière eux, un peu plus bas, de l'autre côté. Je continue à marcher, d'un pas sans substance, comme celui d'une marionnette. Une semaine est passée depuis l'infamie de cet après-midi-là, depuis cet alcool avalé à jeun.

Je ne conservais pas de souvenir précis des faits. Tout s'était déroulé derrière un mur de colle. Mais elle, si. Elle ne pouvait pas avoir oublié. Je l'avais laissée contre ce mur, enchevêtrement de membres vaincus, dans l'ombre. Utilisée et jetée comme un préservatif. Peut-être était-elle de l'autre côté de cette porte, cachée par le dos des policiers. Ils l'avaient emmenée avec eux pour l'identification. À présent que j'étais presque à côté de ce répugnant individu au teint olivâtre, elle se montrerait. Sans visage, petite, avec son panier de raphia sur la tête, elle tendrait le bras vers moi : *C'est lui, attrapez-le.* Ses pattes de blatte avaient traversé la banlieue, remonté les beaux quartiers et m'avaient rejoint. Ils m'arrêteraient, m'attraperaient fermement le bras comme on fait dans les lieux publics pour ne pas créer de panique et, d'une voix calme : *Je vous prie de nous suivre.* Pourtant, Angela, personne ne m'effleura. Le doigt sur le bouton rouge, j'attendais que l'ascenseur s'ouvre. Ils étaient encore là, immobiles. Je ne les regardais pas, mais je les voyais, trois silhouettes sombres à la périphérie de l'œil. J'entrai dans l'ascenseur. Je n'étais plus moi-même. La chemise collée dans le dos, je souris comme un animal abruti à une femme et à un enfant qui montaient avec moi : « Allez-y. » *Je n'ai rien fait, madame. Vous voyez, je suis un brave homme, dites-leur, vous, à ces sales types, en bas.* Pendant ce temps, les étages défilaient autour de cette boîte en fer-blanc argenté.

Je fuis tout le monde du regard au cours de la visite habituelle aux malades que j'avais opérés dans les jours précédents. Regard professionnel derrière les verres à double foyer, baissé sur les dossiers médicaux, baissé sur le stylo en or Montblanc avec lequel j'ajustais la dose de sédatifs. Puis la salle d'opération, et pendant le trajet mes épaules tremblaient comme des ailes. J'entre comme d'habitude d'un coup de pied dans un battant, les mains stériles levées vers l'infirmière qui m'enfile les gants. Mains levées comme un criminel, je songe, et je pourrais encore trouver la force de sourire. Puis la paix, la paix que me procure mon travail. Solution iodée.

Bistouri froid. Sang. Mes mains sont calmes, aussi précises que d'habitude, plus que d'habitude. Sauf que ce ne sont pas les miennes, ce sont celles d'un homme que je regarde, un professionnel irréprochable, que je n'admire plus. Je me regarde comme un entomologiste regarde un insecte. Oui, maintenant c'est moi, l'insecte, pas elle. Elle, elle n'est qu'une pauvre femme entraînée par le hasard, que j'ai violée, piquée, sucée. Ces mains de caoutchouc, sous mes yeux, étrangères et pourtant miennes, crochets blancs dans ce monde où je me meus en bienfaiteur. Bistouri électrique. Cautériser les vaisseaux. *Ils sont encore là, dehors, ils m'attendent. Ils m'arrêteront en tenue de chirurgien, quelle façon ridicule d'être cloué au pilori.* Pince de Kocher. Compresses. *Ils me laissent le temps du remords, voilà pourquoi ils ne m'ont pas pris avant, pour me laisser à ces idées noires. Par cruauté. Oui, elle était là, dans cette pièce. Elle m'a vu passer et elle a fait un signe d'assentiment. Puis elle s'est penchée sur son siège, comme un roseau brisé. Ils lui ont apporté un verre d'eau : Ne t'inquiète pas, ce fils de pute ne nous échappera pas, lui et sa sale queue. Je n'ai pas regardé par la porte en passant. Je n'ai pas eu le courage, dommage.* J'essayais, mais je n'arrivais pas à me rappeler ce qu'était cette pièce. *La porte juste avant est celle par laquelle on accède à la salle des prélèvements, mais ces deux volets ouverts à côté du dos gris des policiers...* Je me précipitais par la pensée dans cet espace vide, inconnu, où peut-être se cachait cette femme que je ne me rappelais plus. Et il me semblait, Angela, que cette amnésie suffisait à annuler mes actes. *Pourquoi ne suis-je pas revenu sur mes pas pour la caresser, pour la convaincre qu'il ne s'était rien passé ? Quand je veux, je sais comment faire plier un esprit fragile. Je pouvais m'excuser, lui proposer de l'argent. Je pouvais la tuer. Pourquoi ne l'avais-je pas tuée ? Parce que je ne suis pas un assassin.* Les assassins assassinent. Les chirurgiens violent. Pinces vasculaires. Aspiration. *Elle m'a dénoncé. Elle a ramassé son sac en patchwork et elle est allée au commissariat du quartier.* Il me semblait la voir, tandis que pour se donner du courage elle torturait ses ongles, dans une de ces pièces qui sentaient les tampons encreurs. Ses jambes pâles serrées sur la chaise, elle décrivait l'homme à l'aspect distingué qui avait abusé d'elle, pendant que quelqu'un derrière elle tapait à la machine. Qui sait ce qu'elle avait raconté... *Que lui sera-t-il resté de moi ? J'aimerais savoir quelle trace j'ai laissée sur son corps si peu attirant. J'étais aveuglé par l'alcool, par la chaleur, par cet état de rut dégénérant. Elle au contraire était sobre. Elle m'a regardé, elle m'a subi. Celui qui subit se souvient.* Écarteur autostatique. *Peut-être l'ont-ils soumise à un contrôle gynécologique. Elle a tourné la tête de côté sur le brancard et s'est abandonnée à cette humiliation. Et là, les jambes écartées, regardant dans le vide, elle a décidé de me briser pour toujours.* Pinces de Kelly. *Peut-être avaient-ils prélevé les restes de mon liquide séminal.* Encore pinces de Kelly. *Non, c'est impossible qu'elle m'ait retrouvé. Elle ne sait rien de moi, elle ne connaît pas mon adresse, mon métier. Mais peut-être que si. Quand je suis allé dans l'autre pièce pour téléphoner, elle a fouillé dans ma mallette qui était sur le canapé. Loque, maudite loque. Ils ne te croiront pas.* Compresses. *Je me défendrai. Je dirai que c'est elle qui m'a attiré chez elle sous un prétexte quelconque, pour me voler, pour me tuer peut-être... Et moi, je n'ai pas eu peur, peut-être, tandis que je la suivais à l'intérieur des murs sombres et fétides de cet immeuble squatté? C'est la peur qui m'a perturbé ainsi. Pour me défendre contre cette peur je l'ai agressée.* Isoler le cholédoque. *Elle avait des manières indécentes, je dirai. Elle m'a attiré dans un piège. Elle a drogué mon café... Oui, peut-être y avait-il quelque chose d'étrange dans ce café. Ça pue le poison dans ce taudis, commissaire. Faites une descente.* Canal cystique. Fil. *Peut-être y a-t-il des corps enterrés dans ce jardin de poussière. Les voitures passent sur le viaduc, les voitures qui font trembler les vitres. Leur bruit couvre les cris des pauvres victimes. C'est un miracle si je suis vivant! Arrêtez cette sorcière.* Tube de drainage. *Salope, comment t'es-tu permis? Comment as-tu pu croire que tu pourrais me briser? Comment as-tu pu penser que quelqu'un te croirait?* Et à présent je lui donnais une gifle en plein visage. Sa tête de raphia se balan-çait. *C'est moi qu'ils croiront, sûr. Les policiers s'excuseront. Je leur laisserai ma carte de visite. Un chirurgien, ça peut toujours servir.* Compresses. *L'homme aux lèvres sombres a une tête à souffrir du foie. Je serai magnanime. Je prendrai le combiné, je composerai le numéro interne de deux collègues pour un check-up complet, sans passer par la filière normale et la liste d'attente, comme je ne le fais qu'avec les amis les plus proches. Il me remerciera. Il s'inclinera pour me remercier. Il m'enverra une bouteille d'alcool et un calendrier de la police que j'offrirai à une infirmière.* Contrôler à nouveau l'hémostase. *Toi, au contraire, tu sortiras les menottes aux poignets, poussée sans ménagement. Traînée, hors-la-loi, comme le quartier dans lequel tu vis. J'enverrai une pelle mécanique pour raser ta maison.* Compter les champs. *Ma parole contre la tienne.* Porte-aiguille. *Et on verra bien qui gagnera!* Fil de suture.

L'intervention était finie. Et je pouvais à nouveau lever les yeux : dedans il y avait la couleur du défi, du mépris. À côté de mon second assistant, un jeune stagiaire avec une blouse trop grande me regardait, ébahi. Je ne m'étais pas aperçu qu'il était là, il ne s'était approché qu'à ce moment-là. Il avait le regard de quelqu'un qui a trop exigé de lui-même. Peut-être avait-il seulement essayé de rester debout. Peut-être avait-il peur du sang. Imbécile.

J'ai jeté mes gants, je suis sorti de la salle d'opération et entré dans le vestiaire. Je me suis assis sur le banc. De la fenêtre on avait la vue habituelle sur le pavillon d'à côté, les vitres basses sur l'escalier intérieur, où défilaient les pieds de ceux qui montent, de ceux qui descendent. On voit seulement les marches, seulement les jambes. Les visages sont cachés par le mur. D'abord un pantalon d'homme, puis les jambes blanches d'une infirmière. Je me rappelle avoir pensé que rien ne peut nous préserver de nous-mêmes et que l'indulgence est un fruit qui tombe à terre déjà gâté. J'avais lâché la bride à toutes ces pensées malvenues et à présent j'étais aussi inutile qu'un *sniper* mort.

La salle d'opération était grande ouverte et en désordre. Dans le couloir, un homme en robe de chambre marchait vers les toilettes avec un rouleau de papier toilette à la main. Je me suis penché par la fenêtre à guillotine, à peine, pour saluer les infirmières, les assistants. Je descendais en ascenseur et en moi il y avait seulement celui contre qui j'avais lutté. Au rez-de-chaussée, à côté de la porte, il n'y avait plus personne et, à l'intérieur, c'était une pièce comme toutes les autres, une salle d'attente pour les patients sous dialyse. Deux femmes au visage jaune étaient assises et attendaient leur tour. Non, Angela, elle n'était jamais entrée dans cette pièce, ni dans aucune autre. Elle était restée contre le mur sous le poster du singe. Elle n'avait jamais relevé le visage.

Il y avait eu un imprévu cette année-là, Angela. La nuit de Pâques, j'avais perdu mon père. Sans douleur particulière : je ne le voyais pratiquement jamais. Après la mort de ma mère, nos rencontres s'étaient beaucoup espacées. Je savais qu'il vivait dans un meublé, mais je ne connaissais même pas son adresse. Il me donnait rendez-vous dans un café tout en bois qui flottait sur le fleuve, près d'un terrain de tennis. Toujours au coucher du soleil, à l'heure la plus douce. Il aimait les apéritifs, le sucre sur le bord du verre, la petite assiette avec les olives. Il rentrait le ventre et s'asseyait de façon à montrer son bon profil. Il aimait se sentir jeune homme. De ces rares rencontres, je me rappelle seulement le bruit des balles de tennis qui rebondissaient, sous les coups des raquettes, sur le champ de poussière rouge. Le jour de l'enterrement, j'avais écouté debout l'homélie du prêtre. Elsa était à côté de moi, un voile noir brodé lui tombait sur le front. Elle pleurait, je ne sais pourquoi. Sans doute parce que cela lui semblait la chose à faire. Un homme trapu aux cheveux blancs sortit de derrière une colonne et passa près de moi. Sa cravate en grossier satin noir était décousue, avec l'étiquette intérieure qui ressortait sur la chemise. Il s'approcha du micro et lut quelques lignes de sa main. Des paroles rhétoriques, inutiles, qui auraient plu à mon père. Ce devait être un de ses grands amis : il lisait d'une voix pleine d'une authentique douleur, un mouchoir imbibé de morve serré dans la main. Il avait un air extravagant, débonnaire et obscène à la fois. Toute sa personne, des cheveux aux vêtements, était jaunie par la nicotine. Sur le parvis, il fumait. Il me serra la main, il recherchait une étreinte à laquelle je parvins à me soustraire. Personne dans la famille ne paraissait le connaître. Il s'éloigna en sautillant, son petit corps serré dans sa veste moirée, le long des escaliers. Dans cet inconnu aux attributs ambivalents, il me sembla reconnaître l'unique héritage de mon père.

Et c'est à lui que je pensais, en roulant vers la mer, vers ta mère. Cette mort sans douleur, inattendue, m'avait dans les mois qui suivirent tourmenté plus que je ne l'aurais cru. La nuit, je me réveillais, je me découvrais orphelin au beau milieu de la cuisine, entre le réfrigérateur et la table, non pas de lui, mais du désir d'un père, d'une lointaine éventualité que peut-être il entretenait et que, par orgueil, j'avais toujours ignorée. Le regret s'était cristallisé en moi, sombre et silencieux. C'était l'été et je couvais encore cet étrange inconfort. Peut-être le froid me remettrait-il d'aplomb. Je roulais vers la mer et j'envisageais à présent de partir en Norvège avec Elsa pour le pont du 15 août. J'avais envie de marcher sur le bord d'immenses failles tectoniques, de remonter les fjords, de traverser le Vestford et de rejoindre les îles Lofoten. Et puis de rester là, la peau rougie par le vent, à pêcher des morues plus grandes que moi dans la mer cobalt. Une femme d'âge moyen conduisait la voiture devant moi. Depuis un moment déjà, j'étais juste derrière elle. Je pouvais mettre le clignotant, donner un coup de klaxon et prendre la voie de gauche en accélérant. Au contraire, pendu au volant, je temporisais. Les cheveux courts laissaient à découvert la nuque pensive d'une femme, immobile sur l'arête d'une montagne. Une femme qui se défend avec son dos de jeune fille, mais qui a perdu le sens de l'orientation. *Ça suffit, maintenant j'appuie sur le klaxon, je le fais hurler jusque dans les os de ce dos.* Mais déjà je pense à ma mère. Elle avait passé son permis sur le tard, elle s'était offert ce cadeau. Elle montait dans sa petite voiture qui sentait la cire pour meubles et elle partait, nul ne savait où. Son manteau à chevrons bien plié sur le siège à côté. Elle conduisait vraiment comme ça, comme cette femme devant moi, collée au volant, de peur que quelqu'un la poignarde dans le dos d'un coup de klaxon. Angela, pourquoi la vie se réduit-elle à si peu de chose ? Et où est la clémence ? Où est le bruit du cœur de ma mère ? Où est le bruit de tous les cœurs que j'ai aimés ? Donne-moi un panier, ma chérie, le panier avec lequel tu allais à la maternelle. Je veux y mettre les éclairs qui ont traversé ma vie, comme des lucioles dans le noir.

La femme devant moi ralentissait et je ralentissais également. Je me laissais porter, doux comme un nouveau-né dans son landau. Le pré au bord de la route était sale. Ma voiture s'était arrêtée plus ou moins dans ce coin-là quelques semaines auparavant.

La porte verte était fermée à double tour. Je frappai plusieurs fois, sans réponse. Sur le pont suspendu, les voitures filaient à toute allure. Qui sait combien de fois j'étais passé là-haut pour aller vers la mer, ignorant tout de la vie du dessous. D'autres habitations surgissaient au-delà des piliers, baraques rouillées, caravanes. Une carcasse de voiture brûlée poussait funestement dans l'herbe. Peut-être était-elle tombée du viaduc et personne ne s'était-il donné la peine de la faire enlever. À côté, au milieu d'un lit d'argile craquelée par le soleil, passait un serpent. Sa peau noire brillait tandis qu'il disparaissait à nouveau dans l'herbe. Elle n'était pas là. Comme je m'éloignais, l'ombre de sa maison se projetait sur ce paysage désolé et me recouvrait.

Je montai dans ma voiture, j'insérai la clé de contact, mais je ne la tournai pas. Je tournai le bouton de l'autoradio à la recherche d'une fréquence musicale. J'appuyai ma tête sur le siège. J'étais à l'ombre. Dehors, il y avait cette grande chaleur, qui ne cessait de bourdonner, et le désert habituel. De temps en temps, un cri isolé roulait au sol depuis je ne sais quel trou. J'éteignis la radio. J'allongeai les jambes au-delà des pédales, je fermai presque entièrement les yeux et je la vis. Entre les paupières, dans un interstice de cinémascope. Elle traversait le soubassement de la grande tour inachevée que supportaient des colonnes en ciment. Je ne m'étais pas trompé en l'attendant là. Une nouvelle fois, elle avait choisi ce chemin pour s'abriter du soleil. Dans la partie ensoleillée, elle semblait hâter le pas, pour ensuite ralentir quand elle entrait dans les longues ombres des colonnes où elle devenait pratiquement noire. J'avais eu peur de ne pas la reconnaître, mais je la reconnus aussitôt, à peine je la vis. Lointaine, minuscule, plongée dans l'ombre. Sa tête d'épouvantail, ses jambes maigres et torses. Je retrouvais ce pas désorienté, peut-être dû à une déformation des hanches. Elle marchait sans le savoir vers moi, comme un de ces vagabonds méfiants qui prennent la tangente. Deux gros sacs de provisions fatiguaient ses bras tendus.

Des poids qui ne conféraient aucune stabilité à sa démarche, mais la déséquilibraient. Elle va tomber, j'ai pensé, elle va tomber. Et j'avais saisi la poignée pour sortir, pour aller à sa rencontre. Mais elle ne tomba pas, elle plongea dans une nouvelle zone d'ombre. Je laissai la poignée et restai où j'étais. Son large front réapparut à la lumière et avec lui la sensation que ce n'était pas elle que j'épiais, mais moi-même. Tandis qu'elle avançait, dans cette grille d'ombre et de lumière, je continuais à me réapproprier image par image le moment obscène que j'avais passé avec elle. J'avais glissé au bas du siège. Je transpirais, immobile, en pleine apnée sexuelle. Car d'un seul coup je me souvenais... Son corps éteint comme cette cheminée sans feu. Son cou blanc, penché. Ce regard triste, énigmatique. Non, je n'avais pas fait tout cela seul. Elle l'avait voulu, autant que moi. Plus que moi. Et le mur, et la chaise qui tombait derrière nous, et les poignets plaqués en hauteur contre le papier brillant de ce poster, se reformaient dans mon regard. Le souvenir était dans les profondeurs de mon estomac. Là où même notre odeur à tous les deux redevenait vivace. L'odeur du délire qui efface l'odeur de cendre. Ç'avait été une étreinte désespérée. Et le désespoir était entièrement sien, il collait à ces jambes squelettiques qui à présent marchaient vers moi. Elle faisait l'amour comme ça, moi non. Elle m'avait attiré à elle. Elle marchait avec ses sacs de provisions. Et qu'y avait-il dedans ? *Qu'est-ce que tu as acheté ? Qu'est-ce que tu manges ? Jette ces sacs par terre, laisse-les à la poussière et viens vers moi, chienne.* Elle était si maigre, à contre-jour. Elle ressemblait à l'un de ces petits invertébrés à l'exosquelette anémique qui sortent de terre au printemps. Elle aussi avait l'air d'émerger de sa fatigue. Elle allait vers sa maison en ce jour quelconque de son existence misérable, sans joie. Quel était son caractère? Pourquoi se maquillait-elle autant? Le sac patchwork en bandoulière battait contre ses jambes. Il fallait que je m'en aille. Elle s'était arrêtée dans un cône d'ombre. Elle posa un sac par terre et toucha sa nuque échauffée, écarta ses cheveux albinos. Je restai pour capturer ce geste, l'haleine de cette nuque collante. Je n'avais pas bu, mon estomac était en état de marche, ma tête lucide... Et précisément du fond de cette lucidité, de cet estomac à jeun, je la désirais. Je n'avais pas confiance en moi-même, car rien qu'en la regardant je lui manquais de respect. Rien n'était vrai. Je ne l'avais pas attendue pour m'excuser, je m'étais posté comme un faucon pour fondre sur elle, pour lui faire à nouveau sa fête. Elle m'avait presque rejoint. Elle passerait sans me remarquer. Je la laisserais disparaître dans le rétroviseur et je partirais. Pour ne plus jamais revenir. Je baissai la tête et regardai mes mains immobiles sur mes cuisses pour me rappeler à moi-même que j'étais un type bien.

Son ventre s'arrêta devant la portière. Elle se baissa pour regarder à l'intérieur. Je levai les yeux et, là où je croyais trouver deux puits d'effroi, je trouvai un regard tout juste un peu décontenancé. Je ne sortis qu'en partie de ma tanière. Je demeurai appuyé à la portière avec un pied encore dedans.

— Comment ça va?
— Bien, et vous?
— Dis-moi tu.
— Pourquoi ce retour par ici?
— J'ai oublié de payer le garagiste.
— Il me l'a dit. Il m'a aussi dit que si je vous connaissais...

— Dis-moi tu.

— D'accord.

— Que lui as-tu dit ?

— Que je ne te connaissais pas.

Elle ne semblait pas en colère. Elle ne semblait rien du tout. Peut-être a-t-elle l'habitude, pensai-je. Elle fait ça avec le premier qui passe. Et à présent je la regardais sans plus rien craindre. Une ombre noire cerclait ses yeux, les enfonçait encore un peu plus dans leurs orbites maigres. Des veines bleuâtres parcouraient son cou et mouraient dans le chemisier à carreaux jaunes et noirs d'un tissu élastique qui brillait sous le soleil, une chose à deux sous, cousue à la machine par un gamin asiatique. Elle ne me regardait plus. Elle porta une main à sa frange et commença à tirer dessus, à la répartir en petites mèches pour camoufler ce front trop grand sur lequel s'était posé mon regard. La lumière brute léchait les imperfections de son visage et elle le sentait. Elle devait avoir largement dépassé les trente ans. Aux coins des yeux, elle avait déjà une fine toile d'araignée de rides. C'était un visage usé en chaque partie de son épiderme. Mais dans ses soupiraux, dans les yeux, les narines, sur le fil entre une lèvre et l'autre, partout où affleurait sa respiration interne, un appel soumis frémissait, indéfinissable, comme un vent chargé emprisonné au plus profond d'une forêt.

— Comment t'appelles-tu ?

— Italia.

J'acceptai ce nom improbable avec un sourire.

— Écoute, Italia..., fis-je. Je suis désolé pour...

J'enfonçai une main dans la doublure de la poche.

— Je voulais m'excuser. J'étais saoul.

— J'y vais, sinon les surgelés vont fondre.

Et elle plongea le regard dans un des deux sacs qu'elle n'avait posés à aucun moment.

— Je vais t'aider.

Déjà je m'étais baissé pour lui prendre les sacs des mains. Mais elle les retint.

— Non, c'est pas lourd...

— S'il te plaît, murmurai-je. S'il te plaît.

Dans ses yeux, il n'y avait plus rien. Il y avait cette absence que j'avais déjà remarquée, comme si elle se vidait de toute volonté. Dans la paume de mes mains, je sentis la sueur qu'elle avait laissée sur les poignées des sacs. Nous descendîmes les escaliers rouillés et abordâmes au rez-de-chaussée. Elle ouvrit la porte et je la fermai derrière nous. Tout était enveloppé de la même désolation immuable, le tissu à fleurs sur le canapé, le poster du singe avec le biberon entre les pattes, la même odeur d'eau de Javel et de poison. Je sentis un éboulement, une pâte molle et chaude qui s'insinuait lentement sous ma carapace. Le désir sexuel n'était pas pressé, il était mou, empoté. Je posai les sacs à terre. Une canette de bière roula sous la table. Elle ne se baissa pas pour la ramasser. Elle était appuyée contre le mur, elle regardait vers la fenêtre, entre les pans écartés des rideaux. Je desserrai le nœud de ma cravate en m'approchant. Mes testicules pesaient entre mes jambes, ils me faisaient mal. Cette fois-là je la pris par-derrière. Ses yeux m'inquiétaient et, d'ailleurs, c'était mon affaire. Je voulais profiter de cette rangée de côtes, de cette nuque. Sans doute lui griffai-je le dos, je ne réussis pas à l'éviter. Après, je cherchai mon portefeuille dans la poche de mon pantalon. Je lui laissai de l'argent sur la table.

— Pour les surgelés...

Elle ne répondit pas, Angela. Peut-être avais-je réussi à l'humilier.

Ta mère était dans le jardin avec Raffaella qui, l'été, louait un cottage sur la plage non loin de nous. Elles riaient. Je me baissai et j'effleurai la joue d'Elsa d'un baiser. Elle était étendue sur une chaise longue. Elle passa une main molle dans mes cheveux. Je reculai aussitôt. J'avais peur qu'elle ne découvre une autre odeur. Raffaella se leva.

— J'y vais. J'ai promis à Gabry de lui apporter ma mousse.

Elle passait une bonne partie de la journée dans l'eau, un bonnet en éponge sur la tête. Les épaules couleur brique, elle flottait comme une bouée à quelques mètres du rivage, dans l'attente que quelqu'un vienne de la plage se baigner. Elle adorait bavarder en faisant trempette, elle avait des tas d'histoires à raconter, car elle voyageait en permanence. Elsa devenait violette à ses côtés. Raffaella, elle, ne souffrait pas du froid. Son maillot de bain était éternellement mouillé, même après le coucher du soleil.

Je fixai des yeux ses cuisses robustes, sans raison. Mon regard fut désarçonné par son ironie coutumière. Elle rit.

— Que veux-tu, dit-elle, les maigres ont toujours une grosse comme meilleure amie.

Elle ramassa son paréo.

— Tu es pâle, Timo. Pourquoi tu ne prends pas un peu le soleil ?

Elle est morte il y a trois ans, tu le sais. Je l'ai opérée deux fois. La première au sein. La seconde, j'ai incisé et refermé l'abdomen en l'espace d'une demi-heure. Je l'ai fait parce qu'il s'agissait d'une amie, mais je savais qu'il n'y avait aucun espoir. Après la première opération, elle n'était jamais revenue pour le contrôle, elle était allée en Ouzbékistan. Elle avait laissé au sarcome la possibilité de métastaser sans être dérangé. C'était une femme tolérante, Raffaella. Elle laissait n'importe qui vivre en paix. À cette époque, naturellement, elle n'avait pas de cancer. Elle portait une paire de sabots qui, au contact du pavement de brique, faisaient un bruit insupportable. Je demeurai sur la réserve jusqu'à ce que ce piétinement agaçant s'enfonce dans le silence du sable.

Les chevilles d'Elsa et ses pieds dépassaient de la chaise longue. Je m'assis à cette extrémité et commençai à la caresser. Mes mains couraient jusqu'à ses genoux. Sa peau était lisse et sentait la crème solaire. Chaque fois que je la retrouvais à la mer, chaque fois que je pensais à ce moment, j'étais content. À présent j'étais là, blotti au pied de sa chaise longue, sans entrain. Il y avait comme un déséquilibre. Ce que j'espérais ne s'était pas produit. Des négligences sans importance : rien de frais dans le réfrigérateur, mon maillot qui se décolorait dans un coin au soleil depuis mon dernier bain, ma chemise préférée pas repassée. Et surtout Elsa, son visage sans joie. Je ne me sentais pas attendu, je ne me sentais pas aimé. À tort : Elsa m'aimait, sur ce mode raisonnable auquel je l'avais tout d'abord contrainte, car elle avait sans nul doute été plus passionnée que moi. Par amour, elle s'était faite à mes chenilles embourbées. Alors que moi, une fois mon père mort, je régressais. Je sentais des incertitudes, des bouleversements intérieurs esquivés à l'adolescence, qui revenaient inchangés. Et je m'attendais à ce qu'elle, qui était ma seule famille, s'en rende compte. Mais ta mère n'a jamais aimé les personnes faibles, Angela, et moi, malheureusement, je le savais. Je l'avais choisie pour cela. Je lui caressais les jambes et je ne la sentais pas frémir. Il ne me restait que le sillage douceâtre de sa crème solaire. Je l'aimais, mais je n'étais plus en mesure d'attirer son attention. Je l'aimais et je me perdais dans cette banlieue, entre les os d'une autre femme. Qui, elle, ne me décevait pas. Qui n'avait pas de souvenirs inscrits sur sa chair. Je baisais avec une ombre. Lors de ces haltes euphoriques et pathétiques, je devenais le jeune homme téméraire que j'aurais voulu être et que je n'avais pas été. Je descendais jouer dans la cour malgré ma mère, malgré ses mains pâles posées sur le piano. J'écrasais les grenouilles. Je crachais dans les assiettes. Après, j'étais seul, exactement comme avant. Mais le parfum du crime persistait, remontait de l'obscurité et me tenait compagnie à présent, tandis qu'une touffe de roseaux sur le côté du jardin bougeait en suivant le souffle léger du vent.

— Tu te souviens de cet homme à l'enterrement de mon père ?

Elsa était appuyée sur ses coudes. Elle pencha légèrement la tête vers moi.

— Lequel ?

— Celui qui a lu.

— Oui, vaguement...

— Il t'a paru sincère ?

— Il y a des gens qui se glissent dans les enterrements, des pauvres types qui n'ont rien de mieux à faire.

— Je ne crois pas que c'était quelqu'un de ce genre. Il connaissait le surnom de mon père et il pleurait.

— Tout le monde a plein de raisons de pleurer. Un enterrement est seulement une bonne occasion.

— Et toi, pour quelle raison pleurais-tu ?

— Pour ton père.

— Tu le connaissais à peine.

— Je pleurais pour toi.

— Mais je n'étais pas triste.

— Justement.

Elle retira sa jambe de sous mes mains et préféra en rire.

— Je vais prendre une douche, il se fait tard.

C'est ça, prends une douche ! Moi, je reste encore un peu. Je regarde le soleil qui tombe dans la mer depuis les franges pourpres de ce ciel assez beau pour te faire croire en Dieu, en un monde où tes morts t'attendent pour te dire que rien ne sera perdu. Le bout de ma queue me brûle, tandis que je pense à mon père. J'y pense tout seul, comme il est normal, sous ce ciel cardinalice. Et peut-être vais-je aller me chercher une bière dans le frigo ou bien piquer ma crise si on les a oubliées sur la table et qu'elles sont chaudes.

Il y avait une forêt de gens chez Gabry et Lodolo, à l'intérieur d'un cercle de torches que le vent étirait. Des visages bronzés venaient à ma rencontre, des dents blanches dans le noir. Je portais mon costume de lin clair, sans cravate. Mes cheveux encore mouillés sur la nuque me procuraient un frisson de fraîcheur qui s'infiltrait jusque sous ma chemise. Une barbe que je me laissais pousser comme chaque fin de semaine. Une flûte à la main, je saluais tel ou tel. Docile comme un apôtre. Près de la table des apéritifs, Elsa parlait avec Manlio et sa femme. Ses mains et ses cheveux bougeaient, elle souriait. Ses lèvres somptueuses se retroussaient mécaniquement sur le cercle de sa dentition supérieure, légèrement proéminente, conscientes du pouvoir de ce petit défaut. Sa robe de satin, cramoisie comme son rouge à lèvres, caressait les soubresauts de ses seins fermes quand elle riait. Dans les soirées, nous nous séparions toujours, ça nous plaisait. De temps en temps, nous nous effleurions pour quelques commentaires à voix basse, mais presque toujours nous les gardions pour plus tard, à la maison, quand elle descendait de ses talons hauts et retrouvait ses espadrilles. Nos amis nous faisaient rire. Plus ils étaient tragiques et plus ils nous faisaient rire. Nous en disions des horreurs, mais avec beaucoup d'affection, ce qui suffisait à nous absoudre. Elsa capturait avec désinvolture le cœur de toute relation, jetait l'écorce et s'enfonçait dans la fragilité de la pulpe. Elle avait pratiqué l'autopsie de tous les mariages de notre entourage. Grâce à elle, je savais que nos amis étaient tous malheureux. Pour le moment, ils avaient l'air très contents. Ils mangeaient, buvaient, regardaient les femmes des autres. De toute évidence, leur malheur était suffisamment léger pour se dissoudre dans un verre de vin blanc et glisser au loin, au-delà du jardin suspendu, plus bas sur la mer, au-delà du bateau à moteur de Lodolo, avec ses défenses immaculées dans l'eau nocturne. Non, je ne me sentais pas cerné d'âmes en peine.

Manlio parlait avec Elsa et, de temps en temps seulement, il lançait un regard vers son épouse suisse. Martine bougeait la tête par à-coups, suivant le mouvement de ses yeux globuleux et écarquillés. Minuscule, maigre, rugueuse : une tortue avec un collier de brillants. Elle buvait. Pas ce soir-là, car Manlio était là pour la surveiller. Elle buvait seule, quand il opérait. Accouchements, curetages, implants et explants ovariens, prolapsus utérins, de préférence dans des cliniques privées. Manlio lui était attaché, il la traînait derrière lui depuis vingt ans, comme un petit bonhomme à ressorts. On aurait juré qu'il l'avait achetée dans un magasin de jouets. Le chœur des amis disait :

« Qu'est-ce qu'il peut bien lui trouver ? » Moi, je ne trouvais pas que lui eût quoi que ce soit de spécial. Martine était une excellente maîtresse de maison, préparait indifféremment le *gigot d'agneau* ou les pâtes *all'amatriciana*, n'avait d'opinion sur rien. On se goinfrait et on oubliait de la remercier : on ne remercie pas un petit bonhomme à ressorts. Bien sûr, Manlio la trompait. « Bien sûr, disait Elsa, un homme si brillant, si fougueux, avec cette alcoolique anorexique. » Je les regardais, mon regard se frayait un passage entre les têtes devant moi, et je me disais alors qu'il l'aurait volontiers trompée avec ma femme. Bien sûr. Elsa était si désirable, avec cette chevelure, cette chair turgescente, ce sourire un peu vague, ces tétons qui pointaient comme une invite. Elle avait trop d'esprit, ce soir-là, pour Manlio. C'était son gynécologue. Il lui faisait régulièrement une cytologie vaginale, il lui avait posé un stérilet. L'avait-elle oublié ? Lui, à n'en pas douter, n'avait pas oublié. Le cigare entre les dents, le regard enflammé comme de la braise. Et le petit bonhomme au milieu, qui aspirait la fumée de sa cigarette au menthol.

J'allai me resservir un autre verre de vin. J'effleurai le satin rouge d'Elsa. Manlio leva son verre, d'un geste qui se voulait de connivence.

Va où tu le mérites, Manlio : te faire foutre une bonne fois pour toutes. Tu portes des chemises faites sur mesure, avec ton chiffre brodé sur la poche, mais tu as du ventre, depuis l'époque de l'université tu t'es constitué une belle réserve. Alors qu'est-ce que tu veux ? Tu veux t'envoyer ma femme, gros tas ?

Manlio était mon meilleur ami. Il l'avait toujours été et il le resterait, tu le sais. Un viager affectif que le cœur m'a imposé sans aucune raison précise.

Raffaella était déchaînée. Elle remuait ses grosses hanches dans son caftan turc couvert de broderies à côté de Lodolo, le propriétaire des lieux, le regard enfumé, la chemise froissée, comme un invité de seconde zone. Livia, complètement partie, les cheveux qui tombaient sur le visage, les bras en l'air, agitait ses bijoux ethniques, entièrement tendue vers Adele qui, serrée dans un fourreau langouste, se démenait, de la tête et des épaules seulement, comme une lycéenne à sa première boum. Leurs maris les ignoraient, un peu à l'écart, plongés dans une de leurs édifiantes discussions politiques. Giuliano, le mari de Livia, long et blanchi avant l'heure, était penché sur Rodolfo, celui d'Adele, le brillant avocat civiliste qui, à ses heures perdues, jouait dans une compagnie de théâtre amateur et qui, quelques étés plus tard, divorcerait de la pauvre Adele et lui fermerait le robinet des privilèges du jour au lendemain, avec un acharnement de prétoire, sans pitié ni vergogne. Mais la vie est moelleuse parce qu'elle se déplie dans la durée et nous laisse du temps pour tout. Adele, ce soir-là, loin de son futur, secouait la tête et exhibait, tantôt l'une, tantôt l'autre, les boucles d'oreilles en pointe qui lui garnissaient les lobes.

— Par ici, chirurgien ! me cria-t-elle.

Mon regard sauta par-dessus le mur de têtes qui se trouvait devant moi et mes yeux rencontrèrent l'espace d'un instant ceux de ta mère. Elle aussi devait avoir dépassé d'au moins un verre la limite, ses yeux brillaient, comme myopes. Avec retard, elle porta sa main à sa bouche pour réprimer un petit bâillement. Il est rare que je danse. Presque toujours, je me tiens bien à l'écart de l'agression sonore. Mais si vraiment ça arrive, je me place dans mon mètre carré et je n'en bouge pas. Je fermai les yeux et je commençai à osciller, les bras inanimés le long du corps. La musique pénétrait en moi et y demeurait, aussi sourde que le son de la mer dans un de ces gros coquillages à la surface brillante comme du vernis à ongles. J'en avais vu un exactement comme ça récemment. Où ? Mais oui, il était là, à côté d'un petit éléphant de jade, sur le meuble bas laqué à la surface écaillée dans la maison de cette femme. Je l'avais retrouvé plusieurs fois devant moi, dans la sueur de mes yeux que j'ouvrais seulement par intervalles, ce coquillage tape-à-l'œil, la boucle de la fente, rose et lisse comme le sexe d'une femme. À présent, j'oscillais avec plus de ténacité. Je me pliais en avant, loin devant, puis je remontais et rejetais la tête en arrière. Là-haut, le ciel débordait d'étoiles, la pénombre était pleine de feux éteints comme après un spectacle pyrotechnique. Mon verre m'était tombé des mains. Je sentais les éclats sous mes chaussures. Je perdis l'équilibre et manquai de tomber dans les bras de Raffaella. « Fais attention, Timo, je pourrais dire oui ! » et elle partit d'un grand rire.

Livia et Manlio rirent aussi, ce dernier qui sautillait derrière moi et recherchait l'intimité d'une naine à l'air halluciné. J'entourai la large taille de Raffaella et je la traînai derrière moi en un duo titubant. Elle trébuchait sur son caftan trop long, son ventre gras gargouillait contre le mien tandis que je la propulsais dans la foule. *Dansons, Raffaella. Dansons. Dans quelques années, ton ventre sera entre mes mains, morceau de*

chair isolé par les champs et, la tête sur le coussin
avec le logo bleu de l'Assistance publique, tu me
diras : « Dommage, j'avais enfin réussi à maigrir... »
et tu éclateras en sanglots. Mais, pour le moment, ris,
et danse, et laisse-toi aller ! Et moi aussi, je danse,
Angela, dans la samba des souvenirs. Ignorant tout,
moi aussi, comme tout le monde. Comme ta mère. Elle
avait retiré ses chaussures. Elle dansait en les tenant à
la main. La plante de ses pieds s'arquait, ses doigts de
pieds survoltés piétinaient le carrelage comme du raisin. La musique était sous ses pieds.

— Fais attention, j'ai cassé un verre.

Et je m'échappai de l'estrade des danseurs.

Le jardin, suspendu au-dessus d'une vaste terrasse,
était rempli de plantes exotiques à l'aspect redoutable :
certaines, très hautes, présentaient sur leur tige des
excroissances folles et un feuillage pointu et rigide ;
d'autres étaient constellées d'aiguilles qui culminaient
en une inflorescence poussiéreuse. La lune décolorait
leur pigmentation anémique d'un supplément de
lumière blanchâtre. Je traversais le jardin et j'avais
l'impression de me promener au milieu d'une colonie
de fantômes. Je m'accoudai à la palissade. L'eau était
parfaitement calme, d'un bleu profond. J'observai au
loin, vers la ligne de l'horizon, l'effroi de la mer dans
la pénombre. Mon père était mort, emporté à jamais. Il
était tombé dans la rue, un infarctus. Et moi je n'étais
plus un fils. Un costume de lin clair, un visage dans le
noir. À présent, moi aussi j'étais un fantôme. Je me
tournai à nouveau du côté de la fête. J'épiais mes amis,
derrière le rideau de ce jardin de spectres. Nous nous
connaissions depuis les temps fragiles des idéaux, des
barbichettes de chamois. Qu'est-ce qui avait changé ?
L'espace autour de nous, ce vent qui nous portait

n'importe où, quand nous habitions des terres ouvertes. Un matin, nous avions fermé la fenêtre. Le printemps s'achevait. Le cadavre d'une hirondelle flottait dans la gouttière. Brusquement retirés en nous-mêmes. La barbe dans le miroir et, sous la lame, le visage de nos pères, le visage de ceux dont nous nous étions moqués. Nous étions des cols blancs dans le monde : honoraires, experts-comptables, propos changeants. Jusqu'à ce fameux soir, l'hiver précédent, sur le canapé du nouvel appartement de Manlio, un long canapé design, superbe. J'avais commencé par mesurer ce dernier et j'avais réalisé que son appartement était deux fois plus grand que le nôtre. Ou bien était-ce Elsa qui me l'avait fait remarquer ? Je prenais part à la conversation. J'avalais un verre. Martine me passait les amuse-gueule. Je parlais et, du coin de l'œil, j'observais Elsa. Assise sur un bras de fauteuil, les jambes croisées, ma femme regardait au-dehors. Pas le ciel, non. Elle comptait les mètres carrés de la terrasse qui surplombait le fleuve. Sans m'en apercevoir, j'avais un peu trop haussé le ton, j'étais devenu agressif. Manlio me regardait, ébahi, sa cravate rouge en cachemire trempait dans son verre en cristal. Au retour, dans la voiture, ta mère, les yeux fixés sur la route où il venait de pleuvoir, avait demandé : « Dis-moi, combien peut bien gagner quelqu'un comme Manlio ? » Je bredouillai un chiffre. Plus tard, à la maison, tandis que je pissais, que je tenais mon machin, je tremblais. J'avais compris tout à coup que nous étions devenus vieux.

Là, en revanche, adossé à la palissade de ce jardin infernal, je riais, je riais seul comme un fou. En bas, cachée derrière un rocher, la petite Martine errait, hébétée, complètement saoule.

Au milieu de la nuit, je suis éveillé. Je regarde par l'embrasure de la fenêtre grande ouverte, là où le palmier fait bruire ses feuilles sombres. Ta mère dort. Sa robe cramoisie est sur la chaise. La tension me mord le bras et pénètre plus bas au milieu des épaules. Je glisse un coude sous le coussin pour me soulever un peu. Je lance des ruades. Elle se tourne dans la pénombre.

— Qu'est-ce que tu as ?

Sa voix est un souffle fatigué, mais clément. Je ne sens plus mon bras. J'ai peur d'avoir une crise cardiaque. Je cherche sa main, je la serre. Elle porte un bustier en soie aux bretelles brillantes comme des petits rubans. Elle est contre moi, les seins mollement appuyés l'un à l'autre. Je m'approche. Je sombre dans son parfum. Lentement, je soulève le drap de son corps. Un filet de lumière court le long de ses jambes ambrées.

— Tu n'as pas sommeil ?

Je ne lui réponds pas. Mes lèvres sont déjà sur ses jambes. Elle ne dit plus rien, elle passe une main dans mes cheveux et me caresse. Elle a compris. Elle me connaît et elle sait comment je fais l'amour. Elle ne sait pas que je le fais quand j'ai peur. Je sais que je ne peux pas l'étonner, mais ça ne me semble pas si terrible. L'absence de surprise nous rassure. Nous allons au-devant d'un bien-être équitablement réparti. Nous sommes un adagio, précis comme le tic-tac du réveil sur la table de nuit. Les corps sont chauds, les sexes palpitent doucement, en muscles bien élevés. Mais dans cette partition, mon amour, il y a quelque chose de desséché. C'est ce que je me dis tandis que tes cheveux envahissent ma bouche, et je te serre fort, car cette nuit j'ai peur. Nous atteignons l'orgasme les yeux fermés, retranchés dans nos sexes comme des enfants punis.

Après, ta mère se lève, elle a soif. Elle traverse la pénombre de la pièce. Je l'entends qui descend à la cuisine. Je pense à son corps nu à peine éclairé par la petite lumière du réfrigérateur et je me demande si elle m'aime encore. Puis elle revient avec un Coca-Cola à la main.

— Tu en veux une gorgée?

Elle grimpe sur le rebord de la fenêtre et se met à le boire tout en regardant dehors. À présent, elle est là, devant les feuilles sombres du palmier, le dos appuyé au mur et les jambes légèrement pliées. Son corps nu contre la nuit, contre mes fantasmes. Elle est en hauteur par rapport à moi, immobile et brillante comme une statue de bronze. Et cette pensée me frappe comme la seule qui existe.

— Faisons un enfant.

Je l'ai prise au dépourvu. Elle sourit, souffle par le nez, hausse les sourcils, se gratte une jambe : suite de petites manifestations de malaise.

— Fais-toi enlever ton stérilet.

— Tu plaisantes?

— Non.

Je sens qu'elle voudrait ne pas avoir compris. Nous sommes mari et femme depuis douze ans et nous n'avons jamais ressenti le besoin de quelque chose qui s'ajoute à nous.

— Tu sais que je n'y crois pas...

— Tu ne crois pas à quoi?

— Je ne crois pas au monde.

Qu'est-ce que tu racontes? Qu'est-ce que j'en ai à foutre du monde, de toute cette viande anonyme? Je te parle de nous. De ma petite queue et de ta petite chatte. Je te parle d'un point. D'une lueur dans la nuit.

— Je ne me vois pas donner naissance à un enfant dans ce monde...

Tu entoures tes jambes. Tu te fais toute petite et tu voudrais être un cafard pour t'enfuir le long du mur. Et où donc veux-tu grimper ? Tu ne veux pas d'enfant parce que le monde est violent, pollué, vulgaire ? Reviens ici, redescends vers moi. Je suis nu sur le lit à t'attendre. Donne-moi une meilleure réponse.

— Et puis je ne crois pas que je serais capable de tenir un nouveau-né dans mes bras. J'aurais peur.

Ou bien tu as peur de renoncer à cette femme que tu étreins ? Qui te plaît ? Je sais, mon amour. Il n'y a rien de mal à ça. L'égoïsme nous console, nous tient compagnie. Et tu es déjà fatiguée de te sentir scrutée. Peut-être as-tu froid maintenant. Tu t'agites, tu te tourmentes. Tu as peur de ne plus me suffire.

— Et toi, pourquoi veux-tu un enfant ?

Je pourrais te dire que j'ai besoin d'un fil pour raccommoder les pensées extravagantes qui me viennent, pour les tenir ensemble. Que je voudrais un petit être nouveau face à moi. Que je suis orphelin, voilà ce que je pourrais te dire.

— Parce que je veux voir voler un cerf-volant, je dis, et je ne sais pas ce que j'ai dit.

Enfin, la tension retombe. C'était un jeu, une plaisanterie. Ta mère me regarde à nouveau sans soupçon.

— Idiot, fait-elle en riant.

Et elle avale une gorgée de Coca-Cola.

— On est aussi bien comme ça, tu ne crois pas ?

Mais moi je pense à un fil qui vibre dans le vent, à un petit poignet qui me tienne relié à la terre. C'est moi, Elsa, ce cerf-volant. C'est moi qui vole. Un trapèze de tissu déchiré dans le ciel et, en bas, sa grande ombre qui suit mon petit poussin, ma pièce manquante.

Pourquoi ne t'ai-je pas accompagnée en voiture à l'école ? Il pleuvait, je t'accompagne souvent quand il pleut. La première intervention était à neuf heures, mais j'aurais pu. Je te laissais un peu avant, tu pouvais rester sous les arcades à discuter avec tes amis en attendant la cloche. Tu aimes bien arriver à l'école en avance et moi j'aime t'avoir à côté de moi en voiture quand dehors il pleut. Notre respiration couvre la vitre de buée, tu tends le bras et tu passes la main dessus. Tu n'es jamais endormie, tu es toujours tellement attentive le matin. Tu surveilles tout ce qui bouge autour de toi. Nous parlons peu. Je regarde le bout de tes doigts qui dépasse des manches trop longues. Tu tires sans cesse sur ces manches. Tu portes ces pulls bizarres, très courts sur la taille, mais aux manches interminables. Tu n'as donc jamais froid au ventre, Angela ? Non, tu as froid aux mains, ce n'est pas branché d'avoir froid au ventre. Tu t'emmitoufles dans ton énorme veste, mais dessous tu es vraiment trop peu vêtue. Été ou hiver, pour vous c'est la même chose. Vous ne pratiquez plus le changement de saison, ça ne se fait plus.

— À l'école, comment ça va ?

— Bien.

Tu dis toujours que ça va bien. Ta mère dit que tu ne brilles guère, c'est elle qui va parler aux professeurs. Tu travailles la radio allumée. Moi aussi, je travaillais la radio allumée, je ne te l'ai jamais dit. Tu es dans la norme, c'est un problème qu'ont tous les jeunes aujourd'hui : vous ne savez pas vous concentrer. Mais ta mère dit que je suis trop indulgent avec toi. C'est vrai, je lui ai laissé le soin de t'élever. Elle te fait faire ton lit, ranger la salle de bains après ta douche. Moi, au contraire, je caresse ton désordre sans te faire de reproches. Il y avait une de tes serviettes hygiéniques abandonnée sur le lave-linge, ce matin. C'est moi qui l'ai jetée.

— Salut, Papounet.

J'aime quand tu m'appelles comme ça. Tu es gentille, tu as une bouille rigolote, pleine d'ironie. Je te regarde quand tu descends de voiture et que tu cours sous la pluie. Peut-être te feront-ils redoubler, qu'est-ce que ça peut bien faire. Tu es mon coup de griffe dans le monde, Angela, ce monde qui avance sans changements de saison.

Cela fait peu de temps que nous avons commencé à nous flairer, toi et moi. Depuis qu'ont commencé les prises de bec avec ta mère. J'attendais ce moment, tu sais. Je suis resté tant d'années les bras croisés. Tu as rencontré mon sourire devant la porte de la salle de bains. C'est toujours là que vous vous crêpez le chignon, en petite culotte, le fard à paupières renversé dans le lavabo. Je t'ai souri. Toi aussi, tu m'as souri. Ta mère s'est fâchée :

— Finalement, vous avez le même âge, elle a dit.

Elle ne voulait pas que nous t'achetions le scooter. Moi non plus, je ne voulais pas, mais je ne voulais pas te dire non. Tu avais rabâché cette rengaine pendant si longtemps, méthodiquement, sans jamais te lasser. Si bien que j'ai dit :

— De toute façon, elle montera sur celui des autres. Elle montera sans casque, elle montera avec quelqu'un qui peut-être roulera trop vite.

Ta mère a dit :

— Il n'en est absolument pas question.

Je n'ai rien ajouté et, ce jour-là, elle est sortie sans me saluer. La vérité, c'est que je voulais voir briller ton regard, je voulais que tu me sautes au cou : « Merci, Papounet... » Je le voulais comme un gamin. Et, à la fin, le plus ému, c'était moi. Mais Maman aussi le savait, nous avions déjà perdu la partie. Nous ne savions pas te dire non. Nous ne savions pas nous le dire à nous-mêmes. Elle a plié plus vite que je n'aurais cru. Puis vinrent les recommandations, les promesses. Penché sur le comptoir du magasin, je remplissais le chèque. Nous avions choisi le casque le plus coûteux. Ta mère l'a frappé des jointures pour en éprouver la solidité, ultime et inutile geste de précaution. Puis elle a passé la main sur le rembourrage qui protégerait ta tête. *Sa* tête.

— Ça tient même chaud, a-t-elle fait, et elle a eu un sourire triste.

Tu lui as enlacé les épaules, tu l'as secouée, tu l'as assaillie comme une douce tempête. Ta joie a chassé sa mélancolie.

Et nous sommes rentrés à la maison pour la première fois sans toi. Tu étais derrière en scooter. Tu suivais notre voiture qui roulait très doucement. Dans le rétroviseur, je voyais ton casque rouge. Je me rappelle avoir dit : « Nous ne pouvons pas vivre dans la peur. Nous devons la laisser grandir. »

Et j'avais peur de penser : nous devons la laisser mourir.

Je lançai les clés sur le meuble de l'entrée et retirai mes chaussures. J'avais reçu des patients à mon cabinet tout l'après-midi. Le dernier était une femme visiblement aisée. Les yeux gélifiés en une unique expression semblables aux gros boutons de son tailleur. Les initiales du couturier gravées sur ces boutons avaient continué à flotter dans mon regard, ultime contrariété de la journée. Déjà je me déshabillais, en marchant vers la salle de bains. J'entrai dans la douche. Le téléphone sonna.

— Tu as fait quelques courses ?

Ta mère était ponctuelle, comme toujours.

— Oui, bien sûr.

Naturellement je mentais. Cet été-là, je m'étais nourri de croquettes de poulet, de savoureuses boulettes de riz frites. Je m'arrêtais pour dîner chez un traiteur qui a fermé depuis. Derrière un comptoir en marbre, un homme efflanqué me servait ma portion en silence. Trois croquettes, dans une lourde assiette de brasserie. Tu sais, ma petite, la vie est un papier adhésif plutôt trompeur. La colle semble résistante, on croit que beaucoup de choses tiendront. Puis tu le déroules et tu t'aperçois qu'il manque plein de trucs. Il reste tout juste trois ou quatre conneries. Voilà :

pour moi, parmi ces trois ou quatre conneries, il y a une assiette creuse de brasserie avec trois croquettes de poulet dedans.

Quand j'étais en ville, les dîners de ta mère me manquaient. Mais j'aimais la saveur de ce manque, debout pieds nus dans ma petite flaque. C'était la saveur de la solitude, une main entre les couilles. Et tout en marchant d'une pièce à l'autre je découvrais que la nostalgie est un sentiment très élastique, par lequel on peut faire transiter tout ce qu'on veut. Une de ces moisissures du cœur qui suffisent à nous tenir compagnie. J'allumai la télévision. Il y avait un programme si estival que le présentateur flottait sur une île de polystyrène au milieu d'une piscine, à côté d'une sirène nègre. Je coupai le son et laissai ce bleu factice se réverbérer autour de moi. J'allai dans la chambre, pris sur la table de nuit le livre que je lisais, retournai au séjour et m'enfonçai, nu, dans le canapé. Comme quand, adolescent, mes parents partaient en vacances et que je restais pour étudier. J'aidais mon père à charger le dernier sac dans l'impossible coffre du coupé Lancia. Je passais mes journées à semer le désordre dans la maison. J'éparpillais uniformément livres, sous-vêtements et restes de nourriture un peu partout. J'aimais profaner ces lieux modestes que ma mère conservait parfaitement rangés pendant tout l'hiver. Et quand, à la fin, chaque chose retrouvait sa place, je parvenais mieux à survivre entre ces murs, car je gardais le souvenir de cette offense estivale. Je crois que ce doit être exactement le même plaisir qu'éprouve un serveur malpropre quand il crache en cachette dans l'assiette d'un client trop arrogant.

Un grondement sourd et lointain pénétra par la fenêtre et traversa le silence. Peut-être le temps était-il en train de changer. La veille au soir, j'avais

86

laissé une chaise sur la terrasse. J'enfilai mon peignoir et sortis la chercher. Un oiseau qui avait échappé à la migration s'était glissé dans la cour et planait, effrayé, à basse altitude, parmi les plantes du jardin de la copropriété, cherchant une issue. Je l'observai tandis qu'il s'arrêtait, coincé, et semblait lutter contre le poids de cet air lourd qui s'était assombri d'un seul coup. D'ici peu, la pluie arriverait. Je demeurai à l'extérieur dans l'attente de cette fraîcheur qui peut-être s'approchait. La chaise, malgré le rembourrage, n'était pas confortable du tout. Un noir battement d'ailes passa au-dessus de ma tête. L'oiseau avait fini par prendre son envol vers le ciel. Dans la cour, l'air était à nouveau immobile et lourd. L'orage passerait au loin. Je rentrai et me lavai les dents.

Que puis-je y faire, chère épouse, ce soir j'ai envie de me glisser dans le corps d'une petite nana, de frotter contre moi sa tête de raphia. J'ai envie d'un souffle chaud, d'un chien qui me lèche la main dans le noir. C'est la dernière fois. Je te le jure, pendant que tu dors. Je m'apprêtais à la tromper encore une fois. Je n'avais pas envie de gâcher ma soirée. Peu à peu, comme je quittais la ville et que je m'enfonçais dans ce bidonville, je devenais de plus en plus euphorique. Car c'était comme partir pour un autre monde, pour une ville sur pilotis, de l'autre côté de l'eau, une petite Saigon. Et toute cette laideur qui se rapprochait, ces lumières tremblantes, me sautaient au visage comme une fête foraine qui ne serait restée ouverte que pour moi.

C'était la première fois que j'allais chez elle la nuit. Et j'aimais reconnaître les choses, tâtonner dans le noir à leur recherche, comme un voleur. J'aspirais le parfum malsain de ces lieux comme un baume, en même temps que cette partie de moi que je craignais et invoquais dans le noir. Les marches incertaines, la saleté sous mes chaussures, les longues ombres des étages : tout était muet, sauf mon cœur prédateur. La nuit avait avalé l'escalier en fer. Je plongeai dans le tunnel, en une vrille de plus en plus haletante. Dernière étape, le terre-plein sous le viaduc, immobile comme une mer fermée. Puis les derniers pas vers sa maison sur pilotis, vers la petite *maîtresse* [1] de mon Saigon à moi. Par la fenêtre de la coursive ne parvenait aucune lumière. Je fermai la main et frappai à la porte verte. J'avais trébuché sur les marches, ma cheville me faisait mal. Je mis mon poing transversalement et frappai avec plus d'insistance, comme un marteau. Où était-elle à cette heure ? Sortie avec des amis ? Pourquoi n'aurait-elle pas un groupe d'amis ? Dans une de ces boîtes de nuit qui ressemblent à des entrepôts industriels aux sunlights braqués vers le ciel. Elle dansait dans la cohue, les yeux fermés, comme la première fois où je l'avais vue pendue au juke-box. Pourquoi ne danserait-elle pas ? Peut-être était-elle avec quelqu'un, un miséreux comme elle, qui en ce moment l'enlaçait, et je n'étais nulle part dans ses pensées. Peut-être était-ce une prostituée. D'ailleurs elle acceptait mon argent sans s'indigner. À cette heure, ses jambes squelettiques sillonnaient le trottoir sombre, Dieu sait où, sur une avenue perdue de la ville. Le bras appuyé à la portière d'une voiture, elle négociait son propre prix, avec ce visage usé, ces yeux enfoncés, barbouillés de maquillage. Peut-être y avait-il Manlio dans cette voiture. De temps en temps, il s'amusait à ramasser une de ces créatures nocturnes. Alors pourquoi pas elle ?

---

1. En français dans le texte. (*N.d.T.*)

Non, elle non. J'avais cessé de frapper, mon bras exténué tremblait. Elle n'était pas belle, elle était blafarde, déprimante. Ses maigres atours me semblaient une protection. Personne ne pouvait se la représenter quand elle devenait une autre et que son corps éteint s'illuminait de vie. Mais peut-être était-elle ainsi avec tout le monde. Qui étais-je pour mériter quelque chose de plus ? Je levai mon bras douloureux et frappai encore. Elle n'était pas chez elle. La putain n'était pas chez elle. Défait, j'appuyai les épaules contre la porte et regardai la nuit. Le viaduc désert et, plus bas, les baraques où bruissaient de légers signaux de vies encore éveillées. *Peut-être est-ce là qu'elle va, chez les gitans, se saouler dans leurs caravanes, les écouter lui prédire son destin de haillons.*

J'entendis un petit gémissement et quelque chose qui bruissait de l'autre côté de la porte. Je pensai à son corps, à ses mains, et une fois de plus je fus surpris de ne pas me la rappeler avec netteté, comme je l'aurais voulu.

— Italia, murmurai-je. Italia...

Et c'était comme de lui poser un manteau sur les épaules, l'enfermer dans un lieu, dans la pièce close de son nom, elle et aucune autre.

— Italia.

Et à présent je caressais le bois de la porte.

Il y eut un jappement, une patte qui grattait, et je reconnus le chien. Elle s'était mise à gronder, cette bête aveugle, aussi misérable que sa patronne. Un grondement étouffé, tout de suite fatigué, de vieux chien. Je souris. *Elle reviendra. Si elle a laissé le chien, ça veut dire qu'elle reviendra. Et je l'attendrai. Je ferai mes petites affaires sur son corps une dernière fois.*

Une voiture passa sur le viaduc, la lumière des phares inonda les murs de la maison. Entre les briques au-dessus de ma tête, quelque chose brillait dans le noir. Alors je me souvins de la clé. J'allongeai le bras et je la trouvai entre les briques disjointes, dans son bout de chewing-gum mâché. Je serrai le poing. C'était exactement comme si je l'attrapais, elle. Je n'avais pas le droit de faire cela, mais déjà je cherchais dans le bois l'ouverture où glisser cette clé poisseuse.

À l'intérieur, le noir complet, et l'odeur habituelle, simplement plus stagnante. J'étais chez elle, elle n'y était pas : cette effraction m'excitait... Et à présent je me plaisais à penser que cette clé collée dans l'embrasure de la porte n'était pas un hasard, qu'elle l'avait laissée là pour moi. Je tâtai le mur autour de moi. Je trouvai l'interrupteur, dans un pommeau de céramique ébréchée. Une ampoule à faible consommation s'alluma au milieu de la pièce. Le chien aveugle était devant moi, avec ses yeux blancs, une oreille droite, l'autre flasque. Pauvre gardien, à vrai dire. J'éteignis. Non, pas de lumière, je l'attendrais dans le noir. Le noir me dissimulait à moi-même. Je fis quelques pas à tâtons et m'enfonçai dans le canapé. La maison était imbibée de silence. Il y avait seulement les petits bruits de mon corps d'envahisseur et le souffle du chien, qui s'était glissé à sa place sous le canapé. Je commençais à m'habituer à l'obscurité et maintenant je distinguais la silhouette du mobilier, les formes noires des bibelots et le relief de la cheminée sur le mur. On aurait dit un autel réformé. Car, dans le noir, la maison avait quelque chose de sacré, une sorte d'abandon. Elle y était. Dans son absence, elle y était encore davantage. La dernière fois, je l'avais traînée sur le canapé. Nous ne nous étions regardés à aucun moment. Je me penchai pour chercher l'endroit, entre le bras et le dossier, où elle avait enfoui ses soubresauts. Le genou à terre, je frottai mon visage dans l'obscurité. Italia avait été comme cela, traquée dans un coin. J'y frottai mes narines, ma bouche... Je cherchais ce qu'elle devait avoir senti alors que je la prenais. Je voulais être elle pour éprouver ce que je provoquais dans sa chair. Je n'essayai même pas de résister. Je courus en toute hâte vers le précipice presque sans m'en apercevoir. Le plaisir se répandit dans mon ventre, tiède et profond. Il monta entre mes épaules, dans ma gorge. Exactement comme le plaisir d'une femme.

Mais je redevins bien vite homme, Angela, et il ne me resta aucune douceur. Seulement l'odeur de mon souffle tandis que mes derniers soubresauts mouraient dans ce divan. Et le malaise, et une soudaine tristesse, qui dans cette pénombre profanée était encore plus triste. J'avais les jambes ankylosées et j'étais souillé comme un adolescent. Près de mes genoux, le chien n'avait pas perdu un seul spasme de mon rut. Je me relevai et heurtai ce qui m'entourait en cherchant la salle de bains. Je trouvai une porte et un fil électrique sur le mur. Je le suivis jusqu'à l'interrupteur. J'allumai la lumière et m'aperçus dans le miroir qui me faisait face. Les yeux foudroyés par la lumière en un éclair malin. J'étais dans une niche de vieux carreaux. J'ouvris le robinet. Je penchai mon visage au-dessus du lavabo et vis une brosse à dents fatiguée dans un verre suspendu à une bouche de fer. En même temps que le dégoût pour ces soies ébouriffées, le dégoût de moi-même m'assaillit. Posé sur le rebord d'une petite baignoire-sabot, il y avait un tapis en éponge. Le rideau en plastique de la douche oscillait, moisi, contre le fond, entortillé en haut autour de la barre qui le supportait. La savonnette était parfaitement à sa place dans son porte-savon. Sur l'étagère du miroir, il y avait seulement une crème pour les mains et un pot en verre opaque dans lequel on entrevoyait la pâte du fond de teint qu'Italia se mettait sur le visage. Par terre, il y avait un panier en osier. Je soulevai le léger couvercle. À l'intérieur, il y avait un petit tas de linge sale. Je me concentrai sur une culotte chiffonnée. Et j'entendis en moi une voix oppressante qui m'implorait de la mettre en vitesse dans ma poche et de l'emporter avec moi. Je regardai à nouveau vers le miroir et je demandai à mes yeux de loup quelle espèce d'homme j'avais bien pu devenir.

J'éteignis la lumière et revins dans la pièce. En passant près du canapé, dans le noir, je me baissai pour remettre en place la housse à fleurs. Le chien jappa. Je lui avais marché sur une patte. Je fermai la porte et remis la clé dans sa cachette, mais le chewing-gum avait perdu de son élasticité. J'essayai de le ramollir avec les doigts, ça ne me disait vraiment rien de le faire avec ma salive. J'entendis un bruit, un piétinement lointain. Des talons sur des marches métalliques. Je glissai le chewing-gum dans ma bouche et mâchai vigoureusement. La clé me tomba des mains, je me baissai pour la ramasser. Le piétinement avait cessé, absorbé par la terre. J'avais trouvé la clé. D'une forte pression du pouce, je réussis à la faire entrer dans l'espace entre les briques. Je fis bruire l'herbe, plus bas, et je me cachai derrière le mur de la maison, près du squelette de la voiture carbonisée. Elle apparut presque aussitôt. Deux jambes noires, sans hâte, habituées à la pénombre. Et, au milieu, le même sac que d'ordinaire. Elle paraissait fatiguée, elle avait le dos plus courbé que d'habitude.

Elle tendit le bras dans l'embrasure de la porte, mais la clé lui tomba dessus, dans les cheveux. Je me plaquai contre le mur tandis qu'elle se frottait la tête. Et d'un seul œil, je vis ses doigts qui effleuraient la surface de la clé, et son visage, pendant ce temps, changeait. Je le voyais à grand-peine, mais je devinais qu'il était envahi d'un sentiment bien précis. Elle retira le chewing-gum et resta à le soupeser entre ses doigts : elle avait remarqué qu'il était humide. Elle regarda autour d'elle dans le noir, puis ses yeux se plantèrent dans ma direction. *Elle va me trouver, elle va venir me cracher au visage.* Elle fit deux pas, puis s'arrêta. La lumière de la lune l'éclairait à peine. Je m'étais aplati derrière le squelette de cette voiture brûlée. Elle fixait l'obscurité où je me terrais et peut-être réussissait-elle à me voir. Son regard se déversait dans le vide, mais c'était comme si elle savait que j'étais là, et cette pensée, l'idée de moi, passa sur son visage. Elle n'alla pas plus loin. Elle se tourna, glissa la clé dans le trou de la serrure et ferma la porte derrière elle.

Le soir suivant, je dînais avec Manlio dans une de ces trattorias du centre dont les tables en terrasse oscillent sur le pavé, si bien qu'on doit se baisser pour glisser une cale sous le bon pied, avant de se rendre compte en se redressant qu'un autre pied bouge à son tour : exactement comme dans la vie. Manlio plaisantait, bombait le torse dans sa veste, mais il n'était pas joyeux. Il avait eu un problème en salle d'accouchement, il bredouillait quelques phrases de circonstance, s'apitoyait et, naturellement, il mentait. Il était hypocrite sans le vouloir. Il ne s'était jamais remis en cause et n'avait nulle intention de le faire. Il suivait les élans des autres et finissait par les encourager. Ainsi, ce soir-là, avec l'enthousiasme d'un véritable ami, il tentait de s'insinuer dans la profonde tanière où j'errais sans appétit. Cela durait depuis un moment déjà. Silencieux, distrait, j'avais attaqué l'entrée d'une fourchette brutale, puis je l'avais laissée là, sans plus rien commander. Manlio essayait de me suivre, il captait mon humeur et, pendant ce temps, grappillait autour de lui dans diverses assiettes, poivrons, ricotta frite, petits brocolis poêlés.

— Tu y vas, toi, aux putes ?

Il ne s'attendait pas à ce genre de question, pas de ma part. Il sourit, se verse à boire, fait claquer sa langue.

— Tu y vas ou pas?
— Et toi?
— Oui. J'y vais.
— Allons bon.

Dieu sait à quoi il pense. Peut-être pense-t-il à Elsa. Il ne lui paraît pas vraisemblable qu'avec une femme comme elle j'aie besoin de payer. Mais le changement de registre ne lui déplaît pas, ça passe bien, après le vin.

— Moi aussi, de temps en temps...

Et à présent il ressemble à un enfant.

— Toujours la même ou tu changes?
— Comme ça se présente.
— Et tu fais ça où?
— Dans la voiture.
— Pourquoi tu fais ça?
— Pour prier. Quelle question à la con.

Il rigole, et ses yeux disparaissent.

Ce n'est pas une question à la con, Manlio. Tu t'en aperçois maintenant, en voyant une touriste qui passe, enlacée à un géant en bermuda. Maintenant tu as l'air amer.

Plus tard, je lui dis que ce n'est pas vrai, que je ne vais pas aux putes. Il est contrarié, mais continue à rire. Son visage devient rouge, il dit que je suis con, « toujours aussi con », dit-il. Mais, entre-temps, l'ennui s'en est allé. La soirée a fait un bond, elle s'est glissée dans des zones plus intimes, où brille quelque chose qui ressemble à la vérité, et qui l'est, peut-être. Et Manlio, tandis qu'il marche vers sa voiture, ressemble à un type sincère. Désespéré. Nous nous saluons rapidement, deux claques sur l'épaule, quelques pas dans le noir, et nous sommes déjà loin, chacun sur son propre trottoir. De l'autre il ne reste rien. Notre amitié est hygiénique.

Je pourrais te dire, Angela, que les ombres des réverbères semblaient me tomber dessus comme des oiseaux morts et que, dans cette chute sur le pare-brise, je voyais s'abattre tout ce que je n'avais pas. Je pourrais te dire que, tandis que je roulais vite et que les ombres plongeaient de plus en plus vite, montait en moi le désir de combler ce manque par un quelconque bouche-trou. Je pourrais te dire beaucoup de choses qui, maintenant, sonneraient juste, mais qui alors ne l'étaient peut-être pas. La vérité, je ne la connais pas, je ne m'en souviens pas. Je sais seulement que je roulais vers elle sans aucune pensée précise. Italia n'était rien. Elle était la petite mèche d'une lampe à pétrole. Le feu était au-delà d'elle, dans cette lumière huileuse qui baignait mes besoins et tout ce qui me manquait.

C'était le début de la longue avenue arborée où se détachaient des silhouettes mercenaires. Les phares de ma voiture butaient contre des corps qui flottaient comme des méduses dans la nuit. Ils les foudroyaient de lumière avant de les rendre à l'obscurité. Je ralentis près d'un des derniers arbres. La fille qui vint vers ma voiture avait des jambes de résille noire et un visage parfait pour son commerce, âpre et infantile, trouble et mélancolique : le visage d'une pute. Elle croassa quelque chose, peut-être une insulte, tandis que je la laissais disparaître dans le rétroviseur.

Elle était là. Cette nuit-là, elle était là. La porte s'ouvrit doucement. Le chien apparut sur le seuil, vint me renifler, remuer la queue entre mes jambes, et eut l'air de me reconnaître. Italia était là, devant moi, sa main très blanche posée sur la porte. Je la poussai à l'intérieur avec mon corps. Peut-être dormait-elle déjà, car sa bouche avait un goût plus fort que d'habitude. Cela me plut. Je lui attrapai les cheveux, l'obligeai à plier le cou, à se baisser. Je frottai mon visage contre son estomac. Là, à l'endroit où j'avais mal quand je pensais à elle. *Soigne-moi, soigne-moi...* Je me baissai et passai ma bouche partout sur son visage. Je glissai ma langue dans les trous de son nez, dans le sel de ses yeux.

Plus tard, assise sur le canapé, elle tirait d'une main un pan de son tee-shirt pour couvrir son sexe. Elle m'attendait comme ça tandis que je sortais de la salle de bains. Je m'étais lavé, assis sur le bord de la baignoire à côté de ce rideau moisi qui pendait. Je m'approchai, lui attrapai une touffe de cheveux et lui secouai la tête. En même temps, je lui glissai de l'argent dans la main. Je m'arrêtai sur cette main inerte, la serrai dans la mienne pour la forcer. Elle accepta, comme on accepte la douleur. Je devais m'en aller, je ne pouvais pas me requinquer devant elle. Ç'aurait été inconvenant, comme de se retourner pour regarder ses propres excréments.

Toi aussi, tu veux rester seule. J'ai appris à te connaître désormais. Tu fais ce que je veux, puis tu disparais, comme un moustique quand vient le jour. Tu te poses sur les fleurs de ton canapé et tu espères seulement que je ne m'aperçoive pas de toi. Tu sais n'avoir de valeur que quand je suis en rut. Tu sais que quand je serre le nœud de ma cravate avant de partir, déjà tout me dégoûte. Tu n'as pas le courage de bouger tant que je suis là. Tu n'as pas le courage de faire voir ton cul quand tu vas à la salle de bains.

Peut-être as-tu peur de finir assassinée, que je te flanque dans l'argile de ce fleuve à sec, comme cette voiture précipitée du viaduc. Tu ne sais pas que ma colère s'achève quand je meurs en toi et qu'ensuite je suis comme un lion décrépit. Que fais-tu quand je m'en vais ? Qu'est-ce que je te laisse ? Cette cheminée éteinte, cette pièce que j'ai arrachée au sol, que j'ai souillée au cœur de la nuit sans même t'aimer. Le chien viendra près de toi. Tu auras besoin de ce poil, tu le caresseras les yeux fixés ailleurs. De toute façon, il est aveugle. Des choses de ton histoire passée, des idées fixes te reviendront. Puis tu reprendras confiance en ce qui existe, tu te lèveras, tu remettras quelque chose en place, une chaise renversée. Et tu n'auras pas besoin de tirer sur ton tee-shirt. Quand tu te baisses, tu sens la fente nue de tes fesses et tu n'y fais pas attention. Ton corps vaut ce qu'il vaut, sans mes yeux dans les parages. Il vaut autant qu'une chaise, autant qu'un effort. Mais, en te relevant, tu sentiras un filet de mon sperme couler le long de ta jambe et alors je ne sais pas, mais je voudrais savoir. Je voudrais savoir si tu éprouves du dégoût, ou bien... Non, lave-toi vite, petite putain, glisse-toi derrière ton rideau moisi et, à coups d'éponge, nettoie la merde et les fantasmes de cet abruti.

Il y avait quelques nèfles posées sur la table, j'en pris une. Sa chair était sucrée, j'en pris une autre.

— Tu as faim ? dit-elle.

Sa voix était faible, elle provenait du silence. Italia aussi avait dû penser quelque chose d'extravagant. Quand ma main avait cessé de serrer la sienne, elle avait ouvert les doigts et l'argent était tombé au sol. À présent, cette main, elle la tendait, vide, vers moi :

— Donne.

Et je lui donnai les nèfles.

— Je te fais une assiette de spaghettis ?

— Comment ? murmurai-je, stupéfait par cette proposition.

— À la sauce tomate. Ou comme tu voudras.

Elle avait mal compris ma question. Elle me scrutait d'un air changé, soudain plus animé. Ses yeux vibraient dans leurs orbites comme des têtes tout juste sorties d'une coquille. Je n'avais pas l'intention de rester. Mais il y avait ce petit espoir accroché à son visage. Un espoir si loin du mien. Car moi aussi j'espérais, Angela. En quelque chose qui n'était pas dans cette pièce, ni ailleurs, qui peut être pourrissait avec les os de mon père. Quelque chose dont je ne savais rien, qu'il était parfaitement inutile de chercher.

— Elle est bonne, ta sauce ?

Elle rit, s'illumina de joie, et pendant un instant je pensai que peut-être mon espoir était aussi modeste et facile que le sien. Elle se dirigea en diagonale vers la chambre à coucher en s'efforçant de se couvrir avec ce tee-shirt trop court. Rapidement elle fut à nouveau devant moi, avec un pantalon de survêtement et ses sandales multicolores délacées : « Je sors un moment. » Je l'épiai par la fenêtre, tandis qu'elle réapparaissait derrière la maison, là où, je m'en aperçus, poussait un petit potager. Ses talons s'enfonçant dans la terre, une lampe torche à la main, elle fouillait dans une rangée de plantes soutenues par des tuteurs. Elle réapparut avec sa récolte dans le tee-shirt et se glissa dans la cuisine. Depuis la porte, je voyais passer sa silhouette, tantôt entière, tantôt juste un bras, avec une touffe de cheveux. Elle se dressait vers une étagère et y prenait une casserole, une assiette. Elle avait lavé les tomates avec soin, une à une, et à présent, penchée sur une planche, elle faisait rapidement courir un gros couteau à hacher les aromates. La lame collée aux doigts, sans hésitation. Et je découvrais stupéfait qu'Italia était une cuisinière propre et précise, maîtresse de ses gestes, de sa cuisine. J'attendais, assis, sérieux et un peu raide, comme un invité obséquieux.

— C'est presque prêt.

Elle sortit de la cuisine et s'enferma dans la salle de bains. J'entendis qu'elle ouvrait le robinet de la douche. Je battis les coussins autour de moi sur le canapé. Une bonne odeur de sauce tomate fraîche avait envahi la pièce et ma faim. Mon regard croisa le chimpanzé enlacé à son biberon. Il ressemblait à Manlio. Je lui souris comme on sourit à un ami un peu stupide. Dans la salle de bains, l'eau s'abattait bruyamment, puis cessa. Quelques bruits et elle était déjà dehors. Mouillés, ses cheveux semblaient de bois. Elle portait un peignoir beige, dont elle serra la ceinture en éponge, et, revigorée, elle soupira.

— Je vais mettre les pâtes.

Elle retourna à la cuisine. En passant près de moi, elle me laissa dans les narines un parfum de talc, sucré comme de la vanille. Un parfum de poupée.

— Tu veux une bière ?

Elle m'apporta la bière, puis disparut et réapparut avec ce qu'il fallait pour dresser le couvert. Je me levai pour l'aider.

— Ne bouge pas, dit-elle. Je t'en prie.

Sa voix était aussi empressée que ses mains. Je restai à la regarder tandis qu'elle préparait la table. Elle allait et venait depuis la cuisine, avec une vitalité surprenante à cette heure de la nuit. J'eus l'impression de la voir pour la première fois, comme si ce corps sous le peignoir n'avait jamais été mien. Elle savait

dresser une table, elle disposait les couverts et les serviettes avec soin. Elle mit une bougie au milieu,
s'immobilisa face à moi, fronça les sourcils, plissa le
nez et montra ses dents du haut comme un petit ron-
geur.

— *Al dente*? cria-t-elle.

— *Al dente*.

Je plissai moi aussi le nez, pour l'imiter, et je
m'aperçus combien il était peu mobile par rapport au
sien. Elle rit. Nous rîmes. Elle n'était pas seulement
joyeuse, elle était un peu plus que cela. Elle était heureuse.

— Et voilà.

Elle revint une soupière entre les mains. Elle la
posa. Sur les pâtes, au centre, il y avait une touffe de
basilic disposée comme une fleur. Elle me servit, puis
s'assit en face de moi et posa les bras sur la table.

— Et toi, tu ne manges pas?

— Après.

Je plongeai ma fourchette dans l'assiette. J'avais
faim. Je ne me rappelais pas avoir eu aussi faim
depuis longtemps.

— Ça te plaît?

— Oui.

Les spaghettis étaient vraiment bons, Angela. Les
meilleurs spaghettis de ma vie. Je mangeais sous le
regard attentif d'Italia, qui ne perdait rien des manifestations de mon appétit. Elle les encourageait du
regard, avec de petits mouvements des épaules, des
bras. On aurait dit qu'elle mangeait à sa façon,
qu'elle dégustait avec moi chaque bouchée.

— Tu en veux encore?

— Oui.

La satiété procurait un bien-être que j'avais oublié.
Fourchette après fourchette, je sentais que cette nour-

riture me faisait du bien. Je tendis le bras pour prendre la bouteille de bière qui était restée loin de moi. Elle aussi bougea le bras, peut-être pour m'aider. Contre le verre d'une fraîcheur réfrigérée, je fus surpris de sentir une partie de sa main, chaude, vibrante. Je me versai de la bière maladroitement, sans prêter attention à ce que je faisais. L'écume déborda du verre. Ça m'avait coûté de me décider à partir. J'aurais aimé rester, pas seulement entre ses doigts. Pendant une fraction de seconde, le désir de déposer mon front dans la paume de cette main pour qu'elle supporte le poids de ma tête m'avait parcouru.

Italia regarda alors la petite flaque d'écume s'élargir sous le verre. Il y avait dans ses yeux une lumière spéciale, qui se glissait sous la peau de son visage, prisonnière d'un halo fragile, vraiment intime. J'eus l'impression qu'elle était devenue triste, tout à coup. Je suivis cette tristesse le long du sentier ombragé de son cou, jusqu'aux côtes où se détachaient les seins. Elle s'en aperçut et saisit l'éponge du peignoir, qu'elle serra sur sa poitrine. À présent elle était dans la lumière. Dans cette faible lumière de bougie, elle me regardait manger. Les bras croisés comme un amour dans la nuit.

Je m'étais arrêté là, sur ce morceau d'asphalte saupoudré de sable, derrière une rangée de lauriers-roses. Je regardais la grille entrouverte et, entre ses barreaux, la maison. Le toit en ardoise et les murs très blancs, imprégnés de phosphorescence dans la netteté de cette lumière tout juste née. Je n'étais pas entré dans la maison, j'étais resté dans la voiture, transi de froid et d'humidité. Le temps avait fait une embardée, dont j'ignorais l'ampleur, au milieu de laquelle je m'étais assoupi. La petite voiture d'Elsa était garée sous l'auvent de roseaux. Son corps immobile sur le lit ignorait tout de ma présence. J'épiais les choses que l'aube dévoilait, le fil à étendre le linge, nu, nos bicyclettes appuyées au mur.

À présent, dans le ciel, avec les premières lueurs du soleil, se profilait un bleu clair intense. Dans cette luminosité, tout était extrêmement net. Si la nuit m'avait protégé, la lumière, qui me restituait aux choses, me restituait à moi-même. Je tendis le cou dans le petit rectangle de miroir et retrouvai mon visage. Ma barbe avait poussé sans que je m'en aperçoive.

Je descendis de voiture, longeai la clôture, me glissai parmi les roseaux et débouchai sur la plage. Il n'y avait personne, seulement la mer. Je marchai jusqu'à l'étendue de sable et m'assis à quelques pas de l'eau sur l'ultime langue de sable encore sèche. La maison était derrière moi. Si Elsa avait ouvert grande la fenêtre de la chambre à coucher, elle aurait vu le petit point de mon dos sur la plage. Mais elle dormait. Peut-être dans ce sommeil plus léger cherchait-elle un destin différent et s'immergeait-elle dedans, avec la même précision que quand elle plongeait dans la mer, quand elle disparaissait sans une éclaboussure dans son trou d'eau.

Le corps peut-il aimer ce que l'esprit méprise, Angela? C'est ce que je me demandais, en roulant vers la ville. Il y a longtemps, dans la cave d'un paysan, j'avais goûté, par pure courtoisie, un excellent fromage affiné à la croûte noire de moisissure et à l'odeur putréfiée. Et, à l'intérieur, il se révéla, à ma grande surprise, à la fois fort et doux. Une saveur de puits, de profondeur, qui portait en elle la nostalgie et en même temps le dégoût de ce fromage, de son aigreur, me resta dans la bouche.

Il était six heures. J'étais très en avance pour mes obligations professionnelles. Je m'arrêtai pour boire un café à l'endroit habituel. Ce serait comme de retourner dans un bordel tôt le matin pour prendre un parapluie oublié et découvrir derrière la prostituée qui nous a comblé durant la nuit une femme en pantoufles, endormie, et sans rien d'attirant.

Elle fut surprise de me voir. Elle était là, stupéfaite et souriante dans l'embrasure de la porte, et elle ne m'invitait même pas à entrer.

— Pourquoi si tôt?

— Comme ça.

Elle me prit par la main et me tira à l'intérieur :

— Viens.

Elle avait cessé de me craindre. Il avait suffi d'une assiette de spaghettis. Elle m'avait déjà absorbé dans son infime normalité, comme le singe du poster, comme le chien aveugle. Les fenêtres étaient grandes ouvertes, le jour pénétrait dans la pièce. Les chaises étaient retournées sur la table et le sol luisait d'eau par endroits. Italia avait déjà fait la vaisselle. Elle affichait la fierté du travail bien fait et, dans le regard, la même brillance que le carrelage. Moi, en revanche, j'étais mécontent, épuisé.

— J'éteins le fer.

Elle se dirigea vers une table à repasser dépliée dans un coin, d'où pendait un croissant de tissu bleu ciel, peut-être un tablier. Elle était déjà habillée pour sortir, mais elle ne s'était pas encore maquillé le visage. Ses yeux délavés me caressèrent. À ma barbe pas rasée, à ma veste froissée, il lui fut facile de comprendre que je n'avais pas dormi dans un lit.

— Tu veux prendre une douche?

— Non.

— Tu veux un café?

— J'en ai déjà pris un.

Je m'enfonçai dans le canapé habituel. Elle se mit à disposer les chaises autour de la table. Les cheveux attachés en une queue courte et filasse dénudaient son front bombé. J'essayai de rechercher dans mon esprit l'unique image que je voulais garder d'elle, de ce corps confus, soumis. Mais la femme que j'avais devant moi était trop éloignée de cette image. Sans maquillage, Italia avait une peau d'une couleur poudreuse, qui rougissait sous les yeux, sur le nez. Et elle était plus petite que d'ordinaire. Elle portait une paire de chaussures de sport noires, en tissu.

Elle vint s'asseoir en face de moi. Peut-être avait-elle honte d'avoir été surprise non apprêtée, dans sa normalité domestique. Ses mains étaient rougies, elle essayait de les cacher en les serrant l'une dans l'autre. Je songeai qu'elle était bien plus attirante comme cela, bien plus dangereuse. Elle n'avait pas d'âge, comme une bonne sœur. Et, à présent, la maison aussi me rappelait une de ces églises qu'on trouve dans les localités de bord de mer. Églises modernes, sans fresques, avec un christ en plâtre et des fleurs en plastique dans un vase sans eau.

— La maison est à toi ?

— Elle était à mon grand-père, mais avant de mourir, il l'a vendue. Je suis montée pour lui donner un coup de main, il s'était cassé le fémur, et puis je suis restée. Mais je dois m'en aller.

— D'où es-tu ?

— D'en bas, du Cilento.

Le chien traversa la pièce et vint se coucher aux pieds d'Italia. Elle se pencha. Sa main carressa la tête poilue.

— Il a été malade cette nuit. Il a peut-être mangé une souris...

Je m'approchai de l'animal. Il se laissa palper sans résister, s'étendit sur le dos et écarta les pattes. Il gémit à peine, quand j'enfonçai le doigt dans la zone la plus douloureuse.

— Ce n'est rien. Il suffit d'un désinfectant.

— Tu es docteur?

— Chirurgien.

Ses jambes étaient là, à quelques centimètres de moi. J'eus du mal à les écarter. J'embrassai ses cuisses si blanches, presque bleues. J'avançai ma tête dans l'espace qui les séparait. Elles étaient froides, même si elles transpiraient. Italia inclina sur moi sa respiration. Je sentais sa bouche qui mouillait ma nuque... Je me levai d'un coup et heurtai son visage. Je revins m'asseoir sur le canapé. Je rapprochai mes mains, les serrai fortement l'une à l'autre. Je fixai des yeux ces doigts noueux.

— Je suis marié.

Je ne la regardais pas. Je la devinais, dans une zone hors d'atteinte, à l'extrême périphérie de mon regard.

— Je ne viendrai plus. Je suis venu te le dire...

Elle avait la tête baissée et une main posée sur le nez. Peut-être lui avais-je donné un mauvais coup.

— ... pour m'excuser.

— Ne t'en fais pas.

— Je ne suis pas quelqu'un qui trompe sa femme à droite et à gauche.

— Ne t'en fais pas.

Du nez lui coulait un filet de sang. Je m'approchai d'elle et lui tins le menton :

— Garde la tête en arrière.

— Ne t'en fais pas. Pourquoi tu t'en fais autant?

Un sourire inexpressif lui adoucissait le visage. Derrière tant de clémence, il me semblait à présent récolter la défaite. Je relevai son menton. Je voulais gagner. Je voulais la vaincre.

— Tu baises souvent avec des gens que tu ne connais pas ?

Elle ne cilla pas, mais elle avait encaissé le coup. Elle changea de ligne de mire et je ne sais dans quelles terres roulèrent ses pensées. Son regard était de colle, comme celui du chien. Non, je n'avais aucun droit de l'offenser. J'ouvris les mains et me cachai dedans. *Dis-moi que ce n'est pas vrai, dis-moi que c'est seulement avec moi que tu te tords et deviens grise et vieille comme un serpent moribond, seulement avec moi que tu as le courage de mourir.* Crevalcore lui avait volé une de ses pantoufles fuchsia et à présent il la tenait dans sa bouche sans la mordre.

— Excuse-moi.

Mais elle ne m'écoutait plus. *Peut-être qu'un jour elle se tuera. Peut-être qu'elle se retirera du monde, pas pour moi, mais pour un autre semblable à moi, pour un prédateur qui se posera sur son corps avec la même voracité, le même désamour.*

— Tu dois t'en aller, dit-elle. Je dois aller travailler.

— Quel travail tu fais ?

— La putain.

À présent elle était aussi vide qu'une peau de serpent après la mue.

J'ai dans les yeux le violet de cette écharpe moirée qui fait le tour de ton cou, Angela, celle que tu voles à ta mère. Sa laine a résisté aux années, elle est plus vieille que toi. Nous l'avons achetée en Norvège.

Sur le ferry pour les îles Lofoten, elle resta à l'intérieur pour siroter son thé, les mains collées à la tasse en verre bouillante, tandis que je m'attardais sur le pont malgré les rafales de vent gelées qui soulevaient la mer. Le ferry, aussi lézardé que les fjords qui s'éloignaient derrière nous, était vide de touristes, mais bondé de rudes autochtones, pêcheurs, négociants en poisson. Dans l'air blanc et venteux, on n'entrevoyait rien d'autre que le désordre de la mer. Le changement de couleur, de climat, le gros pull que je portais, la puanteur de poisson saumuré qui remontait de la cale m'invitaient à me sentir un autre homme, comme il arrive souvent en vacances. J'étais heureux d'être seul, heureux que le mauvais temps dissuade ta mère de venir me rejoindre dehors. Un marin en ciré remonta péniblement le pont et, en passant près de moi, cria quelque chose d'incompréhensible. Il m'indiquait la porte pour me faire comprendre qu'il valait mieux rentrer à l'intérieur.

L'eau gouttait dans l'encolure de mon pull-over. Je secouai la tête. Je souris.

— *It's okay*, je criai.

Il sourit lui aussi. Il était jeune, mais il avait déjà la peau du visage marquée par ce métier de vent et puait l'alcool. Il leva les bras au ciel.

— *God! God!* Et il s'éloigna vers la proue.

Un oiseau s'est posé à côté de moi inopinément, je ne l'ai pas vu arriver. Son plumage est d'une couleur sale, entre le gris et le vert, ses pattes palmées serrées autour du fer de la balustrade, comme de petites mains. C'est un étrange croisement entre un martin-pêcheur et une cigogne noire. Son ventre se gonfle et se dégonfle mécaniquement. Il doit avoir résisté à la fatigue d'un vol éprouvant pour rejoindre ce perchoir flottant. Il n'est pas gentil du tout, il fait presque peur. Il scrute la mer de ses yeux rapaces ourlés de peau rouge. Il semble chercher de la place pour son prochain envol. Il a un bec d'oiseau mythologique et quelque chose d'humain dans le regard. Mais pourquoi, me dis-je soudain, une créature si petite accepte-t-elle sans relâche les épreuves que lui impose la nature, alors que nous reculons devant une giclée de mer ? Nous, avec nos chaussures, nos pulls, pourquoi manquons-nous tant de courage ?

Je crois que ta mère a senti quelque chose durant ces vacances, en regardant mon dos qui avançait à quelques pas d'elle, le long des sentiers de pierre en surplomb sur la mer, pendant cette promenade dans laquelle je m'étais réfugié. Mais elle ne dit rien. Le soir, nous nous serrions avec d'autres convives autour de la même table oblongue d'un restaurant de bois et de briques rouges, pour manger du poisson et des patates devant une chope de bière. Elle tendait la main, la posait sur la mienne et m'offrait un de ses sourires débordants de grâce et de chaleur. Je me laissais emporter par sa joie. Je l'embrassais parmi ces inconnus, dans cet endroit plein de fumée et de musique.

Et quand je posai à nouveau les mains sur son corps, je le fis avec une dévotion absolue. Je fus étonnamment généreux dans l'amour, Elsa s'en aperçut.

— Je t'aime, me dit-elle plusieurs fois dans la pénombre, en me caressant les cheveux.

Peut-être avait-elle eu peur au cours des jours précédents, quand j'avais insisté pour l'emmener loin de la maison du bord de mer. Peur de nous deux seuls ensemble. Je l'accompagnai avec douceur jusqu'au dernier tressaillement, puis je m'allongeai à côté d'elle. L'assouvissement avait tiré de ses yeux une résine sucrée. Elle tendit vers moi un bras épuisé.

— Et toi ?

Je pris sa main, j'effleurai des lèvres son alliance.

— Moi, je suis heureux comme ça.

Mon membre était déjà tout petit, englouti par mes cuisses. Aussi vain que celui d'un bébé. Elle me regardait, la résine dans ses yeux s'était faite plus épaisse. À présent j'attendais qu'elle me demande quelque chose. Elle me passa une main sur le visage pour me secouer, pour perturber ce regard implorant que j'avais fixé dans le sien. Non, elle n'avait aucune envie de gâcher ce moment d'abandon. Peu après, elle s'endormit. Je restai à fixer le plafond en bois, sans regrets. J'avais conduit ma femme au-delà des rapides de mes fantasmes, jusqu'au rivage de sable chaud où s'était dissous son plaisir. Maintenant qu'elle se reposait, j'irai marcher le long de la route de pierre. Le lendemain, par une matinée de cristal, nous entrerons ensemble dans un magasin où une petite femme se tient devant un grand métier à tisser. Ta mère choisira un fil violet et un pourpre pour son écharpe, elle les verra s'enrouler sur l'ensouple de bois. Elle la portera pendant toutes les vacances, la regardera dans la lumière et dans le noir, pour voir comment les couleurs changent. Elle naviguera dans notre vie, cette écharpe, oubliée, retrouvée, jusqu'à ce qu'un jour, elle finisse autour de ton cou, Angela, jusqu'à ce qu'elle s'épaississe de ton odeur.

Au retour, quand nous descendîmes de l'avion, nous retrouvâmes cet air torride. Elsa posa sa valise, enfila son maillot de bain et nagea vers Raffaella. Dans ces jours d'août cruciaux, le village se remplissait sans discrimination, de manière frénétique, et tous, même l'épicier ou le marchand de journaux, perdaient un peu de leur courtoisie. Seul un café demeurait presque vide, une baraque au toit de jute avec quelques tables éparpillées sur le sable. Il était collé à l'embouchure du fleuve, là où la mer puait, de sorte que la plage y était désertée par les baigneurs. Le propriétaire se faisait appeler Gae, un vieil adolescent au corps de Christ seulement couvert d'un paréo délavé.

Ç'avait été une découverte fortuite de cet été, au cours d'une promenade jusqu'à l'embouchure. Il n'y avait rien d'autre qu'un hangar à bateaux, avec deux Polonais répugnants qui démontaient des moteurs. Puis la plage se terminait. Elsa avait trouvé cette baraque déprimante et malpropre. Je lui avais donné raison, mais par la suite j'avais pris l'habitude de pousser jusque-là presque tous les jours. Le matin, je prenais un café et lisais le journal. Au coucher du soleil, Gae s'amusait à préparer des apéritifs épais et chargés, qui étourdissaient en quelques gorgées. L'affluence était modeste. Les Polonais se saoulaient, parlaient à voix haute. Gae s'asseyait à ma table et me proposait un pétard que je refusais. Pourtant j'aimais cet endroit. Là, la mer, peut-être à cause du fond d'algues, avait des reflets différents.

Un après-midi, je me retrouvai entouré par un groupe de handicapés qui, à l'aide de béquilles ou poussés sur des fauteuils roulants, débouchèrent sur la plage et laissèrent sur le sable les sillons de leur passage laborieux. Ils occupèrent les quelques tables du petit café et commandèrent des boissons. Un des accompagnateurs tira d'un sac une radio et, en l'espace de quelques minutes, se diffusa dans l'air un parfum de kermesse. Une vieille femme avec une tête d'opossum et des épaules grasses brûlées par le soleil se mit à danser sur le sable.

Je me sentis mal à l'aise. Je me levai et me dirigeai vers la baraque pour payer mes consommations et m'en aller. Et puis mon regard se posa sur un garçon au visage hébété, ses bras très maigres crispés en un spasme, ses doigts écartés comme un râteau. Il bougeait la tête au rythme de la musique, du mieux qu'il pouvait, et en même temps regardait une de ses camarades en fauteuil roulant qui lui souriait de ses dents pointues et espacées comme celles d'un poisson. La fille portait sur le visage les signes d'une vie obtuse qui avançait lentement, et à ses lobes deux boucles d'oreilles en plastique. Elle rendait au handicapé son regard d'une façon qui me coupa le souffle. Elle ne prêtait pas attention à ses mouvements brusques, elle le regardait dans les yeux. Elle l'aimait. Elle l'aimait, tout simplement. Il fallait que je me dépêche, c'était déjà le coucher du soleil, Elsa m'attendait pour le dîner. J'avais bu au moins un demi-verre d'un des apéritifs assassins de Gae, je comptais sur la promenade de retour pour me dégriser. Mais, le coude appuyé au comptoir et dix mille lires dans la main, je me dis que je laisserais volontiers ma place dans les rangs des sains d'esprit pour être regardé comme ça, comme cette pauvre victime regardait le handicapé, au moins une fois dans ma vie. Alors, ma chérie, Italia fit une brève apparition dans mon ventre. Elle le traversa comme un sous-marin.

C'était à nouveau le soir. J'étais à nouveau seul en ville. Je renversai sur mon bureau un tiroir rempli de photographies. Une photo de moi adolescent, en culottes courtes, des ombres sur le visage, me tomba sous la main. J'étais gros. Je ne me rappelais pas l'avoir été. À peine quelques années après, j'étais déjà très maigre, comme en témoignait la photo de ma carte d'étudiant. À la curiosité se mêla un peu d'un étrange trouble. Je réalisais que j'avais fui. Ma vie était là, je pouvais la parcourir, mes doigts sur le papier brillant, jusqu'aux images les plus récentes, où j'apparaissais rarement, jamais plein cadre, les yeux écarquillés, pris par surprise. Dans cet exode progressif se cachait peut-être un itinéraire secret. Volontairement, j'avais fui la prison des souvenirs. Si j'étais mort brutalement, songeai-je, Elsa aurait eu du mal à trouver une photo de moi récente à mettre sur la pierre tombale. Cette pensée ne me rendit pas triste. Au contraire, elle me consola. Je n'avais pas de témoin. Peut-être mon mépris pour le pathétique égocentrisme de mon père m'avait-il conduit à rechercher l'ombre, une ombre où Narcisse était autrement plus fourbe. Peut-être avais-je simulé dans la vie aussi, jusque dans les relations les plus intenses.

J'avais mis en scène l'image, puis j'étais sorti du champ et j'avais déclenché. Seule une lampe était allumée, je retirai mes lunettes et mon regard s'avança dans l'espace noir devant moi. J'ouvris toute grande la porte-fenêtre de mon bureau et sortis sur la terrasse. Je pissai sur les plantes et observai la vapeur chaude qui montait de la terre domestiquée des pots de fleurs. Le téléphone sonna. Je rentrai.

— Elsa, c'est toi?

Pas de réponse.

— Elsa...

Et, au fond du combiné, un souffle gris que je reconnais.

Dès que je l'eus rejointe, je la serrai, l'emprisonnai dans mon étreinte. Elle respirait agrippée à moi. Nous restâmes ainsi je ne sais combien de temps, immobiles dans les bras l'un de l'autre.

— J'ai eu peur.

— De quoi?

— Que tu viennes plus.

Elle tremblait contre mon cou. Je plongeai le nez dans la raie noire de ses cheveux albinos. J'avais un besoin urgent de me retrancher dans l'odeur de sa tête. La seule chose dont j'avais besoin. Enfin j'étais bien. Sa bouche avait glissé jusqu'à sur ma poitrine. Je la tirai par les bras.

— Regarde-moi. S'il te plaît, regarde-moi.

Elle commença à déboutonner sa chemise, très vite les boutons en strass sortirent de leurs boutonnières et coururent sous ses doigts comme un rosaire. Sa maigre poitrine apparut. J'arrêtai sa main.

— Non, pas comme ça.

Je la pris dans mes bras et la portai sur le lit dans sa chambre. Je la déshabillai lentement, j'allais et venais autour d'elle sans m'essouffler, d'une main avisée, comme si je préparais un corps pour une autopsie. Elle me laissait faire, docile. Quand elle fut complètement nue, je m'éloignai pour la regarder. Italia ébaucha un sourire plein de gêne, elle couvrit son pubis des mains.

— Je suis trop moche. S'il te plaît...

Mais ces mains, je les lui saisis et les levai au-dessus de sa tête, au-dessus de ses cheveux épars sur le couvre-lit en chenille.

— Ne bouge pas.

Mes yeux balayèrent lentement la surface de son corps. Je la parcourus morceau par morceau. Puis je me déshabillai moi aussi, complètement, comme je ne l'avais encore jamais fait devant elle. Et moi non plus je n'étais pas beau. J'avais des bras trop maigres, un peu de ventre et ce tuyau qui pendait de guingois entre les poils. Moi aussi j'avais honte. Mais je voulais que nous soyons comme cela, nus et peu attirants. L'un en face de l'autre, sans hâte, sans fougue, immergés dans le temps. Quand je la pris, je restai longtemps en elle sans bouger, mes yeux dans ses yeux clairs défaits. Nous demeurâmes ainsi, immobiles, au centre de cette lande brûlée. Une larme glissa sur sa tempe. Je l'interceptai avec mes lèvres. Je n'avais plus peur d'elle. Je pesais sur elle comme un homme, comme un enfant.

— Maintenant, tu es à moi. Rien qu'à moi.

Plus tard, accroupie au pied du lit, elle me coupait les ongles des pieds avec de petits ciseaux.

— Tu as quel âge?

— Tu me donnes combien?

Nous nous endormîmes collés l'un à l'autre. Je lui caressai la tête et seul le sommeil arrêta ma main.

Quand je me réveillai, Italia n'était plus à côté de moi. Je trouvai un petit mot sur la table. *Je fais aussi vite que je peux. La machine à café est prête.* Au bas du billet, il y avait un baiser au rouge à lèvres. J'embrassai ces lèvres.

J'allai à la cuisine et j'allumai la cafetière. J'ouvris un placard et examinai comment elle avait disposé les choses à l'intérieur, les assiettes empilées, les petits verres, les plus grands, le paquet de sucre et celui de farine fermés par une pince à linge en bois. Caché derrière la porte il y avait un calendrier en une seule page. Dans les deux derniers mois apparaissaient ici et là un signe, une petite croix. Ma mémoire fit le chemin à rebours, mais ce n'était pas nécessaire. Je le savais déjà, c'étaient les dates de nos rencontres. Je fis une autre découverte, sur le réfrigérateur. Dans un bocal en verre, je trouvai quelques billets, certains froissés, d'autres simplement pliés. Je comptai. Il ne manquait pas même une lire.

Je m'étais mis à la fenêtre. Le soleil rissolait sur le viaduc, il grésillait sur les champs de ronces. À côté d'une caravane, une gitane étendait son linge. Trois poules naines avec les plumes de derrière dressées marchaient en file indienne au bord du potager, dont les mottes sombres venaient d'être arrosées. *Italia n'a pas touché à mon argent. Elle l'a accepté et fourré dans ce bocal.*

Je pris ma douche puis, dans le peignoir d'Italia dont les manches m'arrivaient au coude, j'attrapai le téléphone et m'assis sur le lit. Je dis à ta mère que je ne la rejoindrais pas pour le week-end.

— Pourquoi donc?

— Je suis d'astreinte à l'hôpital.

Sur le mur, le singe me regardait et je le regardais moi aussi. J'entendis tourner la clé dans la serrure.

— Tu es encore là?

— Bien sûr que je suis là.

Je la serrai dans mes bras. Elle avait une odeur différente, l'odeur d'un autre lieu.

— Où es-tu allée?

— Travailler.

— Tu fais quoi comme travail?

— Je suis saisonnière dans un hôtel. Je fais les chambres.

C'était une odeur d'autobus que je sentais sur elle, une odeur de foule.

Nous sortîmes à la tombée de la nuit. Nous marchâmes main dans la main dans cette banlieue spectrale, presque toujours en silence, nous écoutions le son de nos pas et confiions nos pensées à ce monde nocturne. Je ne relâchai ma prise à aucun moment et elle ne relâcha pas la sienne. Je trouvais étrange d'avoir à côté de moi cette femme que je connaissais si peu et que pourtant je sentais si proche. Elle s'était maquillée pour sortir. Je l'avais épiée, pendant qu'en vitesse, penchée sur un bout de miroir, elle renforçait les contours de ses traits qui devaient lui sembler trop fragiles. Ce maquillage, ces grosses chaussures sur lesquelles elle s'était hissée, ces cheveux décolorés : il n'y avait rien chez elle qui correspondît à mes goûts. Et pourtant c'était elle, Italia, et tout me plaisait en elle. Sans que je sache pourquoi. Cette nuit-là, elle était tout ce que je désirais.

— On court! cria-t-elle.

Et nous courûmes, et nous trébuchâmes l'un contre l'autre, et nous rîmes et nous nous serrâmes contre un mur. Nous fîmes toutes les choses idiotes que font des amants. Le lendemain, quand nous nous séparâmes, Italia tremblait à nouveau. Elle m'avait fait une omelette avec les œufs de ses poules, elle avait lavé et repassé ma chemise et à présent elle tremblait tandis que je l'embrassais, tandis que je lui tournais le dos. Les amours nouvelles sont pleines de peur, Angela. Elles n'ont pas de place dans le monde et aucun port d'attache.

Mon portable vibre. Je l'ai posé sur le rebord de la fenêtre, car la réception y est meilleure. Je ne réponds pas tout de suite. J'ouvre grande la fenêtre, puis j'appuie sur la touche verte. J'ai besoin d'air. La voix de ta mère est incroyablement présente. Il n'y a aucune agitation aéroportuaire autour d'elle, aucune annonce de vol en partance ou à l'arrivée.

— Timo, c'est toi?

— Oui.

— Ils m'ont dit...

— Qu'est-ce qu'ils t'ont dit?

— Que quelqu'un de ma famille a eu un accident. J'ai le billet de retour à la main.

— Oui.

— C'est Angela?

— Oui.

— Qu'est-ce qu'elle a?

— Elle est tombée en scooter. Ils sont en train de l'opérer.

— Ils opèrent quoi?

— Le cerveau.

Elle ne pleure pas, elle braille dans le combiné comme si quelqu'un la déchiquetait. Les pleurs cessent d'un coup et elle retrouve sa voix, soumise, désaccordée.

— Tu es à l'hôpital?

— Oui.

— Qu'est-ce qu'ils ont dit? Qu'est-ce qu'ils disent?

— Ils sont confiants, ça oui...

— Et toi? Tu dis quoi, toi?

— Moi, je dis que...

Le sanglot éclate dans ma bouche, mais je ne veux pas pleurer.

— ... espérons, Elsa, espérons.

Je courbe les épaules, je me penche par la fenêtre... Pourquoi je ne tombe pas? Pourquoi je ne tombe pas en bas, là où deux malades se promènent, avec leur manteau sur leur pyjama?

— Tu pars quand?

— Dans dix minutes, avec British Airways.

— Je t'attends.

— Et le casque? Elle n'avait pas le casque?

— Elle ne l'avait pas attaché.

— Quoi? Comment ça, elle ne l'avait pas attaché?

Pourquoi n'as-tu pas respecté nos accords, Angela? Pourquoi la jeunesse est-elle si négligente? Un sourire en coup de vent et va te faire foutre, Maman. Tu lui as coupé les jambes. La tête. Comment feras-tu pour lui demander pardon, maintenant?

— Timo?

— Oui?

— Jure-moi sur la tête d'Angela qu'Angela n'est pas morte.

— Je te le jure. Sur la tête d'Angela.

Les malades en bas se sont arrêtés. Ils fument, assis sur un banc. Près des plates-bandes passe une femme d'âge moyen en manteau couleur brique. L'humanité, ma chérie. L'humanité qui grouille, qui rampe. L'humanité qui continue. Qu'allons-nous devenir, ta mère et moi? Que va devenir ta guitare?

Nous avons fait l'amour, puis nous n'avons plus bougé. Nous écoutons le bruit des voitures sur le viaduc, si proches qu'elles semblent passer sur le toit. Je dois m'habiller et rentrer chez moi, mais j'ai du mal à quitter cette glu qui nous tient prisonniers. *Où sont mes chaussettes, mon pantalon, les clés de la voiture...* Mais en attendant je reste immobile. Demain je pars, je dois intervenir dans un congrès d'oncochirurgie. Je n'ai aucune envie d'y aller. Italia me caresse lentement un bras. Elle mesure la solitude que je lui laisserai. Je visualise la salle de conférences, mes lunettes, mon visage derrière mon nom imprimé, mes collègues avec le badge accroché à la veste, le peignoir de l'hôtel, le minibar dans la nuit...

— Viens avec moi.

Elle se tourne sur son coussin. Elle a les yeux écarquillés, incrédules.

— Viens.

Elle secoue la tête.

— Non, non.

— Pourquoi ?

— Je n'ai rien à me mettre.

— Viens en petite culotte. Tu es très bien en petite culotte.

Et plus tard, au cœur de la nuit, je corrige mon exposé. Je le parcours, je vais d'avant en arrière avec un crayon rouge. Je souligne, rature, ajoute. Je lui téléphone.

— Tu dormais ?

— C'est mieux que je ne vienne pas, hein ?

— Je passe vers six heures. C'est trop tôt ?

— Si tu changes d'avis, ne t'en fais pas.

Et, à six heures du matin, elle est déjà dans la rue, déjà maquillée. Un clown dans le petit matin. Je l'embrasse. Sa peau est glacée.

— Tu attends depuis combien de temps ?

— Je viens de descendre.

Pourtant elle est gelée. Elle porte une veste noire à manches courtes, dont les épaules trop rembourrées lui remontent dans le cou. La peau de ses bras est comme marbrée. Elle frotte ses mains dans la fente qui sépare ses jambes. Je monte le chauffage au maximum. Je veux qu'elle ait tout de suite chaud. Elle a l'air possédée, même ses yeux ont froid. Sur son siège, elle ne bouge pas, ne rectifie pas sa tenue. Elle reste ainsi, rigide, le buste légèrement décollé du dossier. Puis elle se détend sous l'effet de la chaleur, tandis que la voiture fuit le long du ruban désert de l'autoroute. Je lui touche le bout du nez.

— Ça va mieux ?

Elle sourit, hoche la tête.

— Salut, je dis.

— Salut, elle répond.

— Comment ça va ?

Et je glisse une main entre ses jambes.

C'est une petite ville de roche volcanique, pleine de sens uniques et de flèches qui ramènent toujours au même rond-point. Je laisse la voiture sur un parking. Nous en avons discuté, j'ai réservé une chambre à son nom. Je ne peux pas prendre de risques. Beaucoup de mes collègues participent au congrès, il y aura même Manlio. Sur le chemin, nous restons un peu à l'écart l'un de l'autre. Italia est plus inquiète que moi. Elle ne sait où nous allons, mais marche en bombant le torse. Elle a pris une valise à roulettes trop grande pour ces quelques jours. À moitié vide, elle brinquebale à ses côtés. Moi je suis habitué aux brefs séjours. J'ai un sac en cuir, petit, fonctionnel, élégant : un cadeau d'Elsa. Ce matin, je n'ai pas de ventre. J'ai serré ma ceinture d'un cran. J'avance d'un pas léger, d'excellente humeur. Je me sens comme un gamin en voyage de classe. Par-derrière je lui touche les fesses. « Pardon, mademoiselle. »

Elle ne se déride pas, ne se tourne pas pour me regarder. Elle sait qu'elle est une intruse. Elle porte cette misérable veste et une jupe plus longue que d'habitude, un effort pour se rendre moins voyante.

La clé se retrouve aussitôt entre mes mains. Italia parle avec l'homme derrière le comptoir de la réception. Deux collègues me rejoignent. Nous nous saluons.

— Le sauna est déjà chaud ou bien il faut attendre ?

J'interroge la jeune fille en gilet bleu marine qui examine mes papiers, un prétexte pour m'attarder. L'homme face à Italia a un crayon à la main et parcourt la liste des réservations. Elle tourne vers moi un regard perdu. Je m'approche.

— Il y a un problème avec ma collègue ?

L'homme lève les yeux et me regarde, puis lance une œillade bizarre à Italia.

— Nous essayons de lui trouver une chambre. Madame n'a pas d'accréditation.

Les lèvres couvertes de rouge, les cheveux abîmés par la décoloration... Elle se serre dans sa petite veste en synthétique, elle tire vers elle sa valise trop grande. Elle sent que cet homme la juge. Elle regarde cette tête penchée derrière le comptoir, peut-être se repent-elle déjà d'être venue.

Elle traverse le hall avec une expression butée, presque hostile. Ses traits semblent plus grossiers, car au-dedans son âme est sombre. Elle se défend. Nous montons ensemble dans l'ascenseur. Nous sommes seuls et pourtant je ne l'effleure pas. À présent elle me fait pitié. Elle marche dans le couloir, ses mauvaises chaussures l'estropient et elle me fait pitié. Les chambres sont au même étage. Il n'y a personne dans les parages. Italia entre dans la mienne. Elle reste debout sans même regarder autour d'elle. Elle se ronge les ongles.

Le congrès dure quatre jours. Conférences, réunions, cours de mise à jour. Italia ne veut pas sortir de l'hôtel, elle s'allonge sur le lit et regarde la télévision. Je lui commande quelque chose à manger et je le lui fais porter dans sa chambre. Moi, je dîne au restaurant de l'hôtel avec des collègues. Je ne suis pas pressé. Je savoure la nourriture, je parle, je plaisante. En moi clapote un plaisir subtil. Elle est en haut, cachée, prête à se glisser entre mes bras. Elle m'attend, elle s'est enfermée à clé. Chaque fois que je frappe, j'entends ses pas nus qui accourent sur la moquette. Elle parle à voix basse, elle a toujours peur que quelqu'un nous entende. Elle se désole pour cette autre chambre inutile, elle a lu le prix derrière la porte et elle est devenue toute rouge. Elle ne prend pas même une bouteille d'eau du minibar, elle boit l'eau du robinet. Je me mets en colère, mais elle s'obstine. Elle ne sort pas, même quand on vient faire la chambre. Elle s'assied dans un coin et regarde. La nuit, nous nous aimons pendant des heures, nous ne nous endormons jamais. Italia tord le cou au bord du coussin, sa gorge frémit, ses cheveux pleuvent par terre. C'est comme si elle cherchait quelque chose au-delà de moi, un lieu où se réconcilier avec une partie disparue d'elle-même. Elle glisse, des lambeaux d'elle me glissent des mains. Ses yeux regardent la fenêtre où se réfléchissent les lumières de la cour intérieure de l'hôtel. Là en bas, il y a une fontaine qu'on éteint à une certaine heure. Italia se lève du lit pour assister à cette extinction, elle aime ce jet qui s'éteint. Elle parle peu, ne réclame aucune place. Elle sait qu'elle n'est pas une jeune mariée en voyage de noces. *Je ne saurai jamais combien d'hommes l'ont aimée avant moi, mais je sais que chacun d'eux, qu'il l'ait soignée ou abîmée, a contribué à la façonner, à faire d'elle ce qu'elle est.*

Le deuxième soir, nous sortons au cœur de la nuit, nous laissons les clés et nous nous glissons hors du hall. Je lui ai offert une paire de chaussures blanches. Je les ai vues dans une vitrine et je les ai prises. Elles sont trop grandes pour elles, Italia a glissé dans les pointes un peu de papier toilette. La petite ville est tout en côtes, ruelles qui s'enfilent les unes dans les autres, maisons de pierre brute. Les talons d'Italia sortent de ses chaussures trop larges. Nous grimpons jusqu'au rocher, derrière la mairie. Depuis le belvédère, nous regardons en bas la petite plaine nocturne constellée de lumières. Nous descendons quelques marches et nous nous retrouvons sur une étendue de cailloux, avec au centre quelques attractions pour enfants. Une balançoire grince sous l'effet de la brise qui balaie ces hauteurs. Il fait nuit, seul le clocher aux flèches romanes dépasse, éclairé, des toits noirs. Assis sur un banc de pierre, nous regardons devant nous le cheval de bois avec un gros ressort à la place des jambes et notre clandestinité se teinte d'un peu de mélancolie. Ces jeux sans enfants nous rendent tristes. La balançoire qui ne veut pas cesser de grincer gâte notre humeur. Italia se lève, va s'asseoir sur le siège en fer, se donne une impulsion, puis une autre. Ses jambes se plient dans l'air, son dos va et vient. Les chaussures blanches de jeune mariée sont tombées de ses pieds, elle ne les a pas gardées.

Le lendemain, je la trouve dans le couloir. Elle a fait la connaissance des femmes de chambre de l'hôtel. Elle suit leur chariot qui va de chambre en chambre, les aide, se penche pour prendre les draps propres et les leur passe. Elle ne me voit pas tout de suite, j'ai le temps de la regarder. Elle parle vite, avec son accent méridional. Elle est davantage elle-même parmi ces filles en tablier. Elle s'est glissée hors de la prison et a rejoint ses semblables. Elle a un bonnet de bain sur ses cheveux secs. Elle fait l'idiote. Elle mime les attitudes d'une cliente prétentieuse qui se retrouve sans eau. La fille replète à côté d'elle rit de bon cœur. Je ne savais pas qu'Italia était si spirituelle. Je l'appelle, elle se retourne, les femmes de chambre aussi se retournent. Italia s'arrache le bonnet de la tête et vient vers moi. Elle a le visage en feu et frémit comme une enfant.

— Tu es déjà là..., murmure-t-elle.

Le dernier soir, elle dîna au restaurant. C'est moi qui lui avais demandé de descendre. J'avais envie de

128

la regarder, au milieu des gens qui nous croyaient étrangers l'un à l'autre. Elle descendit en retard. Elle se dirigea d'un pas rapide vers une table du fond, près de la porte vitrée qui s'ouvrait sur une autre salle. Mes commensaux avaient l'haleine chargée de vin et de fiel professionnel. Manlio n'était arrivé que le matin et déjà il n'en pouvait plus. Il tirait à vue sur un chercheur américain, gourou de la pharmacologie alternative. Il méprisait, et il aspirait la fumée de sa cigarette. Le briquet en or à côté de sa serviette. Je pensais à ce qu'avait commandé Italia, j'aurais aimé lui servir un verre de vin. On ne lui avait encore rien apporté, peut-être l'avaient-ils oubliée. Je regardais autour de moi, cherchant le serveur du regard. Elle n'était pas tranquille. Elle m'avait fait cette faveur et, à présent, les coudes sur la table, elle se pinçait le menton d'une main et attendait seulement l'heure de s'en aller. Je pouvais percevoir sa gêne même à distance. Le serveur se pencha sur elle, souleva le dôme du couvercle qui gardait le plat au chaud. Italia mangea avec sa cuillère, une soupe, peut-être. Je me tournai vers Manlio : il la fixait. Elle devait s'en être aperçue, elle avait cessé de manger et jouait avec un pan de sa serviette. Elle leva les yeux et je vis que son regard s'aventurait sans aucune précaution dans le champ visuel de Manlio. À nouveau elle avait cet air buté. Manlio me donna un coup de coude.

— Elle me regarde..., siffla-t-il dans un sourire figé qui lui gonflait les mâchoires. Elle est seule. On l'invite ?

Et avant que je puisse l'en empêcher, si tant est que je l'aie voulu, il est déjà debout et, sans quitter ce sourire de chimpanzé, il la rejoint. Les autres autour rient, ils sont tous un peu saouls. Je vois Italia qui secoue la tête, se lève, recule, heurte le chariot des desserts, puis s'éloigne. Manlio se rassied à côté de moi. Il pose la main sur son briquet en or.

— De loin, elle était vulgaire, fait-il. Mais de près elle est laide.

Elle est sur le lit. Elle feuillette un dépliant de l'hôtel.

— C'était qui, ce mufle ? fait-elle, sans lever la tête.

— Un gynécologue obstétricien mufle.

J'ai bien mangé, j'ai bien bu, j'ai envie de faire l'amour. Mais Italia reste trop longtemps dans la salle de bains et, quand elle sort, elle ne vient pas se coucher. Elle prend la chaise et s'installe près de la fenêtre. Elle regarde la cour intérieure, le visage jauni par la lumière qui monte d'en bas. Elle attend que la fontaine s'éteigne.

Italia a préparé des sandwichs pour le voyage. Elle est descendue acheter du fromage, du saucisson, puis a coupé le pain sur le lit. Je me suis réveillé tandis qu'elle ramassait les miettes avec la main. Devant l'ascenseur, elle a salué les femmes de chambre, elle s'est fait donner leurs adresses et les a étreintes comme des sœurs. En voiture, pendant le voyage de retour, nous parlons peu. À un certain moment, Italia dit : « Tu as honte de moi, hein ? » Elle le dit sans me regarder, rejetée dans son coin, tout en fixant la route. Son sac en patchwork déborde de petits pots de miel et de confiture du petit déjeuner qu'elle a mis de côté chaque matin. Je souris, tends le bras et ajuste le rétroviseur. J'ai la tête pleine de pensées confuses, qui se mêlent sans lien entre elles. Ce matin, Elsa a téléphoné, la sonnerie m'a rattrapé dans la chambre. Les bagages étaient déjà prêts, j'ai pensé que c'était la réception et j'ai répondu sans prendre garde. Italia a dit quelque chose, quelque chose en rapport avec ses papiers. Elle avait oublié de les récupérer. Ta mère a entendu sa voix.

— Qui est là avec toi ?

J'ai dit que c'était la femme de chambre, que la porte était ouverte, que j'allais partir. J'ai haussé le ton.

— Pourquoi tu te mets en colère ?

— Parce que je suis pressé.

Puis je me suis excusé. Elle a dit encore quelque chose, sa voix était légèrement altérée. Et, tout en conduisant, je me dis que je ne suis plus sûr de ce que je fais. Je laisse Italia devant le squat. Je prends sa main et je l'embrasse. Je suis pressé de me débarrasser d'elle, peut-être s'en aperçoit-elle. Je suis gentil, je descends pour prendre sa valise dans le coffre, mais quand elle disparaît dans l'entrée, aspirée par cette mauvaise odeur, je me sens soulagé. Je ne reste pas un instant de plus. Ce matin, cet endroit me semble terrifiant.

Je vais directement à l'hôpital. Je me plonge méthodiquement dans mon travail. L'infirmière est un peu hésitante, elle doit être nouvelle. Elle me passe les instruments mollement. Je me mets en colère. Une pince lui tombe des mains. D'un coup de pied, j'expédie cette pince de l'autre côté de la salle d'opération.

Dans la maison du bord de mer, ta mère commence à rassembler ses affaires. L'été est presque fini. Je suis assis dans le jardin, je regarde le Grand et le Petit Chariot, l'étoile Polaire. Elle me rejoint, un cardigan posé sur les épaules et un verre à la main.

— Tu veux quelque chose à boire?

Je secoue la tête.

— Qu'est-ce que tu as?

— Rien.

— Tu es sûr?

L'automne arrivera. La mer deviendra grise. Le sable sale que le vent emportera. La maison sera déjà fermée. Elsa sent dans ses épaules ce léger avant-goût de mélancolie. Dans le lit, elle se serre contre moi, elle veut faire l'amour.

— Tu veux dormir tout de suite?

Je ne bouge pas. Je reste de mon côté.

— Ça t'embête?

Ça l'embête. Elle cesse de m'embrasser, mais continue à respirer tout contre moi, à dessein. Le souffle chargé de sa respiration chasse mon envie de dormir.

— Excuse-moi. Je suis crevé...

Je me tourne. Son visage est de glace dans le noir. Son corps bruit sur le drap et s'éloigne du mien. Puis elle me tourne le dos. J'attends. Je ne veux pas qu'elle soit triste. Je tends le bras vers elle, elle me repousse d'un léger mouvement de l'épaule.

— Dormons, dit-elle.

Le lendemain, je me réveille tard. Je trouve Elsa dans la cuisine. Elle porte son déshabillé en soie écrue.

— Bonjour, je dis.

— Bonjour.

Je prépare la cafetière, je l'allume et, en attendant que le café soit prêt, je m'assieds. Ma femme est grande. Ses épaules sont un trapèze parfait, deux lignes obliques qui courent jusqu'au resserrement de la taille. Elle arrange des fleurs à longue tige.

— Où les as-tu prises ?

— Raffaella me les a offertes.

Elle est encore en colère, je le vois à sa façon de bouger les mains, gestes brusques dont le seul but est de m'ignorer. Je songe : Depuis combien de temps je ne lui offre plus de fleurs ? Peut-être qu'elle aussi se dit la même chose. Elle a glissé ses cheveux derrière ses oreilles. Elle est contre la fenêtre, par laquelle pénètre une lumière vive, que voile à peine le coton du rideau. Je regarde son profil. Ses lèvres pâles sont deux renflements de chair bourrue. Il y a beaucoup d'autres pensées pour moi dans ces lèvres, contre moi peut-être. Je me lève, je me verse une tasse de café et bois.

— Tu veux un peu de café ?

— Non.

Je me sers une autre tasse et la bois également. Elsa s'est coupée. Elle a laissé tomber les ciseaux et porté son doigt blessé à sa bouche. Je m'approche d'elle.

— Ce n'est rien, dit-elle.

Mais je prends sa main et la passe sous l'eau. Eau rosée de son sang qui disparaît dans le trou noir au centre de l'évier. Je sèche son doigt dans mon tee-shirt, puis je cherche le désinfectant et un pansement sur l'étagère des médicaments. Ta mère me laisse faire. Elle aime que je m'occupe d'elle en médecin. Puis j'embrasse son cou. Il est tout près de moi, ce cou, et je l'embrasse, là où il disparaît en une nuque envahie de cheveux. Nous nous serrons l'un contre l'autre dans la cuisine, à côté des fleurs éparpillées sur la table.

Quand je sors de la douche, elle tape à la machine dans un coin ombragé du salon. Elle doit se dépêcher, dit-elle, car elle a pris du retard dans son travail. Elle n'a plus envie de mer ni de soleil. Elle laissera sa peau brunie pâlir avec l'hiver. Elle ne s'est pas habillée, elle porte encore son déshabillé. La soie tombe sur le sol, dévoilant ses jambes nues. J'ai mis sur le plateau du tourne-disque la *Pathétique* de Tchaïkovski. Les notes envahissent comme une tempête de cristal le salon où entre le soleil. Je suis pieds nus et je lis. Les yeux de ta mère voyagent sur les touches. De temps en temps, elle arrache une feuille, la chiffonne et la jette dans la corbeille en osier près d'elle. Elle est d'un naturel hautain, altière dans ses désirs comme dans les lignes de son corps. Elle ne m'appartient pas, ne m'a jamais appartenu, désormais j'en suis sûr. Nous ne sommes pas destinés à nous appartenir, nous sommes destinés à vivre ensemble, à partager le même bidet.

Elle me regarde, abandonne la machine à écrire et s'approche. Elle s'assied sur le canapé en face de moi, une jambe pliée sous les fesses, un pied nu qui effleure le carrelage. Elle commence à parler, et ses paroles sont un encerclement prudent. Phrases vagues sur le travail, sur une collègue qui lui a fait un coup tordu. Puis, de but en blanc :

— Et toi, qu'as-tu fait au congrès?

Et aussitôt après, elle me demande qui était là et qui n'y était pas, et je sens le cercle se refermer quand elle me demande :

— La chambre était comment?

— Quelconque.

Je souris. Ce n'est pas moi qui suis en difficulté, mais elle. Je la laisse mariner dans ses pensées, je suis très calme. Si elle a quelque chose à me demander, qu'elle le fasse donc. *Courage, femme, sors du bois. Si tu as vraiment besoin d'éclaircissements, cette fois-ci tu vas devoir te débrouiller toute seule, ce n'est pas moi qui t'aiderai. Je ne me sens pas coupable, je n'y arrive pas.* Tchaïkovski joue et, baigné par cette musique, plus rien ne me semble si dramatique ce matin. Elsa s'acharne sur une mèche de cheveux que le soleil éclaire par derrière et qui paraissent blancs. Elle s'échine à la lisière entre la curiosité et la peur de souffrir. Et pourtant, si à cet instant elle me demandait de le faire, je serais disposé à déchirer le livret de famille. Mais la vérité a mauvaise haleine, elle n'est pas digne de la majesté de ma femme. Elle m'observe avec ce regard que je connais, même si ce n'est que maintenant que je crois déchiffrer le sens emprisonné dans ces rétines opaques : dedans il y a un manque, un blocage, un mur. Ses yeux sont ceux d'une imbécile. C'est une découverte explosive. Derrière une telle apparence d'intelligence se cache une couche de surdité coriace, presque une absence de conscience : c'est son échappatoire à la douleur. Ce sont les yeux qu'elle affiche quand elle est en difficulté, ceux avec lesquels elle feint de me comprendre, quand elle m'abandonne au contraire à moi-même.

Elle se lève, elle va vers la cuisine, elle a presque atteint la porte. Son dos droit, ses cheveux magnifiques qui tressautent quand elle marche. Je vise le centre de son corps et lui expédie ma flèche :

— Tu veux savoir si j'en baise une autre ?

Elle se tourne :

— Tu as dit quelque chose ?

Tchaïkovski couvre. Elle n'a pas entendu. Ou peut-être que si et c'est pour cela qu'elle vacille un peu.

Ce soir-là, nous faisons l'amour. C'est ta mère qui s'empare de moi, je ne l'ai jamais vue aussi ardente. « Doucement, je murmure en gloussant, doucement. »

Mais elle est plus forte que moi, elle sait ce qu'elle veut. Elle m'écrase sous le déferlement d'une vigueur trop longtemps contenue. Cette nuit, elle me travaille au sol. C'est une farce, une farce érotique que doit lui avoir inspirée je ne sais quel livre ou film. Cette nuit, elle a opté pour la passion brûlante. Et moi, je suis au milieu, ballotté à droite et à gauche, une rosse jetée dans une course de galop. À présent elle a glissé plus bas, elle halète sous mon ventre. Je ne suis pas habitué à la voir aussi soumise. Je me sens coupable, comme si, à cause de moi, elle consentait à se dépraver. Je veux m'en aller, je veux m'échapper de ce lit. Mais je reste. Maintenant je suis excité. J'ai regardé sa tête et j'ai pensé... Et cette pensée m'a excité. Je me renverse sur le corps de ta mère, je le maltraite. Je la pousse au pied du lit et je la prends comme une chèvre. Et tandis que je la prends, je me demande ce que je suis en train de faire.

Après, elle était sous moi comme un œuf brisé, elle s'était tournée dans sa coquille en morceaux et me

regardait avec une autre idée en tête. Elle semblait heureuse et mauvaise comme une sorcière dont
le sort a fonctionné. Pour la première fois depuis
que je la connaissais, je me suis dit que je voulais la
quitter.

Le petit corps de ma maîtresse était penché au bord du lit. Je regardais le point où le dos maigre s'élargissait pour devenir les fesses. Je l'avais léchée. Ma langue avait voyagé depuis la raie de ses cheveux jusqu'à ses pieds, elle s'était glissée dans chaque fente, entre un doigt et un autre doigt. Italia avait pris du plaisir et en même temps elle avait eu froid, sa peau s'était ridée après mon passage. Je sentais que je voulais l'aimer de cette façon, morceau par morceau, dans l'immobilité, dans le silence. Ce n'était plus comme cela avait été, les étreintes furieuses, aveugles, que nous avions. J'avais pris l'habitude de la maintenir immobile sur le lit juste pour l'embrasser. Je voulais qu'à travers mes attentions elle se perçoive elle-même. Je la parcourais d'une langue douloureuse bientôt desséchée. Elle était impudique, presque effrontée dans le coït, mais elle avait honte des cales qui durcissaient la plante de ses pieds, elle avait honte de l'amour. Je la prenais seulement à la fin. Je me glissais en elle, comme un chien. Un chien qui a couru pendant des jours parmi les brindilles, les ronces, les cailloux. Un chien éreinté qui retrouve sa niche.

— Quitte-moi, murmure-t-elle.

Sa voix est aussi effilée et froide qu'un fil de métal.

— Qu'est-ce que tu racontes...

Je m'approche, je caresse ce dos solitaire.

— Je ne peux pas, je ne peux plus...

Et elle secoue la tête :

— C'est mieux maintenant, tu sais. Maintenant.

Je la serre fort. Ses coudes s'enfoncent dans ma peau.

— Je ne te quitterai jamais.

Et je suis si sûr de ce que je dis que mon corps durcit, chaque fibre durcit tandis que je l'étreins, comme si une cuirasse de muscles m'entourait. Et nous restons ainsi, mon menton dans son épaule, chacun à scruter son propre vide.

Qu'est-ce que ça veut dire, aimer, ma petite fille ? Tu le sais, toi ? Aimer, pour moi, ce fut tenir le souffle d'Italia entre mes bras et réaliser que tout autre bruit s'était éteint. Je suis médecin, je sais reconnaître les pulsations de mon cœur, toujours, même quand je ne veux pas. Je te le jure, Angela, le cœur qui battait en moi, c'était celui d'Italia.

Elle faisait toujours ce rêve. Elle rêvait que son train partait sans elle. Elle arrivait en avance à la gare, elle portait une jolie robe. Elle achetait un magazine, puis marchait sous la marquise, tranquille. Le train était là, il l'attendait, un train élégant, rouge et gris, disait-elle. Elle allait monter, mais voilà qu'elle perdait du temps, fouillait dans son sac à main, cherchait son billet. Elle voulait lire la destination, c'est pour cela qu'elle perdait du temps... Le train quittait le quai et elle restait là, et elle n'avait plus ni sac à main, ni chaussures. La gare derrière elle était vide et elle était nue, « comme dans un tableau », disait-elle. Elle me raconta que ce rêve l'avait longtemps torturée, depuis toute petite, puis avait disparu et n'avait réapparu qu'avec moi.

Je crois que dans les rêves nous nous punissons, Angela. Il est bien rare que nous nous récompensions.

— Donne-moi ta main, dit-elle. La gauche.

Elle écarta mes doigts et passa sa paume sur la mienne comme si elle voulait la laver, la débarrasser des poussières de tout ce qui ne nous concernait pas.

— Tu as une longue vie, avec une rupture au milieu.

Je ne crois pas à ces âneries. Je haussai les épaules.

— Qu'est-ce que ça veut dire ?

— Que tu survivras.

Mais à présent je me demande si ce n'était pas toi, Angela, cette rupture. Si Italia ne t'a pas rencontrée dans ma main.

— Maintenant serre fort. Comme ça, on voit les enfants.

Elle examina les plis de mon poing, près du petit doigt.

— Il y en a un, deux même. Bravo, rit-elle.

— Et toi, dis-je. Fais-moi voir ta main. Comment est ta vie ?

Elle se leva sans cesser de rire.

— Elle est très longue, ne t'inquiète pas, la mauvaise herbe ne meurt jamais. Ma mère m'appelait Chiendent.

Quand nous nous quittâmes, elle me courut après et s'agrippa à moi.

— Ne m'écoute pas quand je te dis de me quitter. Garde-moi. Je t'en supplie, garde-moi. Viens quand tu veux, une fois par mois, une fois par an, mais garde-moi.

— Bien sûr que je te garde. Je t'aime, Chiendent.

Elle se mit à pleurer, elle éclata en sanglots, une coulée de larmes qui me brûlait.

— Pourquoi ?

Elle avait quitté mon étreinte. Le visage rouge, les yeux rouges plantés dans les miens à présent, elle abattait ses poings sur mon bras :

— Je baise depuis que j'ai douze ans et jamais personne ne m'a dit je t'aime. Si tu te moques de moi, je te tue !

— Avec ces petits poings ?

— Oui.

Et toi, Angela, as-tu déjà fait l'amour? Je me rappelle le jour où tu es devenue femme, il y a trois ans. Tu étais à l'école, la professeur d'anglais t'a accompagnée chez le principal. Tu as téléphoné à ta mère au journal, elle est venue te chercher pour te ramener à la maison. Dans la voiture elle a plaisanté. Tu as souri faiblement, comme une malade, tu étais abrutie, un peu fâchée. Tu avais attendu ce moment, mais ensuite ça t'a déplu de grandir. Tu avais été une enfant indépendante et brusque, habituée à te débrouiller toute seule. À présent tu étais une grande asperge de douze ans. Ton corps était encore celui d'une enfant, bien plus que celui de tes amies, et tes pensées, tes jeux étaient encore puérils. Mais à l'intérieur, quelque chose avait bougé, malgré toi. Le premier ovule avait mûri et s'était rompu. Le sang scellait la fin de l'enfance.

Ta mère m'avertit, elle vint à ma rencontre dans l'entrée. Elle avait un visage radieux, ce n'était plus la femme qui était sortie de chez elle le matin, c'était un visage de sage-femme. Vous, les femmes, êtes changeantes, promptes à capturer la vie, à vous remplir de papillons. Nous, les hommes, sommes des lombrics alignés l'un derrière l'autre le long de votre mur. J'ai souri, j'ai tardé à retirer mon manteau. Tu étais étendue sur le lit, avec ces grands yeux noirs, cette longue tête de chat maigre. Je m'approche et je me penche près de toi.

— Angela...

Tu souris à peine, ta peau pâle se plisse.

— Salut, Papounet.

Je voudrais te dire quelque chose, mais rien ne me vient. À cet instant tu n'appartiens qu'à ta mère. Je suis un invité empoté, de ceux qui renversent les verres. Tu as les mains sur ton ventre, les jambes pliées, immobiles. Tu es ma grande asperge, mon parfum préféré. Combien de fois t'ai-je poussée sur la balançoire ? Combien de fois ton dos est-il revenu entre mes mains ? Et je n'ai pas conservé ce moment, je l'ai laissé s'en aller. Peut-être n'avais-je même pas envie de te pousser, mais de lire le journal. Je t'effleure le front.

— C'est bien, j'ai dit. C'est bien.

Et, dans mon bureau, penché sous cette lampe Art nouveau dont la lumière chaude éclaire la surface de ma table de travail et mon crâne chauve, je pense encore à toi. Je me suis retiré là-dedans, je vous abandonne le reste de la maison, draps blancs, ouate, sang de vierge. Ta mère a préparé du thé, elle l'a porté dans ta chambre sur le plateau de Londres, celui avec les chats. Vous y tremperez des biscuits, les jambes croisées sur le tapis comme si vous aviez le même âge. Aujourd'hui est un jour particulier. On reste calfeutrés à la maison, au chaud, on ne dînera pas. Je mangerai un peu de fromage, seul dans la cuisine, plus tard. Je me dis qu'un jour tu feras l'amour. Un homme s'approchera de toi, avec ses mains, avec son histoire. Il s'approchera de ma grande perche aux pantalons toujours trop courts, non pas pour échanger des vignettes Panini ou pour réclamer son tour de balançoire, mais pour te transpercer avec son dard. Je me frotte les yeux avec les mains, brutalement, car l'image qui s'agite devant moi est trop dure. Je suis ton père, ton sexe est pour moi ce petit pain de chair imberbe qui se remplit de sable sur la plage. Mais je suis un homme. Et j'ai été cet homme blême et barbare qui a violé une femme, une enfant à peine vieillie. Je l'ai fait parce que je l'ai aimée tout de suite et que je ne voulais pas l'aimer. Je l'ai fait pour la tuer alors que je voulais la sauver. Tandis que je me frotte les yeux pour enfouir en moi cette image de moi-même, je vois un mâle, un dos en rut, qui s'approche de toi. Et je l'attrape par la peau du cou et je lui dis : Fais attention à toi, elle, c'est Angela, la pureté de ma vie. Puis je relâche ma prise. Je chasse ces pensées qui t'insultent, je n'ai aucun droit de t'imaginer faisant l'amour. Ce sera comme tu voudras. Ce sera tendre. Ce sera avec un homme meilleur que moi.

Le jour de mon anniversaire. Ce n'est pas une fête que j'accueille avec un plaisir particulier, tu le sais. Malgré les années, me revient la même amertume que je ressentais à l'adolescence. Les écoles n'étaient pas encore ouvertes, mes amis étaient je ne sais où, aussi n'ai-je jamais eu droit à une vraie fête. En grandissant, j'ai commencé moi-même à faire l'impasse sur cette date. J'ai prié ta mère de ne pas perdre son temps à organiser des fêtes-surprises, qui ne me surprennent pas du tout. Elle s'est laissé convaincre et moi, sans jamais le lui avouer, j'en ai éprouvé du ressentiment à son égard, pour m'avoir négligé aussi facilement.

La journée n'était pas des meilleures. Le soleil demeurait étouffé par un amas de nuages calcaires indéfinis. Mes beaux-parents, à peine rentrés d'une croisière en mer Rouge, étaient venus nous rendre visite. L'après-midi, nous retournâmes sous les parasols. Grand-mère Nora exhibait un bronzage tavelé d'abrasions que lui avait laissées l'esthéticienne en effaçant ses taches de vieillesse. Du front de Grand-père Duilio saillait la visière d'une casquette de capitaine au long cours. L'été il s'habillait ainsi : bermuda, chaussettes remontées sur les mollets encore robustes, chaussures tressées en corde. Assis sur un petit fauteuil de plage, il tambourinait des mains sur ses genoux et scandait le rythme de son imposant silence. Je ne me sentais pas à l'aise avec mon beau-père. Tu le connais comme il est aujourd'hui, dans les nuages, suave, et très affectueux avec toi. Mais il y a seize ans, il avait encore cet air dédaigneux et ce manque de clémence qui l'avaient conduit si haut dans sa profession. Il a été un des architectes les plus puissants de cette ville. Quand il mourra, une rue portera certainement son nom. Il commençait juste à vieillir et il avait du mal à rester sur la réserve à laquelle son âge invitait. Il se comportait de manière atroce avec sa femme, qui était trop évaporée pour s'en apercevoir. Elsa avait une authentique vénération pour son père. Dans les premières années de notre mariage, je me sentais insulté par les attentions démesurées qu'elle lui prodiguait. Quand il était là, je n'existais pas. Puis la chose s'était atténuée au fil du temps, il a vieilli pour de bon et malheureusement j'ai commencé à vieillir moi aussi. Maintenant qu'il passe ses journées devant la télévision, avec la petite Philippine qui l'aide, nous sommes bons amis, tu le sais, et si je ne viens pas le voir au moins deux fois par semaine pour prendre sa tension, ça le contrarie.

La tête entre les bras, Elsa était allongée sur le flanc, elle parlait avec sa mère. Leur complicité était toute relative, elle n'arrivait pas à pardonner à la pauvre Nora sa frivolité. Elsa, comme son père, n'a jamais été indulgente, c'est là sa vraie faiblesse. « Ma mère est si bonne, disait-elle, et si conne. » Quand elle est morte, comme par enchantement, Nora a cessé d'être une conne. Ta mère, poussée par un furtif détour de son inconscient, a commencé à la modeler différemment, en femme vulnérable mais volontaire, exemple limpide pour elle. Jusqu'à ce jour, il y a peu de temps, où je l'ai entendue te dire : « Ta grand-mère n'avait pas une grande culture, mais c'était la femme la plus intelligente que j'aie jamais connue ».

Je l'ai regardée, elle m'a tranquillement retourné mon regard. Ta mère sait oublier, elle sait organiser les choses selon ses besoins, pour le moment exact où elle les utilise. D'un côté, c'est terrible, de l'autre, c'est comme si elle donnait à tout ce qui l'entoure la possibilité de renaître continuellement. J'ai dû renaître bien souvent entre ses mains, sans m'en apercevoir.

J'étais là, enfoui dans le silence de la vie officielle. Ici, j'étais un homme libre, je n'avais pas besoin de me cacher. Les gens me connaissaient, ma femme, mon beau-père, tout le monde me connaissait. Et pourtant, il me semblait que c'était celle-là, désormais, la vie parallèle, pas l'autre. Celle avec Italia, parmi les murmures, la ségrégation, celle-là était la vraie vie. Clandestine, sans ciel, effrayée, mais vraie.

Une femme se baignait dans la mer. Sa tête disparaissait et affleurait à nouveau parmi l'écume. Elle sortit de l'eau jusqu'à la taille. Elle s'essora les cheveux en les tordant avec les mains, puis secoua la tête. Elle marcha jusqu'au bord, dans l'eau de plus en plus basse son corps se révéla peu à peu. Elle portait un deux-pièces turquoise. Elle n'était pas bronzée. Le ventre blanc légèrement proéminent, comme celui d'un enfant qui vient de manger, elle avançait vers moi et remuait ses hanches osseuses. Je crus entendre le bruissement de sa respiration, les gouttes d'eau salée qui se détachaient de son corps en mouvement et retombaient sur le sable. Je crus que j'allais lever

147

un bras pour l'arrêter, mais aucun geste ne partit de mon corps. Tout était immobile, congelé. Elle seule se mouvait, au ralenti. Encastré dans un bloc de pierre, j'attendais la fin. Elle passa, et je ne trouvai même pas le courage de la suivre des yeux. J'avais le cou rigidifié par le choc. Mais dans mes iris persistait le mirage d'elle, cette silhouette étiolée qui s'approchait en soulevant le sable.

Puis le son revint autour de moi, le souffle du vent qui s'était levé à nouveau et, peu à peu, les babillages de ma belle-mère de plus en plus audibles, le souffle dur de mon beau-père. Comme quand on se rapproche du rivage en bateau et qu'on recommence à entendre de mieux en mieux le murmure de la plage. Alors je me retournai. Derrière moi, il y avait seulement le mur farineux des dunes. Italia avait disparu.

Je passai le reste de cette journée en transe. Tout me semblait exagéré, les voix trop aiguës, les gestes trop agressifs. Qui étaient ces gens bornés qui vivaient autour de moi, qui envahissaient ma maison ? Et dire qu'il fut un temps où m'allier à cette exemplaire famille d'imbéciles m'avait paru une belle ascension sociale ! Au dîner, j'eus du mal à porter la fourchette à ma bouche. Le trajet de l'assiette à mes lèvres était devenu interminable. Je me levai de table pour aller aux toilettes. Dans le couloir, le yorkshire-terrier de ma belle-mère jaillit d'un coin obscur et montra les crocs. Je lançai la jambe et frappai ce roquet de salon. Il fila en boitant chez sa maîtresse, qui déjà se précipitait à sa rencontre.

— Désolé, Nora, je lui ai marché dessus par inadvertance.

Je m'étendis sur le tapis dans une des pièces à l'étage. Je me sentais comme un de ces vers flasques qui l'été pendent accrochés à un plant de vigne séché, ces vers qui, étourdis, tombent à terre sans bruit.

Après le dîner, les parents d'Elsa s'en allèrent. Je me levai aussitôt. Elsa m'avait demandé de les escorter jusqu'aux premières lumières de la ville. Mon beau-père conduisait lentement le long de ces routes sombres qu'il ne connaissait pas très bien. De l'autre côté du pare-brise, j'observais ces deux têtes immobiles, muettes. À quoi pensaient-ils ? À la mort, peut-être, c'est facile de penser à la mort le dimanche soir. Ou bien à la vie, à une chose à acheter, à manger. À cette vie qui finit par n'être que voracité. On prend et on n'a plus envie de donner quelque chose en échange. Elsa et moi étions sur le chemin de ce même silence. La solitude que mes phares léchaient serait la nôtre d'ici quelques années. Deux marionnettes couraient devant moi dans la nuit. J'avais encore du temps pour mettre un terme à ce voyage et me rendre à la vie, une vie différente dans laquelle, peut-être, je n'aurais pas le temps de rejoindre ces vieilles silhouettes.

Je braquai et m'arrêtai à la lisière de l'asphalte. La voiture de mon beau-père disparut devant moi dans un virage noir. Ce soir-là, je sentais que je mourrais jeune et qu'Italia était un don auquel je ne renoncerais pas.

— Comment tu as fait pour trouver la maison?

— J'ai marché le long de la plage.

— Mais pourquoi?

— Je voulais te faire un cadeau pour ton anniversaire. Je voulais que tu me voies en maillot de bain.

Elle était encore en peignoir. Engourdie, elle se serrait contre son chien.

— Je te laisse dormir.

— Non, sortons.

Dans la rue, elle marcha lentement, un bras glissé sous le mien. Nous entrâmes dans le café, le même que d'habitude.

— Tu prends quoi?

Elle ne me répondit pas. Elle s'appuyait de tout son poids au comptoir. Je vis sa main qui glissait sur la surface en métal vers les serviettes en papier. D'un geste agressif, elle les arracha de leur boîte et se précipita dehors, elle avançait péniblement, pliée en deux. Je la rejoignis. Elle était appuyée contre le mur, la tête basse.

— Qu'est-ce que tu as?

Elle avait les mains serrées entre les cuisses, les serviettes en papier pressées là, au milieu.

— Je me sens pas bien. Ramène-moi à la maison, murmura-t-elle.

Il y avait peu de lumière, mais je voyais que les serviettes blanches étaient devenues foncées entre ses doigts.

— Tu saignes...

— Ramène-moi à la maison. S'il te plaît...

Mais entre-temps elle s'était évanouie. Je la pris dans mes bras, marchai jusqu'à la voiture et l'allongeai sur le siège. J'étais prêt à prendre le risque de la conduire à mon hôpital. Je conduisais et j'essayais de me rappeler si quelque ami était de garde ce soir-là. Elle s'était reprise, elle était pâle, ses yeux tristes regardaient la ville endormie.

— Où est-ce que tu m'amènes ?

— À l'hôpital.

— Non, je veux rentrer chez moi, je me sens mieux.

Elle avait glissé du siège et elle s'était accroupie au sol.

— Que fais-tu ?

— Comme ça je tache pas le siège.

Je lâchai le volant d'une main et me penchai vers elle. J'attrapai un pan de son pull :

— Relève-toi !

Mais elle parvint à résister.

— Je suis bien, là en bas. Je te regarde.

Les urgences étaient désertes, seulement un vieux dans un coin, avec une couverture sur les épaules. Je connaissais un des infirmiers de garde, un gars corpulent avec qui je parlais football de temps en temps. J'avais donné à Italia ma serviette de bain restée sur la banquette arrière. Elle était descendue de la voiture avec ce tissu éponge autour des hanches. L'infirmier l'avait fait s'allonger sur un brancard dans la salle de garde, depuis lequel Italia me regardait en tordant le cou. Ses poings serrés retenaient la serviette. Le médecin de garde arriva presque aussitôt, une jeune femme que je ne me rappelais pas avoir vue auparavant.

— Venez, montons faire une échographie.

Nous entrâmes tous les trois dans l'ascenseur. La femme avait des traces de sommeil sur le visage, sur ses cheveux aplatis. Elle me souriait obséquieusement, elle savait certainement qui j'étais. Italia avait meilleure mine. Elle était montée sans aide dans l'ascenseur.

Durant l'examen, je m'éloignai et me dirigeai vers mon pavillon. J'en profitai pour jeter un œil à un patient que j'avais opéré la veille. Je m'approchai du lit de l'homme : il dormait et respirait bien.

— Demain on peut lui retirer le drain, professeur ? me demanda la bonne sœur qui m'avait suivi dans la chambre.

Quand je revins, Italia sortait de la salle d'échographie.

— Tout va bien. Il y a eu un décollement partiel du placenta, mais l'embryon a résisté.

Je restai une fraction de seconde à regarder le visage de la doctoresse, ses mâchoires carrées, la peau de son nez qui brillait, ses yeux trop rapprochés... Je fis un pas en arrière et instinctivement mon regard alla chercher derrière elle, comme si j'avais eu peur que quelqu'un d'autre n'ait entendu ses paroles.

— Bien, je crois avoir dit, bien.

La femme avait sans nul doute pris note de mon trouble. À présent elle me regardait avec une étrange complicité.

— Moi, je la ferais quand même hospitaliser, professeur. Il vaudrait mieux que madame ne se fatigue pas, au moins quelque temps.

Madame se tenait quelques pas derrière elle, assommée. Je percevais clairement son agitation. Ce n'était pas madame, c'était mademoiselle. Ma maîtresse. Nos yeux se croisèrent brièvement. Je déplaçai légèrement le poids de mon corps sur l'autre jambe pour éviter qu'elle ne soit dans l'axe de mon regard. Je ne devais établir aucun contact avec elle, du moins pour le moment. J'étais dans mon hôpital, devant une femme qui me connaissait pour mes compétences professionnelles et qui maintenant imaginait sûrement une part de ma vie intime. Je devais la faire sortir de là. Oui, il fallait qu'elle disparaisse. Puis je réfléchirais. Nous marchions vers l'ascenseur. Les fesses de la doctoresse ondulaient sous sa blouse. Qu'est-ce qui me garantissait que c'était une personne discrète ? Je crus deviner je ne sais quoi de négligé dans sa façon de marcher. Demain peut-être, la nouvelle aurait fait le tour de l'hôpital. Des regards malicieux se poseraient sur moi, me transperceraient le dos, des bavardages que je ne pourrais plus faire taire. Italia était derrière moi, je sentais que j'étais furieux contre elle. Elle ne m'avait rien dit, elle avait fait en sorte que j'ignore tout. Elle avait laissé à une étrangère le soin de me révéler une telle chose, ici, dans mon hôpital. Elle s'était amusée de mon air ébahi. J'avais presque envie de la frapper, de lui flanquer une gifle, cinq doigts rouges imprimés sur ce museau de menteuse.

Nous redescendîmes au rez-de-chaussée pour l'admission. Je me tournai vers Italia et la regardai d'une façon qui dut lui paraître terrible.

— Que voulez-vous faire, madame ?

— Je veux rentrer chez moi, balbutia-t-elle.

— Cette dame veut signer une décharge, dis-je en m'adressant à l'infirmier. Passe-moi le formulaire.

Je sortis mon stylo de la poche intérieure de ma veste et remplis moi-même le formulaire, puis le poussai sous les ongles rongés d'Italia et lui tendis le stylo. Mon regard se posa sur son visage, elle était à nouveau très pâle... Je retins le stylo. Je n'étais plus très sûr de moi. J'étais médecin, je ne pouvais pas prendre de risque. Et si elle faisait une hémorragie ? Je ne pouvais pas la laisser partir comme ça. Je trouverais le moyen de la brutaliser plus tard, pour le moment il était important qu'elle reste là, en sécurité. Je déchirai le formulaire :

— On l'hospitalise.

Elle tenta de s'opposer, mais sans force :

— Non... Je veux m'en aller, je vais bien.

La doctoresse fit un pas vers le bureau.

— Le professeur a raison, madame. Il vaut mieux que vous restiez cette nuit.

Nous expédiâmes les formalités d'admission, puis remontâmes en gynécologie. L'ascenseur s'ouvrit à l'étage. Le couloir sombre était silencieux. Il y avait l'odeur habituelle de médicaments et de soupe. J'aime l'hôpital la nuit, Angela. Pour moi, il a la saveur furtive d'une femme démaquillée, d'une aisselle dans le noir. Italia, au contraire, semblait terrifiée. Elle marchait presque agrippée au mur, la serviette avec les étoiles de mer autour des fesses, comme une naufragée. Nous nous retrouvâmes seuls quelques instants.

— Pourquoi tu ne m'as pas dit que tu étais enceinte ?

— Je le savais pas.

Elle serrait la serviette autour de sa taille. Sa voix tremblait.

154

— Je veux pas rester ici. Je suis toute sale.

— Je demanderai aux femmes de service de te donner quelque chose.

Une infirmière vint.

— Venez, que je vous accompagne jusqu'à votre lit.

— Vas-y, murmurai-je. Vas-y.

Et je la vis qui s'éloignait dans ce couloir aux lumières tamisées, sans se retourner.

Chez moi, je retirai mes chaussures sans défaire les lacets et les balançai au loin. Puis je m'étendis sur le lit comme j'étais. Je m'enfonçai dans une cuve de bitume et me réveillai à l'aube, perplexe, déjà fatigué. Je me glissai sous la douche. Italia attendait un enfant. L'eau glissait, se faufilait, courait sur ma peau et Italia attendait un enfant. Que ferions-nous désormais ? J'étais nu dans la salle de bains de la maison que je partageais avec ma femme, je me savonnais la touffe de poils de l'aine. Il fallait que je réfléchisse et, au lieu de ça, mon esprit battait la campagne, mes pensées se chevauchaient, comme les décors dans les coulisses d'un théâtre.

J'arrivai très en avance à l'hôpital. J'étais anxieux, j'avais le pressentiment qu'elle ne serait plus là. Et effectivement elle n'était pas là. Elle avait signé et elle était partie.

— Quand ? demandai-je à l'infirmière.

— À l'instant.

Je remontai en voiture et parcourus le boulevard qui longeait les bâtiments de l'hôpital. Je la trouvai à l'arrêt de l'autobus. J'eus du mal à la reconnaître, car elle portait une blouse d'infirmière. Elle était appuyée contre le mur, un sac en plastique qui laissait transparaître ma serviette-éponge pendait à son bras.

Je m'arrêtai près d'elle. Elle ne me vit pas. Les rues commençaient à peine à s'animer. Me revint en mémoire la fois où je l'avais attendue en voiture et où je l'avais espionnée. Il faisait chaud, elle était maquillée, elle se déhanchait. J'aimais ses talons hauts. J'aimais qu'elle fût vulgaire. Combien de temps avait passé ? Maintenant elle portait cette blouse trop large, elle avait encore maigri durant cet été. Je ne réalisais qu'alors combien elle avait changé. Elle avait perdu ses couleurs. Par ma faute, peut-être, elle avait perdu ses couleurs, comme un clown non fardé. Et pourtant, pour moi, elle était encore plus belle, encore plus désirable. Et à présent il n'y avait plus rien, seulement elle contre ce mur, au centre du viseur. Je fus assailli par une appréhension insensée. *Et si quelqu'un l'abattait maintenant ? Si une balle terminait sa course dans sa poitrine, et qu'elle glissait au sol en oubliant derrière elle juste une trace de sang sur le mur contre lequel je la vois...* Je voulais lui crier de s'en aller de là parce que quelqu'un allait appuyer sur la détente, un sniper posté derrière moi, peut-être sur le toit de l'hôpital. Elle avait une tête à ça, la tête de quelqu'un qui va se faire descendre, mais n'a pas la force de s'écarter. Mais elle bouge, se détache du mur et il ne s'est rien passé. Il y a l'arrière du bus, c'est lui qui la couvre. Je n'ai pas le temps de l'arrêter, elle est déjà montée. Je me mets juste derrière le bus, derrière son pot d'échappement qui crache une fumée nauséabonde. Il s'arrête à nouveau, je laisse la voiture au milieu de la route et monte moi aussi. Je cherche Italia pour qu'elle descende avec moi, mais je la trouve trop tard, quand déjà la porte s'est refermée. Elle s'est enfoncée dans un siège, la tête appuyée contre la vitre. Ma voiture se fera embarquer, tant pis.

— Salut, Chiendent.

Elle sursaute, se tourne, reprend son souffle.

— Salut.

— Où vas-tu?

— À la gare.

— Tu pars?

— Non, je voulais voir les horaires des trains.

Nous restons comme cela, en silence, les yeux fixés sur les rues qui se remplissent des premières voitures. Une mère traverse avec ses deux enfants. Italia la regarde. Je pose une main sur son ventre. Une main grande, ferme. Son ventre qui gémit.

— Comment te sens-tu?

— Bien.

Et elle retire ma main. Elle a honte de ce grondement interne.

— Tu en es à combien?

— Pas beaucoup. Deux mois, même pas.

— C'est arrivé quand?

— Je ne sais pas.

Ses yeux sont immenses et calmes.

— Ne t'inquiète de rien, ne me dis rien. J'ai déjà décidé toute seule.

Je secoue la tête, mais je ne dis rien. Et peut-être s'attend-elle à ce que je dise quelque chose. Elle regarde à nouveau au-dehors les rues qui cahotent derrière la vitre.

— Je te demande seulement une chose. On n'en parle plus. C'est une sale histoire.

Nous descendons de l'autobus, nous nous promenons côte à côte, sans nous toucher. Italia est en tenue d'infirmière et nous sommes si faibles ensemble. Dans la vitrine d'un magasin, une fille retire le panneau des soldes pour préparer la collection d'automne, elle se déplace pieds nus sur un tapis de

157

feuilles et de marrons en plastique. Italia s'arrête pour regarder l'étalagiste qui enfile une robe à un mannequin décoiffé.

— Le vert est à la mode, cette année...

Nous marchons vers la station de taxis. Trois voitures attendent. Nous traversons en courant, car le feu va passer au rouge. J'ouvre la portière et je fais monter Italia. Puis je me penche sur elle et lui mets dans la main l'argent pour payer la course.

— Merci, dit-elle.

— Ne t'inquiète pas, je réponds à voix basse, car je ne veux pas que le chauffeur m'entende. Je m'occupe de tout, sois tranquille.

Elle étire les lèvres en ce qui voudrait ressembler à un sourire, mais n'est qu'un rictus épuisé. Elle a envie d'être seule, peut-être n'a-t-elle plus confiance en moi. Je tends la main à l'intérieur de l'habitacle, je la passe sur son visage. Je veux la délivrer de ce regard blessé, barricadé. Je ferme la portière et le taxi démarre.

Je suis seul. Je fais quelques pas, vers où ? Je dois remettre la main sur mes pensées et sur la voiture arrêtée au milieu de la route. Je suis en retard pour entrer en salle d'opération, tant pis. Elle a espéré jusqu'au dernier moment que je lui dirais quelque chose d'autre. Il y avait un espoir déposé au fond de ses yeux, comme un balai oublié dans un coin. J'ai feint de ne pas m'en apercevoir. Je n'ai même pas eu le courage d'être sans pitié, de la pousser moi-même à cette décision. Je l'ai laissé faire son choix, endosser seule la responsabilité et en échange je lui ai payé le taxi.

Ta mère est rentrée en ville. Il ne reste plus trace de mon bivouac solitaire. La petite table où je posais mes jambes pour lire est de nouveau à sa place, loin de mon fauteuil, au centre du tapis, encerclée par les canapés. Sur cette petite table basse marquetée sont posés les verres au pied rose, un bol de crudités et un plat de pruneaux enveloppés de bacon. Elsa a invité nos amis à dîner. J'ai opéré tard, entre les changements de programme et diverses absences en salle d'opération, avec les grèves qui ont repris depuis septembre. J'ai jeté les clés dans le bol en ébène de l'entrée et j'ai entendu les voix qui venaient du séjour. Je me suis glissé dans la salle de bains de service et passé de l'eau sur le visage avant de les rejoindre. Salut. Salut. Salut. Tapes dans le dos. Baisers. Bouffées de parfum. Mèches de cheveux. Haleines avinées et enfumées.

Je suis appuyé contre la bibliothèque. Manlio est face à moi. Il parle. De tout. De bateaux, de Martine qui est à nouveau en désintoxication, d'une suture abdominale lisse comme un cul qui s'est ensuite infectée, il y est allé par paliers. Il a un cigare à la main et cette main est trop proche de mon visage.

159

— Et toi, comment ça va ?

— Le cigare, Manlio...

— Ah, oui. Pardon.

Et il éloigne un peu son bras.

— Il faut que je te parle.

Il me regarde, exhale une bouffée malodorante :

— Tu as une tête de zombie. Qu'est-ce que tu as fait ?

— Les pâtes sont prêtes.

À table, je n'écoute personne. Je mange, je regarde l'assiette et j'y plonge ma fourchette. Je bois un verre de vin, puis je tends le bras vers le plat et je me ressers. J'ai une faim de loup. La table fourmille de bruits, de voix. Un rigatone est tombé sur la nappe, je le ramasse. Ta mère me regarde. Elle porte un haut vert jaspé de nervures transparentes et des petites émeraudes aux oreilles. Les cheveux attachés et une seule mèche libre qui lui tombe sur le visage. Elle est superbe. Je pense à la fille pieds nus dans la vitrine et à Italia qui dit : Le vert est à la mode, cette année.

— Tu ne prends pas de dessert ?

Je me suis levé de table :

— Excusez-moi, j'ai un coup de fil à passer.

Je vais dans la chambre et je compose le numéro. Le téléphone sonne dans le vide.

Je m'étends sur le lit. Elsa entre :

— Tu appelles qui ?

— Personne. C'est occupé.

Elle s'est glissée dans notre salle de bains et fait pipi. Je vois son reflet dans le miroir de l'armoire, sa jupe relevée sur les fesses.

— Un patient ?

— C'est ça.

Elle tire la chasse, éteint la lumière et sort de la salle de bains.

— Un cancer « important » ? fait-elle en souriant.

Ce n'est pas facile de vivre avec un homme qui fait un métier si triste. Elle a fini par accepter mon jargon, par en plaisanter.

Je souris pour toute réponse.

— Enlève au moins tes chaussures du lit.

Et elle sort de la pièce.

— Allô ?

— Où étais-tu ?

— Ici.

— J'ai essayé plein de fois.

— Peut-être que je n'ai pas entendu.

Elle est essoufflée. Un grand vacarme retentit autour d'elle.

— Qu'est-ce que c'est que ça ?

— L'aspirateur. Attends, je vais éteindre.

Elle s'éloigne et revient, dans le silence.

— Mais qu'est-ce que tu fais ? Le ménage, à cette heure ?

— Ça me défoule.

— Je voulais t'envoyer un baiser.

Manlio est dehors avec moi. Je l'ai traîné sur la terrasse.

— C'est une patiente que j'ai opérée du sein il y a deux ans. Elle court trop de risques, il lui faut une IVG.

— Elle est dans les délais ?

— Oui.

— Alors pourquoi elle ne va pas à l'hôpital ?

En bas, le camion des éboueurs a avalé une poubelle. Manlio a levé le col de sa veste. Peut-être a-t-il compris, car à présent il sifflote.

La soirée s'achève sur les canapés. Puis les canapés se vident. Il ne reste que les creux laissés par les corps qui ont pesé. Les coussins écrasés, des verres partout, les cendriers remplis de mégots. Elsa est déjà pieds nus :

— Belle soirée.

— Oui.

Je me lève et j'attrape un cendrier.

— Laisse. Gianna s'en occupera demain.

— Je jette seulement les mégots, sinon ça pue.

Elle va dans la chambre, se démaquille, enfile sa chemise de nuit. Je me plante devant la télévision au milieu de ce cimetière de verres sales. Quand je la rejoins, je me couche de mon côté, je m'installe et demeure ainsi, allongé sur le flanc. Ta mère pose une jambe sur moi, puis sa bouche chaude effleure mon oreille. Je me raidis. Cette nuit, je n'y arriverai pas, vraiment je ne peux pas. Elle cherche ma bouche, la trouve, mais je n'entrouvre pas les lèvres. Elle retombe sur le drap avec un profond soupir, qui monte du ventre.

— Tu sais, dit-elle, peut-être qu'on pourrait essayer de faire l'amour autrement.

Je me tourne vers elle. Elle a un air étrange tandis qu'elle fixe le plafond.

— On pourrait essayer de se regarder dans les yeux.

Sa voix est comme rayée d'une rancœur qui s'enroule fièrement autour de chaque mot.

— Tu as bu ?

— Un peu.

Il me semble que ses yeux brillent. Son menton tremble légèrement.

— Tu sais bien qu'on se regarde. Tu es si belle, pourquoi je ne te regarderais pas ?

Je me tourne, arrange mon oreiller. Je n'ai pas sommeil. Et c'est parti pour une nuit de ressassement conjugal ! Allons-y pour le bal du ressentiment ! Mais c'est un coup de pied dans le ventre qui m'arrive et tout de suite après un autre, et encore un autre. Puis les mains de ta mère grandes ouvertes s'abattent sur mon visage. J'essaie de me protéger, mais je suis complètement démuni face à cette attaque.

— Toi ! Toi ! Pour qui tu te prends, toi ? Pour qui tu te prends ?

Son visage est survolté, sa voix rauque. Je ne l'ai jamais vue comme ça. Je me laisse frapper et je me fais pitié. Elle me fait pitié. Que c'est dur de trouver les mots pour m'insulter :

— Tu... Tu... Tu n'es qu'une merde ! Une merde d'égoïste !

Je parviens à capturer une main, puis l'autre. Je la serre dans mes bras. Elle pleure. Je caresse sa tête. Elle respire entre deux sanglots. *Tu as raison, Elsa, je suis une merde d'égoïste. Je gâche l'existence de tous ceux qui m'entourent, mais tu peux me croire, même moi je ne sais pas ce que je veux, je prends mon temps, c'est tout. Je désire une femme, mais peut-être qu'elle me fait honte, peut-être que j'ai honte de la désirer. J'ai peur de te perdre, mais peut-être que je fais tout pour que tu me quittes. Oui, j'aimerais te voir préparer ta valise et disparaître au cœur de la nuit. Je me précipiterais chez Italia et peut-être que là je découvrirais que tu me manques. Mais tu restes ici, agrippée à moi, à notre lit. Non, tu ne partiras pas dans la nuit. Tu ne le feras pas, tu ne prendras pas ce risque... Car je pourrais ne pas avoir la nostalgie de toi. Et tu es une femme prudente.*

Les essuie-glaces sont arrêtés. Un rideau de crasse recouvre le pare-brise, voile trouble qui nous sépare du monde. Dans la voiture, une odeur de voiture. L'odeur des tapis, du cuir des sièges qui est plus tendu ce matin et craque à chaque mouvement. Un reste du vieil arbre magique décoloré par le soleil. Un peu de mon odeur, de mon après-rasage, de mon imperméable qui est resté accroché dans l'entrée tout l'été et qui est de nouveau avec moi, roulé en boule sur la banquette arrière comme un vieux chat. Et surtout, au milieu de tout cela, l'odeur d'Italia, de ses oreilles, de ses cheveux, de ses vêtements. Aujourd'hui elle a une jupe à fleurs resserrée à la taille par une large bande élastique noire et un cardigan en coton racorni. Elle a une croix sur la poitrine, une croix en argent accrochée à une chaîne à mailles très fines. Elle la porte à sa bouche et regarde le monde flou qui semble si loin derrière le pare-brise. Il y a quelques instants je lui ai demandé si elle n'avait pas froid sans bas. Elle m'a répondu que non, qu'elle n'avait jamais froid. Ses cheveux sont retenus par une infinité d'épingles en métal émaillé, beaucoup d'entre elles craquelées. C'est une petite péquenaude qui s'habille sur les marchés ou dans ces boutiques ouvertes à tous les vents dont les vendeuses transies mâchent du chewing-gum. On est le premier samedi d'octobre. Je l'emmène se faire avorter.

Elle est arrivée dans le centre-ville en autobus. Je l'ai attendue près de l'arrêt. Elle m'a souri. Je ne sais pas si elle souffre, nous n'en avons pas parlé. Peut-être a-t-elle déjà avorté auparavant, je ne le lui ai pas demandé. Elle a l'air tranquille. Elle s'est assise à côté de moi et nous ne nous sommes pas embrassés. Dans le centre, nous ne prenons pas de risques. C'est une passagère prudente, une créature en transit hors de son enclos. Ce matin elle est plus sévère, racornie comme le cardigan qu'elle porte. Elle suce sa croix en argent, et je sens que quelque chose lui manque, quelque chose qu'elle a oublié dans sa petite tanière. Il y a en elle une réserve qui me laisse un peu seul. Peut-être eût-il été plus facile de l'avoir à côté de moi geignarde et mélancolique, comme je m'y attendais. Au contraire, ce matin, elle semble forte, elle a les yeux vifs, combatifs. Peut-être est-elle moins délicate que je ne l'ai cru. Peut-être essaie-t-elle seulement de se donner du courage.

— Tu veux un petit déjeuner?

— Non.

La clinique privée où Manlio travaille est une villa du début du siècle entourée d'un parc d'arbres de haut fût. Nous parcourons l'allée qui monte parmi les troncs sombres, jusqu'à un emplacement où se trouvent d'autres voitures. Italia regarde cette construction au crépi rougeâtre.

— On dirait un hôtel.

Elle sait ce qu'elle doit faire. Je lui ai tout expliqué. Elle ira aux admissions et donnera son nom. Ils l'attendent, j'ai réservé une chambre. Naturellement je ne peux pas rester, c'est déjà assez gênant que je l'aie accompagnée jusque-là. Je l'appellerai dans l'après-midi. En remontant l'allée (Italia ne s'en est pas aperçue), j'ai regardé son ventre. Pendant un instant, j'ai cru qu'on pouvait déjà voir quelque chose, une proéminence. Je ne sais pas ce que j'espérais trouver, là-dessous, quelque chose que je ne reverrais plus... Et une roue s'est coincée dans le caniveau, j'ai mis les gaz, j'ai senti une secousse, quelque chose dont j'aurais à jamais la nostalgie. S'il est vrai que le temps n'est pas ce que nous croyons et qu'une vie entière peut défiler en un éclair, je crois avoir vu en une fraction de seconde, tandis que je braquais pour ne pas rester dans ce caniveau, le supplice qui m'attendait. Je t'ai vue toi aussi, Angela, ton hématome sur le négatoscope. Le cours normal du temps a fait une embardée, et ce qui n'était pas encore est apparu et devenu pensable.

J'ai arrêté la voiture sur la petite place devant la clinique. Italia a regardé la porte automatique en verre teinté. J'ai pris sa main et je l'ai embrassée.

— Ne t'inquiète pas, c'est rien du tout.

Elle s'est tournée et a pris son sac en patchwork.

— J'y vais.

Elle descend et va droit vers l'entrée. Je manœuvre pour partir. Dans le rétroviseur, je vois ses pas, plus hésitants que d'habitude, peut-être à cause du gravier. Mais je sais qu'elle ne tombera pas, elle est habituée à ces talons trop hauts, à ce sac trop grand entre ses jambes. Pourtant elle tombe, un dernier pas et elle s'affaisse d'un coup. Elle rattrape son sac, mais elle ne se relève pas. Elle reste là, agenouillée par terre. Elle ne se retourne pas, elle est convaincue que je suis déjà parti. *Ne bouge pas*, je dis, sans savoir ce que je dis. Et peut-être sait-elle que je suis là. *Ne bouge pas*. Car à présent il me semble que cette partie d'elle-même qui lui manquait l'a rejointe, à mesure que des lambeaux de chiffons ailés lui recouvrent la croupe.

Je laisse la portière ouverte et je cours sur le gravier.

— Qu'est-ce que tu as?

— Le petit déjeuner... Peut-être que je devrais prendre quelque chose.

Je l'aide à se relever et, tandis que je la prends dans mes bras, je lève les yeux au-dessus de sa tête. Au premier plan, derrière une grande fenêtre sombre, un homme en blouse nous regarde.

Mais oui! Et même si ça finissait maintenant, si nous entrions dans le noir ensemble, j'ai ces yeux posés sur moi, cette main graisseuse qui me retient. Personne ne m'a jamais aimé comme ça. Personne. Je ne te conduirai pas là-dedans, aucune canule ne te nettoiera. Je te veux, et maintenant je suis fort et je trouverai le moyen de ne plus t'humilier.

— Pense à toi. Pense à toi. Vraiment, murmure-t-elle.

J'ai déjà décidé. Je t'aime. Et si tu veux ma tête, donne-moi une hache, je te donnerai la tête d'un homme qui t'aime.

— Allons-nous-en.

Et je parlais à notre enfant, Angela. Une petite feuille rouge était tombée sans bruit sur le pare-brise de la voiture et elle était restée là, près de l'essuie-glace. Une feuille rouge, aux maigres nervures, peut-être la première de la saison, était tombée pour nous.

Je me remis au volant et je repris la route, loin de la clinique. Nous nous arrêtâmes dans une des premières banlieues aux portes de la ville, au nord, là où

167

le paysage change et devient plus sauvage. C'est encore une zone urbaine, mais on sent déjà le souffle des forêts, de ces montagnes sans sommet qui se détachent à l'horizon comme des bisons endormis.

Nous nous glissâmes dans un cinéma, une de ces salles de province qui n'ouvrent que le samedi et le dimanche. La première séance était presque déserte, nous nous installâmes au milieu sur les fauteuils en bois. Là-dedans aussi, il faisait froid. Italia posa la tête sur mon épaule.

— Tu es fatiguée ?

— Un peu.

— Repose-toi.

Elle somnola contre moi dans le noir, une joue à peine éclairée par la lumière de l'écran. C'était un film comique, un peu vulgaire. Ça allait, tout allait. Nous étions un couple, pour la première fois peut-être. Un couple en vacances qui va au cinéma, qui s'arrête pour manger un sandwich, puis poursuit sa route. Oui, j'aurais aimé faire un voyage avec Italia, dormir dans des hôtels, faire l'amour, repartir. Et, pourquoi pas, ne jamais revenir. Nous pouvions partir à l'étranger. J'avais des amis à Mogadiscio, l'un d'entre eux était cardiologue, il travaillait dans un hôpital psychiatrique, il avait une petite maison au bord de la mer, le soir il fumait de la marijuana en compagnie d'une femme aux jambes fines comme des bras... Oui, une nouvelle vie. Un hôpital pauvre, des gamins noirs, sans chaussures, aux yeux brillants comme des vers. Aller là où on avait besoin de moi, opérer sous la tente, soigner des miséreux.

— Tu aimerais partir ?

— Oui.

— Et tu aimerais aller où ?

— Où tu veux.

Ta mère part. Un voyage professionnel de deux jours, une bouffée d'air pour moi. Elle range ses dernières affaires dans la valise, celle du voyage de noces, en chamois moucheté. Son bras m'effleure tandis qu'elle cherche un foulard dans la penderie à plusieurs portes qui remplit tout le mur. Elle porte un tailleur-pantalon avec un col châle, en jersey moelleux couleur noix de muscade, et un collier très simple, fait de grosses perles d'ambre retenues par un fil de satin noir. Je prends une chemise, je n'ai que des chemises blanches, et des complets avec la cravate enroulée autour du cintre, comme ça je ne me trompe pas. Elsa m'a parfois poussé à oser, au moins avec un chapeau. Elle a un ami, un écrivain berlinois, qui arbore bérets, calottes, panamas, fez, ça lui va bien, il est excentrique, bisexuel, superintelligent. L'écrivain berlinois l'aurait certainement rendue plus heureuse. Peut-être se retrouvent-ils dans quelque café littéraire, il pose son sombrero ou sa chapka sur une chaise, lui lit ses écrits et elle est émue. Oui, elle est juste assez mûre, juste assez bourgeoise pour un amant bisexuel. Avoir à mes côtés une femme aussi élégante m'a toujours rempli de fierté. Aujourd'hui, pourtant, son élégance me rend triste.

169

Le énième déguisement. Ce matin, elle est la journaliste en voyage, confort et féminité. Ses gestes aussi m'agacent, elle est brusque, un peu rude même. Elle s'est déjà glissée dans le rôle qu'elle devra jouer là-dehors, parmi ses canailles de collègues. J'enfile mon pantalon. J'ai pris celui qui a déjà la ceinture dans les passants, je m'épargne cet effort. Maintenant je le lui dis. Oui, maintenant peut-être je le lui dis. Comme ça elle part et elle y réfléchit toute seule et quand elle revient elle y a déjà réfléchi. Maintenant je lui dis : *J'aime une autre femme et cette femme attend un enfant, donc nous devons nous séparer.* Je n'ai pas l'intention de faire diversion en disant que j'ai besoin d'être seul ou je ne sais quel palliatif du même genre. Je ne veux pas être seul, je veux être avec Italia et si je ne l'avais pas rencontrée elle, je n'aurais probablement pas trouvé une seule raison valable de me séparer d'Elsa. Je n'ai rien à lui reprocher, ou peut-être trop de choses. Je ne l'aime plus, et peut-être ne l'ai-je jamais vraiment aimée. J'ai été séduit par elle. J'ai subi sa tyrannie, parfois extasié, parfois apeuré, et au final fatigué et soumis. Si maintenant je la regarde attentivement (de toute façon, elle ne me voit pas, elle fait l'inventaire des produits de beauté dans le vanity-case), si je la regarde, son regard fixe et buté, sa mâchoire relâchée, je pense : *Que fait cette femme ici ? Qu'est-ce qu'elle a à voir avec moi ? Pourquoi n'est-elle pas dans l'appartement d'en face avec cet homme que de temps en temps je vois passer en slip, un homme avec un peu de ventre, mais musclé ? Pourquoi ne traverse-t-elle pas la rue pour se glisser sous un autre portail et aller fouiller dans son vanity-case sur le lit de cet homme ? Oui, ce serait mieux si elle était là-bas, maintenant, avec cet air un peu bovin. Moi je pourrais prendre la petite, cette rousse qui vit avec le type musclé qui a du ventre, peut-être qu'elle est sympathique, on pourrait parler un peu, peut-être que ça l'intéresse d'entendre ce que pense quelqu'un qui éviscère les gens toute la journée. Je regarde ma femme et il n'y a pas une seule chose chez elle qui me plaise, pas une chose qui m'intéresse. Ses cheveux sont magnifiques, c'est vrai, mais elle en a trop à mon goût. Ses seins sont parfaits, pleins sans être énormes, pourtant je n'ai aucun désir de les toucher. Elle met ses boucles d'oreilles, elle a déjà appelé un taxi. Je lui laisse tout, je ne discute rien, je ne veux même pas partager les livres. Je jette deux ou trois choses dans une valise et je m'en vais. Salut.*

— Salut, j'y vais.

— Tu vas où ?

— À Lyon, je te l'ai dit.

— Envoie-moi une carte postale.

— Une carte postale ?

— Oui. Ça me ferait plaisir. Salut.

Elsa rit, prend son sac en chamois moucheté et sort de la pièce. *Qui sait si l'écrivain berlinois a la bite molle comme un bonnet ou dure comme un képi ?*

J'embrassai le nombril d'Italia, c'était un nombril fripé et rentrant. Ce petit nœud de chair m'aspirait à l'intérieur. Là s'était noué son lien avec la vie. À présent il me semblait pouvoir le traverser, entrouvrir des lèvres cette porte molle pour y glisser la tête, puis les épaules, l'une après l'autre, puis tout entier. Oui, je voulais être dans son ventre, entortillé et gris comme un lièvre. Mes yeux se refermèrent sur ma propre salive, j'étais un nouveau-né dans sa bulle d'eau. *Fais-moi naître, fais-moi renaître, mon amour. Je prendrai davantage soin de moi. Je t'aimerai sans te maltraiter.*

J'ouvris les yeux, je regardai le peu qui nous entourait, la commode laquée, la descente de lit aux rayures passées et, derrière les vitres, le pilier gris du viaduc. Et puis la photo de cet homme, posée contre le miroir.

— Qui est-ce?
— Mon père.
— Il est vivant?
— Je le vois plus depuis longtemps.
— Pourquoi ça?
— La famille, c'était pas son truc.
— Et ta mère?

— Elle est morte.

— Et tu n'as pas des frères, des sœurs ?

— Tous plus vieux que moi, tous éparpillés en Australie.

— J'aimerais voir ton village...

— Y a rien. Y avait une belle église, mais le tremblement de terre l'a rasée.

— Peu importe, je veux voir où tu as grandi, la rue où tu habitais.

— Pourquoi ?

— Pour savoir où tu étais avant que je te connaisse.

— J'étais là-dedans.

Elle me toucha le ventre, sa main était brûlante.

Cet après-midi-là, je la conduisis dans mon coin à moi, Angela, ce quartier décent d'ouvriers et de petits employés, qui du temps de mon enfance était loin du centre, mais qui, aujourd'hui, avec l'extension considérable de la ville, est presque devenu central. Il y a des cinémas, des restaurants, un théâtre et une infinité de bureaux. Nous entrâmes dans ce parc qui me semblait immense quand j'étais petit mais qui est au contraire de dimensions modestes, mal entretenu et écrasé par les immeubles. Il ressemble à un coupon de vieux tissu égaré parmi des rouleaux de bande plâtrée. Je cherchai l'endroit exact où ma mère s'arrêtait, sous un arbre, pendant que je jouais. Elle emportait une couverture, l'étendait sur l'herbe et s'asseyait dessus. Je crus reconnaître l'arbre, nous nous assîmes dessous. Italia regardait devant elle, un homme passait avec un chien.

— Tu étais comment quand tu étais petit ?

— Comme ça, toujours un peu grincheux.

— Pourquoi ?

— J'étais gros et peureux, et je transpirais... Peut-être que j'étais grincheux parce que je transpirais. Je transpirais parce que j'étais gros et j'avais peur de me faire mal.

— Et puis ?

— Et puis j'ai grandi, je suis devenu maigre, je n'ai plus transpiré. Mais je suis toujours un peu grincheux, c'est mon caractère.

— Moi je te trouve pas grincheux.

— Si, je le suis. Seulement je cache bien mon jeu.

Le grand escalier de l'école. Trente années ont passé, mais il est encore là, tel quel. Il y a toujours ce morceau de cour entouré d'une grille noire, et même la couleur du crépi est demeurée identique, le même jaune pâle. Le jour s'en va, la lumière se fait rare, mais résiste pour nous deux qui sommes dehors depuis un bon moment et réussissons encore à nous voir, les couleurs de nos vêtements et celles de nos mains entrelacées seulement plus sombres. Je voulais parler, mais je suis muet, terré parmi mes souvenirs. Nous sommes assis sur une marche en marbre, tout en haut, le dos contre la grille. De cette position, avec mes camarades, j'ai vu beaucoup de matins, mais aucun coucher de soleil. Et tandis que tout s'efface, je sens que la vie est suave, même si elle ne fait que passer. Ce qui compte, c'est qu'il reste une école, une grille contre laquelle appuyer son dos. Un lieu qui nous ait vu enfant et nous retrouve adulte, un jour de la semaine, par hasard. Et ainsi je savais que rien n'avait changé, que j'étais toujours le même, et que peut-être on ne change jamais, Angela, on s'adapte, c'est tout.

— Tu étais bon, à l'école ?

— Malheureusement oui.

— Pourquoi malheureusement?

*Malheureusement parce que ensuite je t'ai violée.
Malheureusement parce que je n'ai pas pleuré quand
mon père est mort. Malheureusement parce que je
n'ai aimé personne. Malheureusement Timoteo a eu
peur de la vie, Italia.*

Nous marchons et j'ai la tête dans d'étranges
limbes, où les souvenirs sont flous et se mêlent au
présent. Je serre Italia contre moi et nous nous en
allons comme des éclopés le long des rues, tels deux
amoureux dans une ville étrangère, car, cette nuit,
cette partie de la ville qui m'a vu enfant m'est
inconnue.

Les gens passent, nous effleurent. Ils ne savent pas
combien nous sommes amoureux. Ils ne savent pas
qu'elle est enceinte. Et je me retrouve par hasard sous
ce qui était mon immeuble. Nous avons débouché
d'une petite rue en descente. Il y a une pizzeria au
coin, on sent une bonne odeur de pizza. J'ai pensé
que nous pourrions en manger une part, et me voici
sous ma maison.

— J'y ai vécu jusqu'à seize ans, au deuxième
étage. Tu ne peux pas voir les fenêtres, elles donnent
sur la cour intérieure. Mais attends...

Nous enjambons un muret en brique et nous
sommes dans la cour.

— La voilà. C'était celle-là, ma fenêtre.

— Montons, fait Italia.

— Non...

— Le concierge est dans sa loge, on n'a qu'à lui
demander. Ils t'ouvriront, tu penses bien qu'ils
t'ouvriront.

C'est elle qui me traîne en haut jusque devant la
porte. Une jeune femme ouvre. Je ne la regarde pas,
je regarde derrière elle. Elle nous fait entrer. Il n'y a

même plus de murs, juste une grande pièce avec du parquet sombre et une bibliothèque en métal au fond, un canapé blanc et un téléviseur par terre. La fille est jolie, aussi moderne que sa maison, avec Italia elles se regardent comme deux chiens de races différentes. Je ne reconnais rien. Je souris.

— Vous voulez boire quelque chose ? Du thé ?

Je secoue la tête, Italia la secoue avec moins de conviction. Elle, peut-être, resterait volontiers à regarder cette jeune femme sophistiquée aux cheveux plats et noirs comme du pétrole. Les poignées des fenêtres sont les mêmes...

— Oui, nous avons gardé les châssis.

La fille habite là depuis moins d'un an.

— Avant il y avait un couple, mais ils se sont séparés. Je l'ai eu pour un bon prix.

Je m'approche de la poignée et l'effleure. Derrière moi, il n'y a rien de ce dont je me souviens, rien. Ainsi, je sais désormais que mes souvenirs se nichent dans un lieu qui n'existe plus, qui a été balayé de la surface de la terre, et que ces quatre pièces, cette salle de bains, cette cuisine, vivront seulement en moi. Tout ce qui paraissait inamovible n'existe plus à présent. Évaporée la cuvette des toilettes, évaporées les assiettes, évaporés les lits. Il n'y a pas trace de notre passage, l'odeur de ma famille a disparu à jamais. Qu'est-ce que je suis venu faire ici ? je me dis. Je m'agrippe à la poignée, la seule chose qui reste, cette petite anse de laiton... Je prenais une chaise pour l'atteindre. Je lorgne dehors, et même la vue est différente. De nouvelles constructions ont resserré l'horizon. La cour est identique, mais remplie de voitures garées.

— Merci.

— Je vous en prie.

Et nous sommes de nouveau dans la rue, on sent encore l'odeur du pain chaud.

— Ça t'a fait quelque chose ? demande Italia.

— Ça te va, une pizza ? je réponds.

Nous mangeons sur le chemin du retour, moi à grandes bouchées tout en conduisant. Italia me caresse une oreille, une partie du visage, de la tête. Elle sait que je souffre, elle est désolée. Elle ne se défile pas devant la douleur, au contraire, elle va à sa rencontre. Cette main me réconforte.

Plus tard, sur le lit, alors que je lui embrasse encore le ventre, elle me dit :

— Moi, je me fais une raison, tu sais. Si tu veux, je me fais une raison. Mais dis-le-moi maintenant, dis-le-moi pendant qu'on fait l'amour.

Aimer n'a jamais été chose facile pour moi, Angela. Crois-moi, ça ne l'a pas été, il a fallu que j'apprenne. Il a fallu que j'apprenne à caresser une femme, à poser les mains au bon endroit. Des mains de plâtre, dans l'amour j'ai toujours eu des mains de plâtre.

Les voitures passent sur le viaduc, elles font trembler les murs de la maison. Le bruit rebondit à l'intérieur depuis la fenêtre. Les vitres vibrent, branlantes, tenues par un morceau de Scotch attaqué par le soleil.

— J'étais en CM2, il y avait une robe sur un stand au marché, une robe de tulle à fleurs rouges. C'était un samedi, je me baladais sur le marché, mais je revenais toujours à ce stand pour regarder la robe. C'était l'heure du déjeuner, le marché était à moitié vide, les autres stands rangeaient leur marchandise. Il y avait un homme qui pliait des pulls. « Tu veux l'essayer ? » il me dit. Je lui dis que je n'ai pas d'argent. « Ça coûte rien d'essayer. » Je monte dans le camion, l'homme m'aide à monter. J'essaie la robe derrière une espèce de rideau. L'homme vient lui aussi derrière le rideau et commence à me toucher : « Elle te plaît, la robe... » Je ne peux pas bouger et donc je reste immobile pendant que ce type me touche. Après il transpire de partout : « Ne dis rien à personne », et il m'offre la robe. Je marche avec les jambes qui sont comme du coton, j'ai mes vêtements à la main et la robe à fleurs sur le dos. À la maison, je l'enlève, je la mets sous le lit. La nuit je me réveille, je fais pipi dessus parce que je pense que cette robe ne m'apportera que des mauvaises choses. Le lendemain je la brûle. Personne ne le sait, mais moi j'ai l'impression que tout le monde le sait et que tout le monde peut m'emmener dans un camion pour me faire des saloperies.

C'est la première fois qu'elle me parle d'elle.

Elsa est rentrée de voyage, son sac est sur la table dans l'entrée, à côté de ses lunettes de soleil. Une odeur de curry me parvient, ainsi qu'une musique que je ne reconnais pas, on dirait la pluie sur les vitres et le vent dans les arbres, ta mère a sans doute acheté un nouveau disque. Dans le séjour, la table est dressée. Ce soir, sur ce plateau en ardoise et merisier, il n'y a pas les piles habituelles de livres et de journaux, il y a une bouteille de vin français, une bougie bleue et les verres à longue tige.

Ta mère s'est mise à la porte de la cuisine.

— Salut, mon amour.

— Salut.

Elle me sourit. Elle est maquillée, elle a brossé ses cheveux et porte un pull-over ivoire à manches courtes et un pantalon noir, un petit tablier de cuisine serré autour de la taille.

Je verse le vin dans les verres et je la rejoins à la cuisine. Elle est collée à ses fourneaux, elle remue le contenu d'une casserole avec une cuillère en bois.

— Comment était ton voyage ?

— Ennuyeux. Tchin.

Nos verres s'entrechoquent.

— Pourquoi ça ?

— Ils sont tous devenus si nuls.

Elle fronce les sourcils, boit, puis abandonne la cuillère en bois et fait un pas vers moi.

— Un baiser.

Je me voûte pour atteindre ses lèvres. Elle se serre contre moi et c'est comme si tout son corps cherchait une nouvelle place entre mes bras. Peut-être est-ce exactement le contraire de ce que je pense, il s'est passé quelque chose au cours du voyage.

— Tu t'es fait virer?

— Non, pourquoi? J'ai l'air d'être au chômage?

Je prends le pain et je commence à le couper. Elle est derrière moi, somptueuse comme toujours, elle remplit les lieux de sa présence. Mais elle paraît plus réservée, une étrange retenue l'accompagne, penchée sur cette casserole, sur cet agneau à l'étouffée qu'elle surveille avec une attention extrême. Je dois lui parler, je dois lui dire que je vais m'en aller, que je ne serai plus l'homme de cette maison.

Nous nous asseyons à table. Même la nourriture est plus recherchée que d'habitude.

— C'est trop piquant, hein?

— Non, ça va très bien.

J'ai la bouche en feu, j'avale une gorgée de vin. Je veux manger en vitesse, la conduire vers le canapé et lui expliquer la situation. Mais je n'imaginais pas la trouver si désarmée. Elle a mis trop d'épices dans ce ridicule ragoût exotique et à présent elle semble absolument mortifiée. Elle exhibe une partie d'elle-même qu'elle gardait bien cachée, peut-être a-t-elle compris qu'elle m'avait perdu. Dommage, il fallait y penser avant. Maintenant il est trop tard, ces attentions inopinées m'embarrassent, me mettent mal à l'aise. Le vin français et la bougie ne suffiront pas à nous faire revenir en arrière. Ou peut-être y a-t-il une surprise

180

qui m'attend sous ce pull en cachemire ivoire. Peut-être est-ce elle qui veut me quitter. Elle appuie le verre contre sa joue, le vin danse légèrement dans la transparence du verre, il lui colore le nez et une partie du visage.

Je soulève ma serviette. Dessous il y a une carte postale, une vue de la vieille ville avec un homme et une femme en costume traditionnel assis devant une porte bleue.

— Tu ne me l'as pas envoyée.

— Je n'ai pas eu le temps.

Je retourne la carte et je lis. Trois mots, rien d'autre que trois mots écrits au stylo-bille.

— Hein ? je souffle.

Elsa a les yeux couleur de vin, le vin qui fait danser des reflets rouges sur son sourire.

— Eh oui.

Je ne dis rien, je respire. Avant toute chose je respire... Je reste immobile, car si je bouge, je tombe. Je trébuche et je tombe à la renverse, comme m'y pousse ce sourire.

— Tu es heureux ?

— Bien sûr.

Mais je ne sais pas où je suis, ni ce que je pense. Ses yeux me rappellent une route de nuit, qui se ferme à l'horizon, parmi les arbres, parmi les branches.

— Je vais chercher la crème caramel.

Je suis enceinte, trois mots écrits au stylo-bille au verso d'une carte postale bleue. Maintenant elle fouille dans le réfrigérateur et je suis là devant cette bougie immobile dans le vent. Un vent qui s'est soudain levé, une poussière qui m'aveugle. Je ferme les yeux et je me laisse malmener... Je n'arrive à penser à rien, il est trop tôt. J'avale la crème caramel en quelques bouchées, puis je reste un doigt posé sur l'assiette, je le trempe dans ce fond de sucre marron et le porte à ma bouche.

— Tu l'as su quand?

— J'avais un peu de retard, j'ai acheté des boules Quies parce que je les avais oubliées et j'ai demandé un test de grossesse. Et puis je l'ai oublié dans mon sac, je l'ai fait seulement ce matin à l'hôtel avant de partir... Quand la petite bulle est montée, je suis restée à la regarder je ne sais combien de temps. Le taxi était en bas et je n'arrivais pas à quitter la chambre. Je voulais te le dire tout de suite, j'ai essayé de t'appeler à l'hôpital, mais tu étais déjà en salle d'opération. Après, j'ai marché avec une main sur le ventre, j'avais peur que quelqu'un me heurte.

Ses yeux étaient brillants, une larme coulait à côté du verre le long de sa joue, la lueur de la bougie dansait sur ses émotions. Le premier murmure de toi, Angela, je l'ai entendu sans joie, avec la gorge qui brûlait.

— Serre-moi.

Je la serre, et je cherche le repos, enfoui dans ses cheveux. *Que vais-je faire d'elle? Le vent emporte au loin tout ce que je croyais vouloir. Je suis un misérable paumé dans la vie.*

Je bois un whisky. Le vent se calme et me permet de rejoindre le canapé, de m'asseoir. Elsa se pelotonne de l'autre côté, met un coussin sous son dos, retire ses chaussures. Le disque est fini, mais elle l'a remis, et cette musique d'eau qu'elle a choisie parce qu'elle est enceinte reprend. Elle tortille ses cheveux entre ses doigts, de temps en temps elle dit quelque chose, mais ce sont surtout ses longues pauses que j'écoute. Elle ne me lâche pas du regard. Je suis affreux, je ne me suis même pas lavé les cheveux, mais à ses yeux je suis un miracle. Je l'ai fécondée, j'ai été capable de changer le cours de ses projets et ce simple fait doit lui sembler un miracle. Elle soupèse notre futur, la mère, le père que nous serons. Avec ces yeux rêveurs, depuis le ciel de sa plénitude, elle m'assigne la place qu'elle a choisie pour moi dans la vie terrestre. Et déjà tu es là, entre nous, Angela. M'aurais-tu choisi comme père si tu avais su dans quel état d'esprit je t'accueillais ? Je ne crois pas. Je ne crois pas t'avoir méritée. Tu étais déjà là, une mouche glissée dans le ventre de ta mère et je ne t'ai même pas gratifiée d'une pensée tendre, ne crois pas que je l'aie oublié. Tu es apparue dans cette maison le soir où j'avais décidé de la quitter et tu n'as fait qu'une bouchée de mon destin. Pour toi, petite mouche innocente, pas même une pensée. Pour toi, égarée dans la poudrière de ces cœurs adultes qui ne sont sûrs de rien, qui ne savent pas qui ils sont ni ce qu'ils veulent, qui ne savent pas où ils iront.

Ada est sortie de la salle d'opération. Deux infirmières courent derrière elle. Elles ont ouvert la petite armoire aux instruments, j'ai entendu la vitre de la porte qui vibrait...

— Qu'est-ce qu'il y a?

Ada est très pâle. Elle vient à ma rencontre.

— On doit lui donner de l'adrénaline. Il y a un problème de ventilation des poumons, la pression sanguine baisse.

— À combien?

— Soixante-dix.

— Et le cœur?

— Il est monté à cent quatre-vingts...

— Il y a une hémorragie interne.

Son visage est une supplique.

Je me poste devant le hublot. Je connais ces moments extrêmes. Quand le silence se fait, quand les gens deviennent des ombres qui bougent ensemble, par vagues. Ils s'essoufflent, puis s'éloignent de la table d'opération... Ils regardent le moniteur dans l'attente d'un signe, d'un tracé qui reprenne. Ils s'écartent comme s'ils sentaient le froid de la traversée, immobiles dans ce no man's land où la vie s'est arrêtée et où la mort n'est pas encore là. Quand l'impuissance habite les mains, les regards, quand on sent qu'on n'y arrivera pas et que ce catafalque de chiffons verts montre son visage le plus cruel : sous le linceul de toile, il y a une personne qui s'en va. J'entends le bip des moniteurs qui sonnent l'alarme. La pression baisse. Alfredo hurle : « On se bouge ! Elle est en arrêt ! » et le masque a glissé de sa bouche.

Je cours vers toi, vers ton cœur. Mes griffes de père sont sur ton thorax. J'appuie, un coup, un autre. Écoute la fureur de mes mains, Angela, dis-moi qu'elles valent encore quelque chose. Aide-moi, petite fille courageuse, et excuse-moi si je laisse un bleu sur ta poitrine. Autour, c'est le silence. Nous sommes dans un aquarium, des poissons sans branchies, nous nous débattons sans dire un mot. On entend seulement le bruit de mes pressions sur ton corps, le gémissement de mon espoir. Où es-tu ? Tu flottes au-dessus de moi, tu me regardes d'en haut, au-dessus de ce groupe d'ombres en blouse et peut-être as-tu pitié de moi. Non, je ne te laisserai pas partir. N'y compte pas. À chaque pression je te récupère, morceau par morceau. Tes pieds hors du lit, ton dos courbé sur tes cahiers, toi qui manges un sandwich, toi qui chantes, ta tasse à thé, ta main sur l'anse. Je ne te laisserai pas partir. Je l'ai promis à ta mère. Elle vient de partir. Avant de monter dans l'avion, elle m'a encore appelé. « Je t'en supplie, Timo, sauve-la... » Elle a sangloté dans le combiné. Elle ne sait pas que pour un chirurgien l'amour est contre-indiqué. Elle ne sait rien de mon métier. Ça la terrorise de penser que je vous caresse avec les mêmes mains qui me servent à éventrer les gens. Et pourtant j'ai vu des choses sous ces mains d'horloger sanguinaire... J'ai entendu des murmures qui ne provenaient pas de la chair, des vies qui luttaient avec une soudaine ténacité, comme si elles bénéficiaient d'un secours qui ne fût ni le mien, ni celui des machines. Des vies qui imploraient encore et, sous mes yeux incrédules, obtenaient. À présent, Angela, tu es devant ce mystère, dont on dit qu'il est lumière. Je t'en prie, demande à Dieu de te laisser à ces petites ténèbres terrestres où nous habitons, ta mère et moi.

— Elle revient... Elle est revenue.

C'est la voix d'Ada.

Le battement du cœur est réapparu sur ce putain de moniteur.

À présent l'aiguille intracardiaque est entrée dans ta poitrine. Ada appuie sur le piston. Mes mains tremblent, elles n'arrivent pas à s'arrêter. Je suis complètement trempé, j'inspire, je déglutis, tandis qu'autour la respiration des autres reprend.

— Dopamine en IV.

— Elle revient à la normale.

Bienvenue, trésor, tu es de retour dans le monde.

Alfredo me regarde. Il essaie de sourire, mais il s'égosille seulement :

— Elle plaisantait... Elle nous a fait une blague.

— La rate, c'est elle qui saignait...

Je n'ai pas regardé le trou dans ta tête. J'ai vu une tache claire qui devait être ta peau, mais je n'ai pas regardé à l'intérieur. Alfredo continue, moi je ne reste pas. J'ai transpiré et maintenant je tremble, il fait noir, je vais m'évanouir.

Je regardais les malades en passant à côté d'eux et je cherchais un lit vide. Oui, j'aurais aimé me glisser dans une de ces fentes blanches et rester ainsi à attendre quelqu'un qui prenne soin de moi. Un thermomètre sous le bras, une pomme cuite, un pyjama qui me soustraient au monde.

Je voulais dire la vérité à Italia, au lieu de cela je la serrai et fermai les yeux. Elle avait déjà une tête de chatte pleine, où souvent affleurait le désagrément d'une nausée, je ne pouvais pas lui faire peur. Nous fîmes l'amour, et seulement après je m'aperçus que je l'avais aimée comme si je l'avais déjà perdue. Je ne voulus pas me retirer, je restai en elle jusqu'à me ratatiner, je restai jusqu'à ce qu'il fasse froid. Car alors la maison était gelée. Sur le couvre-lit en chenille, il y avait un vieux plaid qui ne suffisait pas à nous réchauffer. Le chien était recroquevillé au fond du lit, près de nos pieds. Écrasée sous le poids de mon corps, elle demandait :

— Pourquoi tu m'aimes ?

— Parce que c'est toi.

Elle me prit une main et la posa sur son ventre. Cette main me tourmentait, elle s'était enlisée dans un jardin de pensées lugubres. Italia en savait trop long sur moi pour ne pas s'en apercevoir.

— Qu'est-ce que tu as ?

— Un peu de fièvre.

Elle m'apporta un verre où grésillait une aspirine.

Et peut-être un pressentiment lui vint-il, mais elle le chassa aussitôt. La grossesse lui faisait l'offrande d'une timide confiance. Pour la première fois, son regard se détachait du présent et se hasardait au-delà. C'est moi qui lui avais fait lever la tête vers cet horizon bienveillant qu'elle avait honte de désirer.

Ta mère est à l'hôpital. Elle m'a rejoint vers onze heures, nous prenons quelque chose au café. Manlio et d'autres collègues médecins sont autour d'elle, ils savent qu'elle est enceinte, ils la comblent de félicitations qu'elle accueille avec une série de ces sourires qui font un creux dans ses joues, qui la remplissent de lumière. Elle est là pour une échographie, la première. C'est ma femme, elle marche à côté de moi le long des escaliers, amincie dans son tailleur anthracite. Manlio nous suit. Il plaisante. Il m'envie. Elsa est si belle dans cette sinistre boîte couleur pigeon, parmi les malades qui circulent en pyjama, on dirait une actrice en visite de bienfaisance. Pâle, défait, tellement semblable à ce lieu où je passe mon existence, je me cache derrière elle, comme dans les pas d'une mère.

Elle soulève son chemisier, baisse sa jupe et découvre son abdomen. Manlio lui étale le gel sur le ventre :

— C'est froid ?

— Un peu.

Elle rit. Peut-être est-elle plus nerveuse qu'elle ne veut bien le montrer, tandis que la sonde la parcourt. Je suis debout et j'attends. Manlio plonge sous le nombril d'Elsa pour chercher dans l'utérus la zone où s'est implanté l'embryon. Je ne sais pas à quoi je pense, Angela, je ne me souviens pas, mais peut-être que j'espère qu'il n'y a rien. Ta mère a le visage figé, elle explore le moniteur en tendant le cou, elle a peur que son rêve ne se voie pas. Et tu apparais, Angela, un petit hippocampe avec un point blanc qui va et vient. Ton cœur.

C'est ainsi que je t'ai vue la première fois. Quand le moniteur s'est éteint, ta mère avait les yeux humides. Elle a relâché le cou et respiré fort. Mon regard est resté sur cet écran noir. Tu n'étais plus là. J'ai pensé à Italia, elle aussi avait un petit hippocampe dans le ventre. Mais il n'apparaissait pas sur le moniteur, il était promis à l'obscurité.

Le soir, j'ai marché jusqu'à l'endroit des croquettes de riz. J'ai mangé en regardant un téléviseur allumé contre le mur, sans entendre le son, car autour de moi les gens faisaient du bruit. Des gens solitaires qui mangeaient debout sur un tapis de sciure et de serviettes en papier graisseuses. Je suis ressorti, étourdi et impuissant, je me suis cogné contre la nuit. Les magasins étaient fermés et la ville prenait le chemin du repos. Je suis entré dans une cabine pour téléphoner, le combiné était séparé de son fil, qui pendait comme mort. J'ai dit : J'appelle de la prochaine cabine. Pourtant je ne me suis plus arrêté, j'ai continué tout droit.

À la maison, Elsa est sur le canapé avec Raffaella, elles parlent, j'entends leurs voix tandis que je pose ma serviette. Raffaella se lève, me submerge de sa chair, je pose sur elle des mains réticentes. Elle est pieds nus, du coin de l'œil je vois ses chaussures sur le tapis.

— Je suis si contente, je vais enfin pouvoir être marraine !

Elle vibre dans le transport de cette étreinte passionnée. Ses chaussures sont là, séparées de ses pas.

— Bonne nuit.

— Tu vas déjà te coucher?

— Je dois me lever très tôt demain.

Elsa me tend une joue tiède par-dessus le dossier du
canapé, je l'effleure. Raffaella me regarde de ses yeux
ronds et enfantins :

— Ça t'embête si on discute encore un peu?

*Parle tant que tu veux, Raffaella, fais souffler ce
cœur tant qu'il est en vie, nous sommes tous embarqués
sur le même bateau ivre.*

Le lendemain je suis dans l'avion. Je vais à un
congrès, une affaire brève, aller et retour dans la journée. Manlio est à côté de moi, du bras il me vole même
l'accoudoir. Je sens l'odeur de son après-rasage. J'ai le
siège côté hublot, je regarde l'aile blanche sur le fond
gris de la piste. Nous sommes encore au sol. En bas, ce
n'est pas terrible, l'air est sale et épais, mais au-dessus
des nuages il y aura peut-être du soleil. L'hôtesse passe
avec le chariot de journaux. Manlio regarde son cul.
Quand nous serons en vol, je prendrai un café, une
tasse de « jus de chaussettes », comme dit Manlio. *Il
faut que je descende, l'avion va s'écraser, il faut que je
descende, je ne veux pas crever à côté de Manlio, une
tasse de jus de chaussettes à la main.* Je me sens mal, je
transpire, mon cœur maltraite ma poitrine, je ne sens
plus mon bras. *Non, je vais mourir d'un infarctus,
debout dans ces gogues en métal qui dansent, avec les
sachets de serviettes rince-doigts qui flottent dans
l'évier.* Je me lève.

— Où tu vas?

— Je descends.

— Tu déconnes?

Ils ont déjà fermé les portes, l'avion bouge. L'hôtesse m'arrête :

— Excusez-moi, monsieur, où allez-vous ?

— Je dois descendre, je me sens mal.

— Je vous appelle un médecin.

— Je suis médecin. Je me sens mal, laissez-moi descendre.

Je dois avoir un aspect impressionnant. La fille en uniforme, avec les cheveux blonds attachés et un petit nez inoffensif, recule et entre dans la cabine de pilotage. Je m'y glisse moi aussi. Deux hommes en chemisette blanche se tournent et me regardent.

— Je suis médecin, je suis en train de faire un infarctus, ouvrez les portes.

La passerelle s'approche de l'avion, la porte s'ouvre. De l'air, enfin de l'air. Je dévale les escaliers, Manlio me suit. L'hôtesse l'appelle :

— Qu'est-ce que vous faites ? Vous aussi, vous descendez ?

Manlio lève les bras, dans le vent qui lui arrache la veste :

— Je suis un collègue ! crie-t-il.

Et nous nous retrouvons sur cette étendue d'asphalte. Un employé de l'aéroport nous ramasse dans sa petite auto et nous conduit vers la sortie. Je ne parle pas, j'ai les bras croisés, la bouche close. Mon cœur a retrouvé son rythme. Manlio enfile ses lunettes de soleil, même s'il n'y a pas de soleil. Nous descendons.

— On peut savoir ce qui t'a pris ?

Je m'efforce de sourire :

— Je t'ai sauvé la vie.

— Tu crois qu'il va s'écraser ?

— Non, plus maintenant. On n'arrive jamais à sortir d'un avion qui va s'écraser.

— Tu t'es chié dessus ?

— Oui.

— Moi aussi.

Et nous rions, et nous allons au bar prendre un bon café, et le congrès saute.

— Qu'est-ce que ça peut foutre ? dit Manlio.

Il aime bien les imprévus. Et c'est là, debout, que je le lui dis. Je lui raconte tout, les joues pendantes, car j'ai la tête baissée sur la tasse vide et je joue avec la petite cuillère sur le fond noir. Là, au bar de l'aéroport, avec les gens qui mangent des sandwichs en surveillant leurs bagages, je vide le sac de mes émotions, de mes désirs, comme un vieil adolescent noyé dans une histoire d'amour. Et peu importe que Manlio soit la personne la moins indiquée pour cela. J'ai besoin de le dire à quelqu'un et il est là près de moi, avec ses yeux de sanglier. Nous sommes amis, amis par erreur, nous le savons tous les deux, mais il y a ce moment d'intimité, contre ce comptoir de métal, avec nos tasses vides depuis longtemps.

— Mais c'est qui, celle-là ?

— Tu l'as vue.

— Je l'ai vue ?

— Un soir, pendant ce congrès d'oncologie. Elle était à la table à côté de la nôtre...

Il secoue la tête :

— Je me souviens pas.

Les gens passent, Manlio a allumé une cigarette, même s'il est interdit de fumer. Je regarde devant moi et je le dis, à lui, à moi-même, à ce fleuve de gens inconnus qui s'écoule devant moi. Je le dis parce que j'ai besoin de le dire :

— Je suis amoureux.

Manlio éteint son mégot avec le bout de son mocassin :

— On prend le prochain avion ?

Je gare la voiture, ramasse ma serviette sur le siège et marche vers l'hôpital. Soudain Italia débouche, soudain elle est tout près de moi. Elle pose une main sur mon bras, elle cherche ma chair à travers le tissu de ma veste. Plus que me surprendre, elle m'effraie. Elle est hâve, sans maquillage. Elle n'a même pas pris la peine de couvrir son front avec ses cheveux, ce grand front opprimant qui écrase ses yeux. Je regarde autour de moi et alors je sais que je me protège contre elle, contre le poids qu'elle supporte ce matin.

— Viens.

Je traverse la route sans la toucher. Elle me suit la tête basse, les bras glissés sous sa petite veste en coton élimé. Une voiture ralentit, elle n'y prête pas attention, elle regarde seulement mes pas rapides. Je m'éloigne de l'hôpital, comme un voleur avec son butin scandaleux. Et je me glisse dans un chemin, jusqu'à un café que je connais.

Elle me suit le long de l'escalier en colimaçon qui mène à l'étage supérieur, une pièce vide qui pue le tabac froid. Elle s'assied à côté de moi, toute proche. Elle me regarde, ne me regarde pas, puis me regarde à nouveau.

— Je t'ai attendu.

— Excuse-moi.

— Je t'ai attendu si longtemps. Pourquoi tu ne m'as pas téléphoné ?

Je ne réponds pas, je ne saurais pas quoi lui répondre. Elle a porté une main à son visage, et maintenant son visage est rouge, ses yeux gris de pleurs. Il y a un aquarium au fond de la salle. De loin, les poissons ressemblent à des confettis.

— Tu y as réfléchi, hein ?

Je n'ai pas envie de parler. Pas ce matin, pas à cette heure.

— Ce n'est pas ce que tu crois...

— Alors c'est quoi ? Dis-le-moi, c'est quoi ?

Il y a du défi dans ses yeux, dans ces larmes qui ne veulent pas couler. Sa bouche est concentrée dans ses lèvres, elle tripote les poignets de sa veste avec insistance. Ces mains nerveuses m'agacent, et ce visage qui ne me laisse pas d'issue. Je devrais lui dire pour Elsa, mais aujourd'hui je n'ai pas envie de grosses secousses émotionnelles. Je suis fatigué d'être coincé à cette table avec elle. Il n'y a pas beaucoup de lumière, il y a de la fumée et ces petits poissons oubliés là au fond, comme des confettis à la fin du carnaval. Tout à coup elle est secouée de sanglots, se jette à mon cou, les lèvres et le nez humides.

— Ne me quitte pas...

Je caresse sa joue, mais mes mains sont insensibles, comme les pattes d'un animal. Elle respire contre moi, m'embrasse. Elle a une haleine étrange, de sciure, d'estomac retourné. Je l'aspire. J'aspire ce souffle qui me donne la nausée.

— Dis-moi que tu m'aimes.

— Arrête.

Mais elle a perdu tout contrôle d'elle-même.

— Non, j'arrête pas..

194

Elle s'agite sur sa chaise, sanglote. Des pas montent l'escalier. Un gamin se glisse par la porte des toilettes, un gamin qui va au lycée, son sac à dos sur les épaules. Italia se traîne de son côté, elle est plus calme. Je prends sa main :

— Il faut que je te dise quelque chose.

Elle me regarde et maintenant son front semble de plâtre.

— Ma femme... Elle est malade.

— Qu'est-ce qu'elle a ?

Dis-le-lui, Timoteo, dis-le-lui maintenant, avec cette bouche impropre où stagne sa misère. Dis-lui que tu attends un enfant légitime, héritier de ta vie stérile et médiocre. Dis-lui qu'elle doit se faire avorter, car maintenant c'est le bon moment, maintenant qu'elle te fait peur, et que tu penses : quelle mère pourra bien être une femme aussi désespérée ?

— Je ne sais pas..., je dis, et je recule avec mon buste, avec ma lâcheté.

— Tu es docteur et tu ne sais pas ce qu'a ta femme ?

Le gamin est sorti des toilettes, nous le regardons sortir, lui aussi nous regarde. Il a les yeux noirs et une barbe naissante. Il passe à côté de l'aquarium et disparaît dans l'escalier en colimaçon.

— Je vais aux toilettes.

Elle chancelle sur le carrelage, puis d'un coup prend son élan et se jette contre le mur la tête la première, si fort qu'elle rebondit. Je me lève et je la rejoins.

— Mais qu'est-ce que tu fais ?

Elle rit et me repousse de l'épaule. Ce rire m'effraie plus que n'importe quelles larmes.

— De temps en temps j'ai besoin d'un bon coup.

Nous sommes à nouveau dehors, nous marchons lentement.

— Tu as mal à la tête ?

Elle est distraite, elle regarde les gens qui viennent dans l'autre direction.

— Je t'accompagne jusqu'à un taxi ?

Mais elle monte dans un bus, le premier qui passe.

Je tourne le dos, je marche vers l'hôpital. Et je ne pense plus qu'à moi. Aujourd'hui, ne pas l'aimer a été la chose la plus facile du monde. Et tandis que j'opère, tandis que mes mains sont sur un foie, elle pèse sur moi comme une chose désagréable. Je la vois qui frappe à la porte de chez moi, se fait passer pour une représentante, ou une de ces ombres qui se promènent dans les copropriétés et échappent à la vigilance des gardiens. Elle a les yeux sombres quand elle sonne, et elle tremble, ses yeux s'illuminent quand elle voit Elsa et la prie de la laisser entrer. Elsa est encore endormie, elle porte sa chemise de nuit écrue, son corps nu et chaud sous la soie transparente. Italia est petite, elle a des auréoles humides sous les bras parce qu'elle a transpiré, elle a transpiré dans l'autobus, elle a transpiré toute la nuit, elle s'est tournée dans son sommeil. Elle regarde l'appartement, les livres, les photographies, les seins d'Elsa, turgescents, encore brunis par le soleil. Elle pense à ces deux oignons vides qui reposent sur ses côtes et au cœur qui bat dessous. Elle porte cette jupe ridicule avec la bande élastique qui lui glisse sur les hanches. Elsa lui sourit. Elle est solidaire des créatures de son sexe, même les plus modestes. C'est une femme émancipée, l'indulgence lui paraît être un devoir. Italia non, elle porte un enfant dans son ventre, sous cette jupe à deux sous, et elle n'est pas indulgente. Elsa se tourne :

— Dis-moi, que veux-tu ? (En général, elle tutoie les filles de milieu social inférieur.)

Italia se sent mal, elle a des vertiges, elle n'a pas dormi, pas mangé.

— Rien, dit-elle, et elle revient sur ses pas vers la porte.

Puis ses yeux rencontrent l'enveloppe blanche de l'échographie dans l'entrée...

Entre la première et la deuxième intervention, j'appelle Elsa.

— Comment ça va ?

— Très bien.

— Tu ne sors pas ?

— Bientôt. Je suis en train de retranscrire une interview.

— N'ouvre à personne.

— Et à qui j'ouvrirais ?

— Je ne sais pas. Demande toujours qui c'est.

Une pause, puis son rire déferle dans le combiné. J'imagine ses joues, ces petits creux dans sa chair quand elle rit.

— La paternité te fait un drôle d'effet. On dirait ma grand-mère.

Je ris moi aussi, car je me sens ridicule. Tout va bien chez moi, ma femme est solide, grande et solide.

Le soir, je regarde par la fenêtre. Je suis dans la chambre à coucher, j'écarte les rideaux et je scrute la rue en contrebas, sous le feuillage des arbres, d'un côté puis de l'autre, là où clignote le feu rouge. Il n'y a rien, seulement une voiture qui passe, une voiture anonyme qui ramène quelqu'un chez lui. C'est elle que je cherche. Je ne sais pas si je la cherche parce que j'ai besoin d'elle ou parce que j'ai peur qu'elle soit postée là-dessous, qu'elle nous espionne. Je regarde les toits, les antennes, les dômes, dans la direction où elle habite, au-delà de cette avenue peuplée de silhouettes nocturnes, postées devant les phares d'une voiture qui les illuminent, jusqu'à ce bar qui nous a vus trop souvent, qui sait s'il est encore ouvert à cette heure-ci. Un tel fatras nous sépare, mur après mur, existences recroquevillées dans le sommeil. C'est bien que ce soit comme ça, c'est bien que je reprenne mon souffle. *Ne t'inquiète pas, Italia, c'est la vie. De magnifiques instants de proximité, puis des bouffées de vent glacées. Et si tu souffres là en bas, derrière l'ultime écueil de ciment, ta souffrance m'est inconnue à cette distance, et étrangère. Qu'importe si tu es enceinte de ma sale giclée. Cette nuit, tu es seule avec ton bagage sur le quai d'un train qui s'en va, que tu as raté.*

— Tu ne viens pas te coucher?

Je m'affaisse près de ta mère, elle a pris une douche et a encore les cheveux mouillés. Des mèches collées contournent son visage. Elle lit. Je me barricade de mon côté, je sens sa main qui bruit sur le tissu de mon pyjama.

— Qui sait comment sera...

Je me tourne un peu, je me mets de profil.

— ... le bébé. Je n'arrive pas à l'imaginer.

— Il sera comme toi, magnifique.

— Peut-être que c'est une fille. Elle a baissé son livre. Aussi laide que toi.

Elle s'approche, ses cheveux humides m'effleurent :

— La nuit dernière, j'ai rêvé qu'il n'avait pas de pieds, il naissait et il n'avait pas de pieds...

— Sur la prochaine échographie, tu les verras déjà, les pieds, ne t'inquiète pas.

Elle se remet à lire de son côté.

— Ça t'embête si je laisse la lumière allumée ?

— Non, ça me tient compagnie.

Je reste avec le drap sur les yeux au milieu de cette clarté jaunâtre. Je ne dors pas vraiment, je somnole, rassuré par cette lumière, par cette respiration près de moi, qui suggère que la vie continuera ainsi, légère, avec un parfum de shampooing. Et voici parmi mes pensées ensommeillées, qui vaguent gentiment, un bébé sans pieds qui vient vers moi. Elsa a éteint la lumière. Moi aussi je dors, mais pas assez. J'entends ta mère qui crie : « Salaud, rends-moi ses pieds ! Rends-les-moi ! »

Alors, dans les eaux bleues de la nuit, je fais ce rêve terrible. Je rêve que je vais à côté, je prends le bistouri dans ma trousse dans l'entrée et je m'émascule. Puis j'ouvre la fenêtre et je jette mon machin sur le trottoir en bas, à un chat, à Italia si elle est là. *Voilà, Chiendent. Prends le père de ton enfant.* Et je serre les jambes aussi fort que je peux. Quelle horreur, Angela, la vie attaquée à pleines dents dans la nuit, une morsure éveillée, une autre rêvée.

Le bruit monotone de la sonnerie résonnait dans le combiné, il courait en vain dans ce taudis. Loin de moi, de ma main, de mon oreille. À dix heures elle n'était pas là. À minuit elle n'était pas là. À six heures de l'après-midi elle n'était pas là. Où était-elle ? En train de faire le ménage dans je ne sais quels bureaux, d'astiquer des toilettes. Elle marchait dans les rues de la ville en rasant les murs, avec ce visage fané que je lui avais vu la dernière fois dans ce café, quand son côté acariâtre m'avait paru insupportable, humiliant pour elle et pour moi. L'humiliation des histoires d'amour en route pour le pilon, quand les amants tombent les masques et se forment une image objective de l'autre, nette, à vif, qui n'est plus travestie par leurs propres désirs. Puis on fait comme si de rien n'était, mais au fond on est déjà passé à la férocité. Car on est féroce avec ceux qui nous ont bercés d'illusions, Angela.

Ainsi, dans ce café, je l'avais regardée comme une passante, comme un de ces corps inutiles qui encombrent le monde, les rues, les autobus. Des corps que j'ouvre grands, que je fouille chaque jour sans joie, sans compassion. Mon regard de chirurgien avait glissé de ses yeux à sa main où elle appuyait son menton, pour la démasquer, découvrir ses petits défauts, un léger duvet sous le menton, un petit doigt tordu, deux rides qui faisaient le tour de son cou. Elle s'était réfugiée sous sa misérable calotte crânienne et je pouvais la regarder ainsi, de loin, et détailler ses dysharmonies. Son haleine malheureuse me rejoignit de nouveau. Elle provenait d'un corps décomposé, comme l'haleine des malades au réveil après l'anesthésie.

Le téléphone n'était pas décroché, il était en marche, un opérateur à la voix métallique me l'avait confirmé. Mais elle ne répondait pas. Peut-être était-elle chez elle, elle laissait la sonnerie planer sur son corps recroquevillé, elle la laissait la pénétrer, la secouer violemment de sa monotone intermittence qui lui donnait le frisson. C'était la seule façon pour moi de lui dire que je ne l'avais pas abandonnée. Aussi continuais-je à l'appeler, à me donner l'illusion de dialoguer avec elle à travers ce son sinistre, jusqu'au soir.

Je sortis de l'hôpital épuisé et, tout en roulant vers chez moi, je passai plusieurs fois sans attendre que le feu soit vert. J'engloutissais les rues et les faisceaux de lumière qui me saisissaient les yeux dilatés, l'air torve... Je ne me libérerais plus jamais d'elle, son souvenir continuerait à me poursuivre. Italia me dominait, elle entamait systématiquement ma volonté. Sa voix martelait mes tempes. Si présente que je me tournais pour la chercher. Si elle avait été à côté de moi sur le siège, sa veste élimée, ses mains blanches rayées de bleu, ses yeux délavés, peut-être aurais-je eu moins de mal à l'oublier.

Nora me serra dans ses bras, je sentis la bouillie de son rouge à lèvres glisser contre ma joue. Duilio et elle étaient venus dîner et le dîner avait déjà commencé.

— Félicitations au papa !

— Merci.

— C'est une grande nouvelle.

— Je vais me laver les mains.

Nora lança un paquet blanc, en papier de soie, depuis l'autre extrémité de la table. Elsa était distraite, elle ne l'attrapa pas au vol, le paquet finit dans la sauce au thon. Elle le prit et l'essuya avec sa serviette.

— Maman, je t'avais dit non.

— C'est seulement une petite chose pour vous porter bonheur. La première barboteuse doit être neuve et en soie, souvenez-vous-en.

Elsa ouvre le paquet et me le passe.

— Tiens. Tu es content ? Nous avons une barboteuse toute neuve.

Elle rit, mais je sais qu'elle est agacée. Elle ne veut pas de cadeaux pour le bébé, c'est encore trop tôt. La barboteuse est un mouchoir avec deux trous, j'y enfile mes grands doigts. À table il n'y a plus d'eau, je me lève pour remplir la cruche. J'ouvre le robinet, l'eau étouffe les voix d'à côté. La famille discute, les visages, les mains bougent. Quant à moi, je suis déjà derrière une vitre, l'habituelle vitre embuée derrière laquelle je relègue le monde quand je ne veux pas de lui, ni lui de moi. Elsa parle avec son père, lui effleure le bras. Je la vois isolée, comme découpée par la vapeur, je la vois parfaitement. Elle est à nouveau au centre du monde, la fragilité de ce soir-là, il y a à peine quelques jours, ce doute soudain, émouvant, ont disparu. Elle est à nouveau elle-même, solide et infatigable, juste un peu plus mystérieuse. Et le regard qu'elle pose sur moi est aussi celui de toujours, complice pour les choses superficielles, mais intimement distrait. Elle n'a plus besoin de moi.

Je reviens avec la cruche, je verse de l'eau à tout le monde. « Excusez-moi », et je m'éloigne. Je n'ai même pas pris la peine de fermer la porte, tant j'ai hâte de composer son numéro.

Elle n'était pas là, même le soir elle n'était pas là. Je reposai le combiné, je reposai la solitude que je sentais partout, dans ma main lourde, dans mon oreille, dans le silence de mon bureau. J'étais dans le noir, la silhouette de Nora apparut dans le miroir de la porte, comme celle d'une corneille. La lumière du couloir l'éclairait à peine, c'est moi qu'elle regardait dans l'obscurité. Ce fut bref, mais dans ce bref instant j'eus la sensation qu'elle avait compris quelque chose. Et ce n'était pas le fait que je fusse seul dans le noir, le téléphone à la main, qui lui avait fait pressentir la duplicité de ma vie, mais plutôt mon corps, si différent de ce qu'il était dans le séjour. Les épaules pliées, brisées, le regard brillant... J'étais trop éloigné de moi-même. Une intimité soudaine, dictée par le hasard (elle s'était levée pour prendre ses cigarettes oubliées dans son sac qui était dans l'entrée), se créa entre nous. C'est singulier, Angela, mais parfois ce sont les personnes les plus improbables qui arrivent à nous comprendre. Elle fit un pas vers moi dans le noir.

— Timo...

— Oui ?

— J'ai un grain de beauté dans le dos, il a beaucoup grossi. Je voulais te le montrer.

Il est trois heures du matin, ta mère dort, comme toujours. Son corps est une montagne au coucher du soleil, une silhouette sombre, impénétrable. La quitter serait peut-être moins difficile que je ne le crois, il suffit de s'habiller et de partir. Elle fera bloc contre moi, elle, sa famille, les amis. Puis, contre ce bloc, elle se fera une raison. À ma place, elle n'aurait pas eu peur, elle m'aurait déposé dehors, sur le balcon de service, comme elle l'a fait il y a peu avec le sac-poubelle.

Une pluie fine comme de la poudre se déposait sur moi sans me mouiller. Je me serrai dans mon pardessus tout en me promenant. Je n'avais pas de destination, je voulais seulement que cette nuit ne se retourne pas contre moi. Je ne me sentais pas fatigué, je marchais d'un pas léger. Je n'avais pas mangé grand-chose et le peu que j'avais mangé, je l'avais déjà digéré. Les rues étaient désertes et silencieuses. Ce ne fut qu'après quelques instants que je m'aperçus que ce silence n'était pas complet, que l'asphalte avait comme un gémissement souterrain bien à lui. La nuit, la ville est comme un monde abandonné par les hommes, vide, mais pétri de leur présence. Ceux qui s'aiment, ceux qui se quittent, le jappement d'un chien sur une terrasse, un prêtre qui se lève. Une ambulance qui traîne un malade de la chaleur de son lit vers mon hôpital. Et une pute qui rentre, ses jambes nègre comme la nuit, et l'homme qui ne l'a pas attendue et dort comme une montagne sûre d'elle et redoutable. Exactement comme Elsa. Car les personnes se ressemblent toutes dans le sommeil, elles se ressemblent pour ceux qui ne dorment pas et savent qu'ils ne dormiront pas.

Je marchais, et chaque forme semblait être Italia, les arbres qui dégageaient une étrange phosphorescence, les silhouettes métalliques des voitures immobiles, les lampadaires qui se pliaient pour se glisser dans leur propre lumière, même les terrasses et leurs corniches, là-haut. Comme si son corps immense dominait la ville.

J'enlaçai un arbre. Soudain je me retrouvai le corps serré contre un grand tronc humide. Et tout en l'enlaçant je réalisais que j'avais désiré le faire bien d'autres fois, mais je ne le découvrais que maintenant. *Peut-être qu'elle s'est suicidée, c'est pour ça qu'elle n'a pas répondu au téléphone. Sa main grise pend au bout de son bras gris, hors de la baignoire à l'émail dévoré de rouille... Le rideau en plastique soufflé par un dernier souffle de vie. Morte en pensant à moi, en essayant de m'enlacer ou de me repousser une dernière fois. Il fait nuit, l'eau sera froide. L'eau qui était bouillante pour que le sang s'écoule plus facilement de ses poignets entaillés. Elle a sans doute utilisé son canif, ou bien une lame de rasoir que j'avais laissée là. C'est important, l'instrument avec lequel on décide de se tuer, c'est déjà un testament.*

Un cri émerge de la nuit. J'ai heurté et suis tombé sur un tas de haillons : un homme qui dort par terre. Il sort la tête de son nid répugnant.

— J'ai que dalle !

Il s'agite, braille, il pense que je veux le dépouiller. Et de quoi ? De ce tas de chiffons pourris ? Des dents qu'il n'a pas, tandis qu'il ouvre grande la bouche et qu'une plainte rauque court dans la fosse brillante de sa gorge ?

— Excusez-moi, je suis tombé.

Qu'ai-je touché ? Quels miasmes ai-je respirés ? L'homme dégage une odeur terrible, comme un chien éventré au bord d'une route. *Italia aussi puait quand sa tragédie lui est tombée dessus, quand elle a compris que je la quittais, que je ne les garderais ni elle, ni l'enfant, que je lui offrirais de l'argent, encore une fois...* Je veux fuir et pourtant je maintiens l'homme au sol de tout mon poids. Je m'affaisse contre son cou noir, contre ses cheveux collés ensemble comme des poils, et je respire. Je respire son odeur de chien sans sépulture.

Je recherchais la contagion, Angela, qu'elle me pousse définitivement de l'autre côté, dans ce marécage entre mer et ville où vivait la seule personne que j'aimais vraiment. Et il ne me refusait pas son onction nocturne. Au contraire, un de ses bras me ceinturait, et son visage aux plis sales me cherchait dans l'antre où je m'étais caché. Il me trouva et me caressa la tête avec clémence, comme un prêtre qui absout un assassin. Méritais-je tant de pitié, Angela ? Dans ce coin sombre, un misérable m'accueillait, me guidait. Dans cette rue humide où il rêvait et où à présent je rêvais moi aussi, serré contre les relents de cette vie privée de tout, loin de ma maison de parquet et de whisky. Et l'amour, pour moi, était ainsi, orphelin et empaqueté, l'amour de l'extrême dénuement, quand le destin prend pitié de nous et nous fait cadeau d'un biberon.

— Tu veux à boire ?

Il sortit de sous les cartons une bouteille de vin et me la tendit. Je bus sans penser à la bouche qui s'était posée sur ce goulot ébréché, je bus parce que je pensais à mon père. Mon père mort en pleine rue, tombé parmi la foule, effondré contre la grille d'un magasin fermé, une main qui serrait sa gorge par où la vie s'en allait.

Avant de m'éloigner, je lui donnai de l'argent, tout ce que j'avais sur moi, je glissai les doigts dans la fente de mon portefeuille et je sortis tout. Il accepta comme n'importe quel clochard. Il cacha l'argent sous ses chiffons, rempli de crainte, comme s'il avait peur que je ne change d'avis. Ses yeux incrédules m'accompagnèrent jusqu'au croisement où je disparus.

L'obscurité commençait à pâlir, diluée par la pluie qui n'avait pas encore cessé de tomber, légère mais infatigable. Je conduisais dans cette lumière hésitante, et quelques phares de voiture, de temps en temps, rencontraient mon regard. Deux bonnes sœurs philippines attendaient debout à l'arrêt d'autobus sous deux petits parapluies, un café ouvrait, une pile de journaux trempés gisait à côté d'un kiosque encore fermé à double tour. J'arrivai fatigué, usé par cette nuit épaisse et sans sommeil. Maintenant je dormirais entre ses bras et seulement après nous reprendrions en main notre futur. J'avais déjà livré bataille pendant toute cette longue nuit. Il n'y avait rien à dire, il y avait juste à la serrer contre moi en silence. Je descendis de la voiture, les joues rougies par la tiédeur de l'habitacle. Les rues étaient sèches dans la lumière grise où on distinguait à présent chaque chose, et peut-être n'avait-il jamais plu ici. L'absence de cette pluie qui m'avait persécuté toute la nuit semblait me signifier que la lutte était vraiment finie. Italia m'avait attendu en sécurité, au sec.

J'étais au milieu de la deuxième rampe d'escalier, quand j'entendis en bas le bruit sourd de l'ascenseur qui arrivait, puis le claquement de chaussures de femme que l'écho renvoyait étouffé sous le porche. Je redescendis en courant et je la vis de dos, qui sortait.

— Italia !

Je la rejoignis tandis qu'elle se retournait. Je ne la regardai même pas, je la serrai seulement contre moi.

Elle se laissa faire, éreintée, ne leva pas les bras et resta exactement comme elle était. La tête penchée sur mon épaule, je vis sa main plus bas, abandonnée contre sa hanche. *Elle va la lever, elle va poser ses mains sur moi et répondre à mon étreinte, elle va se laisser tomber et je la soutiendrai.* Mais elle ne bougea pas, elle demeura immobile jusqu'à ce que ma respiration reprenne et j'entendis le battement de son cœur, calme et profond. Elle était chaude et vivante. Le reste importait peu. Il suffirait de quelques caresses pour me la rendre. Je la connaissais, elle se laissait aimer sans vaines démonstrations d'orgueil. Je me détachai d'elle pour la regarder.

— Où allais-tu?
— Au marché aux fleurs.
— Où?
— Je travaille là.
— Depuis quand?
— Pas longtemps.

Sous le fard à paupières sombre, ses yeux gris étaient aussi immobiles que des pierres et son visage possédait une expression plus adulte. Moi, en revanche, je n'étais armé que du besoin que j'avais d'elle.

— Comment ça va?
— Bien.

Je posai une main sur son ventre.

— Et lui... Comment il va, lui?

Elle ne répondit pas, Angela. Je sentais le poids de ce porche derrière nous, le poids du froid qui pénétrait à travers mes vêtements mouillés. Je pris ses mains et les posai avec les miennes sur son ventre qui respirait sous ses vêtements trop légers pour cette saison déjà froide, pour cette aube sans soleil. Ses mains se laissèrent conduire sans volonté, comme deux feuilles dans la boue. Me revint à l'esprit cette feuille rouge, la première de la saison, tombée sur le pare-brise de ma voiture devant la clinique.

— J'ai avorté.

Je regardais ses yeux clairs et impassibles, et je secouais la tête, mon cœur la secouait.

— C'est pas vrai...

Je l'avais attrapée par les bras, je la bousculais, j'étais prêt à lui faire du mal.

— Tu as fait ça quand?

— Je l'ai fait.

Elle n'avait pas l'air triste, elle me plaignait, de ses yeux de pierre.

— Pourquoi tu ne me l'as pas dit? Pourquoi tu n'es pas venue me voir? Je le voulais, vraiment, je le voulais...

— Plus tard tu aurais changé d'avis.

Désormais elle me quitterait, désormais je la perdrais, maintenant que ma vie ne se dupliquait plus dans la sienne. Désespéré, je commençai à la couvrir de petits baisers, qui tombèrent comme de la grêle sur son visage figé. *Peu importe, nous ferons d'autres enfants. Nous les ferons demain. Maintenant. Allons faire l'amour sur ce couvre-lit en chenille. Tu te serreras contre moi et tu seras de nouveau enceinte. Nous irons en Somalie et notre maison sera pleine d'enfants, des enfants dans des berceaux, dans des hamacs, dans des châles...*

Mais nous étions déjà une photo, Angela. Une de ces photos déchirées où les amants désunis sont séparés entre les épaules. Désormais elle irait couper des tiges, vendre des fleurs je ne sais où. À un amant, à ceux qui vont au cimetière, à ceux qui viennent d'avoir un enfant.

— Où as-tu avorté?

— Chez les gitans.

— Tu es folle... Il faut que tu viennes à l'hôpital.

— J'aime pas les hôpitaux.

Tu n'aimes pas les chirurgiens, je pensai, et je l'avais prise par un poignet.

— Il faut que tu viennes avec moi !

— Laisse-moi, je vais bien !

Elle repoussa ma main. Je n'étais plus son homme. Ma main n'était la main de personne. Elle avait de nouveau ce visage figé, vide de n'importe laquelle des innombrables expressions que je lui connaissais. La cendre de l'aube lui entrait par les oreilles, elle glissait sur ses joues colorées de santé factice. Elle était devant moi, mais elle avait déjà disparu dans sa propre vie. Distraite, anonyme, comme une de ces mains humides qui rendent la monnaie au marché.

— J'y vais.

— Je t'accompagne.

— Pas la peine.

Je m'assis sur le bord du trottoir tandis qu'elle s'en allait, je ne la regardai pas, je baissai la tête entre mes mains. Et je restai ainsi, jusqu'à ce que le son de ses pas cesse, et même après, quand il n'y eut plus que le silence. Le téléphone avait sonné dans le vide chez elle... Tandis qu'elle, à tout juste quelques mètres de là, à l'intérieur d'une caravane brinquebalante, se laissait transpercer par le crochet d'une mégère, peut-être celle-là même qui lui avait appris à lire les lignes de la main. Elle avait fini comme ça, un torchon serré entre les dents pour ne pas crier.

Pourquoi est-ce que je te raconte tout ça? Je n'ai pas de réponse à te donner. Une de mes réponses précises, brèves, « chirurgicales », comme tu les appelles. C'est l'hémorragie de la vie qui bat à mes tempes. Comme l'hématome dans ta boîte crânienne. Maintenant je le sais, Angela : c'est toi qui m'opères.

Je ne recherche pas ton pardon, je ne profite pas de ton voyage. Crois-moi, je me suis jugé il y a bien des années, assis sur cette marche. Et ça a été un verdict sans appel, immuable au fil des saisons, comme une pierre tombale. Je suis coupable, mes mains le savent bien.

Mais si tu savais combien de fois j'ai imaginé cet enfant perdu. Je l'ai vu grandir à tes côtés comme un jumeau malchanceux. J'ai essayé de lui donner une sépulture, en vain. Il est revenu quand il le voulait, il s'est glissé dans mes pas, dans mes os vieillissants. Il est revenu chez tous les êtres désarmés, chez les enfants chauves du service d'oncologie pédiatrique, il est revenu chez un hérisson que j'ai heurté sur une route de campagne. Il est revenu dans le tort que je t'ai fait.

Tu te rappelles le judo? Tu ne voulais pas y aller, mais je t'y ai obligée, à ma manière, par mon silence, par ces reproches muets qui, avant même de te faire plier, te rendent triste. Je tournais autour de ce vieux gymnase, plein de vieux agrès, de vieux maîtres, avec le sac de frappe, le linoléum décollé. Je descendais de voiture, je reniflais la sueur, les visages des combattants, je prenais les dépliants avec les horaires. Que puis-je te dire, Angela ? Toujours la même histoire. Que j'aurais aimé être un champion d'arts martiaux quand j'étais jeune. Me glisser dans un gymnase comme celui-là, avec les tee-shirts, les muscles vrais, les faces rudes, et m'armer, sous la veste et les lunettes des bonnes manières, d'une force invisible et tranquille. Deux mouvements et mettre quelqu'un à terre, un collègue, cet infirmier d'un gabarit à faire peur. Des rêves d'homme vil, d'enfant mollasson. Je pourrais te dire tout cela. Et ce serait vrai, il y avait de cela. Il y avait ce buisson de sentiments un peu méprisables, un peu pathétiques, mais il y avait aussi autre chose. Il y avait l'envie inavouable de te faire plier, de te faire un coup tordu, parce que ma vie tordue reposait sur tes épaules. Et j'avais tous les alibis du monde. C'était un bon sport, ta mère non plus ne trouva rien à y redire sur mon visage paternel. Bien sûr, toi, tu voulais faire de la danse, et tu te déplaçais dans la maison sur les pointes, avec un des foulards de ta mère serré autour des hanches. Tu voulais danser, Angela. Mais tu étais trop grande pour la danse. Tu étais faite pour le judo. C'est un bon sport, j'ai dit, une discipline pour l'esprit. Il faut être loyal, respecter les mouvements, les camarades, garçons et filles ensemble. Je t'ai prise par la menotte, je t'ai acheté des tongs, et je t'ai conduite dans ce gymnase enterré.

Et te voici avec un judogi et une ceinture rigide enroulée sur les hanches. Tu combattais sans joie, et seule la volonté de ne pas être mise à terre te faisait résister. Tu combattais pour moi qui venais te voir. Tu combattais pour ne pas aller au tapis, pour ne pas sentir ces méchants coups dans ton cul, et la voix de stentor du maître qui te criait de te relever. Tu pleurais. Tu n'aimais pas le judogi, il était rigide, un vrai sac. Tu voulais les voiles du tutu, les chaussons de danse avec la pointe en craie, tu voulais te sentir légère. Mais tu es là, devant cette camarade de combat qu'on te refile toujours, robuste avec une queue-de-cheval qui coupait l'air comme un fouet. Robuste et agile, alors que tu es maigre et sèche. Je te donnais des conseils : « Tu dois être plus souple quand tu changes de technique. » Mais tu ne pouvais pas être souple. Tu avais trop de combats à mener.

Je m'asseyais sur ces petites chaises d'école maternelle avec les autres parents alignés pour le passage de ceinture. Tu étais accroupie dans un coin du tapis en caoutchouc bleu, les jambes croisées, les pieds nus, tu attendais ton tour. Tu me faisais un sourire d'éclopé. Tu avais peur : du maître, de ces mouvements que tu ne dominais pas, de ces gamines plus agiles que toi, qu'on n'avait pas punies comme toi. Ton tour venait, tu te levais, tu t'inclinais pour le salut. Le maître criait les mouvements, tu exécutais, nerveuse, hésitante. Les joues marbrées, les lèvres serrées entre les dents. Quand c'était toi qui l'empoignais, tu regardais ta camarade et tu semblais l'implorer de se laisser tomber, de ne pas résister. Quand les autres t'empoignaient, tu te laissais tomber comme un sac. Ce que tu as pu prendre comme coups. En sueur, défaite, avec le judogi de travers, tu faisais le salut, tu avais la ceinture.

— Tu es contente ? je te demandais dans la voiture.

Tu n'étais pas contente, tu étais épuisée.

— Sur le tatami, quand on tombe on ne se fait pas mal, n'est-ce pas?

Ce n'est pas vrai, toi, tu te faisais mal. Tu me regardais, toute rouge, déjà prête à pleurer, et tes yeux me demandaient : pourquoi?

Oui, pourquoi? Nous sommes en temps de paix, pourquoi cette guerre inutile? Pour que tu sois plus forte, pour te donner une discipline. Je ne t'ai pas rendue plus forte, je t'ai fait du tort, je t'ai pris des forces. J'ai muré ta joie. Pardonne-moi.

Puis, un jour, tu as arrêté. Nous sommes revenus en septembre après les vacances à la mer, tu étais ceinture orange-vert.

— Je veux plus y aller. Basta.

Je n'ai pas insisté, je t'ai laissée tranquille, moi aussi j'étais fatigué. Je passais devant ce gymnase sans plus aucun intérêt. Enterrés, ce frisson, cette folie, cet enfant mâle. Des conneries de père, Angelina, de violeur qui ne sait pas grandir. Basta.

Ce n'était qu'une question de temps. Le temps ferait son travail de sape, il attaquerait mon remords jusqu'à le réduire en poudre. Au fond, Italia m'avait rendu service, elle avait nettoyé ma vie de cette complication scabreuse. Elle ne s'était pas fait conduire une seconde fois à la clinique, elle avait méprisé l'élégance de cet hôtel factice. Je n'étais coupable qu'en partie, je m'étais limité à la laisser seule. Mon addiction à la lâcheté s'était réfugiée dans cet abandon.

Un soir, Manlio me téléphona, nous allâmes manger une pizza comme deux vieux étudiants qui se retrouvent.

— Comment ça s'est passé avec cette fille ?
— Bien.
— Et toi, comment ça va ?

Une table plus loin, une femme blonde fume, de dos par rapport à moi. Je vois seulement la blancheur de la fumée au-dessus de sa tête et le visage de l'homme qui la regarde, en face d'elle. D'après son expression à lui, j'essaie d'imaginer son visage à elle.

— Je ne sais pas, je dis. J'attends.
— Tu attends quoi ?
— Je ne sais pas.

J'attends que cette femme se tourne, peut-être qu'elle lui ressemble.

Parfois je vais la chercher au marché. C'est l'heure où on démonte les étalages, je la retrouve au milieu d'un déluge de fleurs fanées. Elle me salue d'un signe de tête. Elle empile des cagettes, met les bouquets de fleurs invendues dans une fourgonnette couverte d'une toile cirée verte garée derrière l'étalage. J'attends qu'elle finisse son travail, planté là dans mes habits élégants, dans la rosée. Italia retire ses bottes en caoutchouc et remet ses chaussures. Quand elle monte dans la voiture, chacun traite l'autre sans joie, mais avec bienveillance, comme deux amis que le même bâton a battus. Ou peut-être comme des parents qui ont perdu un enfant. Bien sûr, nous sommes deux rescapés. Nous marchons sur le bord d'une blessure, nous devons faire attention à l'endroit où nous posons nos mots.
— Comment ça va?
— Bien. Et toi?
— Tu es fatiguée?
— Non, pas du tout.
Elle n'est jamais fatiguée, elle frotte ses mains crevassées par le froid. Elle a grandi, en voiture son front semble plus haut, mais ses épaules sont plus courbées. Elle ne s'appuie jamais complètement contre le siège, elle reste toujours un peu décollée, elle essaie de résister. Elle regarde par-delà les vitres de la voiture ce monde qui ne nous a pas défendus.

Nous attendons comme deux convalescents que le temps passe. Entre-temps, le trafic s'écoule et les rues se sont illuminées, car on est au début du mois de décembre. Les illuminations se reflètent dans les iris d'Italia, qui les laisse briller dans ses yeux sans y prêter attention. Je ne l'ai plus touchée, on ne prend pas une femme après un avortement, on la laisse tranquille. Et puis j'ai une peur bleue de l'imaginer nue, une peur bleue de retrouver entre mes mains la douleur qu'elle a en elle, qui stagne sous ses vêtements humides. Il fait trop froid au marché, elle a le nez rouge, pelé. Elle sort de sa poche un mouchoir déjà trempé, elle se mouche. Je lui ai apporté des vitamines, elle m'a remercié, mais je ne suis pas sûr qu'elle les prenne. Il n'est pas sain que le temps passe ainsi. Pas pour nous. Nous ne sommes pas amis, nous ne le serons jamais. Nous avons été amants avant même de nous connaître. Nous avons échangé nos chairs comme des forcenés. Et cette courtoisie qui désormais s'est installée entre nous est si étrange. Je la regarde et je me demande ce qu'elle et moi avons à voir avec ces eaux mortes. Ça ne peut pas finir comme ça, sans un cri, sans rien. Si un démon devait nous tomber dessus, qu'il nous brûle. Nous ne pouvons pas finir dans ce no man's land.

Peut-être suffira-t-il de changer de décor. Sa maison me fait peur, ce couvre-lit couleur tabac, la cheminée nue, son chien aveugle et ce singe sur le mur avec un biberon de nouveau-né entre les pattes, comme une mauvaise blague. Alors, un après-midi, je lui demande si elle a envie qu'on soit un peu seuls, à l'hôtel. Pour ne pas être tout le temps au milieu des voitures.

Et donc nous sommes dans une chambre qui ne nous a jamais vus, une belle chambre au centre de la ville, aux lourds rideaux damassés comme les murs. Elle n'a même pas regardé autour d'elle, elle a jeté son sac sur le lit et est allée tout de suite vers la fenêtre. Elle a levé une main pour déplacer un pan du rideau. Je lui ai demandé si elle avait faim ou si elle voulait boire quelque chose, elle a dit non. Je suis allé dans la salle de bains pour me laver les mains et, quand je suis revenu, elle était encore là, devant le rideau, à regarder dehors.

— C'est vachement haut, elle a dit, quand elle a entendu mes pas qui revenaient vers elle. C'est quel étage ?

— Neuvième.

Elle avait les cheveux attachés. Je me suis approché et je lui ai embrassé la nuque, les lèvres entrouvertes et les yeux fermés. Depuis combien de temps ne l'avais-je pas embrassée comme cela ? Et déjà je me demandais comment j'avais fait pour renoncer à elle si longtemps. Son corps tiède était de nouveau près de moi dans cette pièce vierge qui nous aiderait à oublier.

Elle va sentir l'humidité de mes lèvres. Au début elle aura du mal, puis elle redeviendra mienne comme avant. Elle ne peut pas renoncer à moi, elle me l'a dit. Son bras se baisse, le rideau recouvre un coin de ville diurne. Je commence à la déshabiller, contre ce tissu lourd et immobile. Je lui retire sa veste, elle ne l'a pas fait d'elle-même, c'est une vilaine veste terne en mauvaise laine qui ne pèse rien, on dirait la mousse des arbres. J'effleure ses seins, ces petits seins flétris qui me plaisent tant. Elle me laisse faire. « Trésor, dit-elle, mon trésor... », et elle m'enlace.

Je la prends par la main et la conduis vers le lit. Je veux qu'elle soit bien installée, qu'elle se repose. Je lui retire ses chaussures. Elle a des bas clairs, en nylon rêche. Je frotte ses jambes, ses pieds, qui rappellent ceux d'un pantin. Elle ôte sa jupe, la plie soigneusement et la pose sur le rebord en laiton du lit. Elle en fait autant avec sa chemise. Ses gestes sont lents, elle essaie de faire durer, de repousser ce moment d'intimité.

218

Je me déshabille rapidement, je jette mes affaires par terre. Je profite qu'elle regarde ailleurs, car j'ai honte. Elle a ouvert son côté du lit, elle s'étend et tire les couvertures à elle. Je me glisse à ses côtés, dans ce lit encore froid. Elle est allongée les bras le long du corps, je passe une jambe sur les siennes, une jambe qui glisse, car elle n'a pas enlevé ses collants.

— On n'est pas obligés de le faire.

— Je sais.

Quel amant adorable je suis devenu d'un seul coup. Comme je dois sembler ridicule ! Elle n'avait aucune envie de se déshabiller. Elle serait volontiers restée à côté de ce rideau à peine entrouvert à regarder le monde de haut, à se demander s'il y avait une place pour elle quelque part. Quand je la prends, elle a un petit sursaut, puis plus rien, elle me laisse osciller d'avant en arrière dans le silence le plus complet. Mon visage est enfoui dans ses cheveux, je n'arrive pas à la regarder, j'ai peur de rencontrer ses yeux impassibles. Alors je gémis fort, dans l'espoir qu'elle ait pitié de moi et qu'elle me réponde. Mais rien ne se passe. Nous ne décollons pas, nous restons au sol. Mes yeux sont injectés de sang, j'ai ses cheveux dans la bouche. Je ne parviens pas à m'abandonner, je vois, j'écoute tout. Le léger ronronnement du mini-bar, l'aérateur qui est resté allumé avec la lumière dans la salle de bains. Le bruit de ma chair qui glisse sur la sienne, celui-là est vraiment terrible. Italia n'est pas là, sa chair est vide. Je pèse en elle, comme un amour mort. Cet accouplement, ce sont nos funé-railles. Je sens ma masse transpirante qui repose sur son squelette. Elle ne veut plus de moi, elle ne veut plus rien. Son corps est un passage qui se referme. Alors je comprends que j'ai tout perdu, Angela, car tout ce que je veux est là, inanimé entre mes bras. Je soulève ma poitrine de la sienne, je cherche son visage. Ses yeux bougent sous ses larmes comme deux poissons dans une mer trop étroite. Elle pleure parce que c'est la seule chose qu'elle a envie de faire depuis que nous sommes entrés dans cette chambre d'hôtel. Mon sexe rabougri se retire rapidement, comme un rat qui traverse la route, la nuit.

Je reste en silence à côté d'elle, jusqu'à ce que ses pleurs deviennent moins violents, plus doux. Il y a un plafonnier au-dessus de nous, un ovale de verre pâle, un œil aveugle qui nous regarde sans s'occuper de nous.

— Tu n'arrives pas à ne pas y penser, hein?

Un coup de vent ouvre grande la fenêtre et l'air gelé atteint nos corps nus. Nous ne bougeons pas, nous restons là et laissons ce froid nous blesser. Puis Italia se lève, elle ferme la fenêtre et va dans la salle de bains.

J'ai vu sa silhouette nue traverser la chambre, d'une main elle se couvrait les seins. J'ai tendu un bras sur le drap où elle avait reposé et qui conservait encore sa forme tiède et je me suis dit que tout était fini, tout était fini comme ça, dans une chambre d'hôtel. Mes pensées ont glissé sur les plis de ce drap. J'ai pensé à un de mes amis qui fréquentait une prostituée quand il était jeune, toujours la même. Quand ils faisaient l'amour, elle faisait semblant d'être morte, c'est lui qui le lui demandait. J'ai pensé à tant d'hommes que j'avais connus. Qui avaient fait l'amour et maintenant étaient morts, comme tous les hommes. J'ai pensé à mon père. Il le faisait avec des femmes ordinaires, il le faisait avec beaucoup de retenue, sans raison puisqu'il vivait seul depuis qu'il était séparé de ma mère. Et pourtant il aimait cantonner

220

certaines affaires dans l'abstraction. Il choisissait d'étranges silhouettes solitaires, des femmes d'âge moyen, peu séduisantes, à l'apparence insignifiante, mais avec peut-être un charme caché. L'une d'elles était caissière dans un cinéma de reprises, elle avait les cheveux teints, un visage aquilin, et des seins lourds serrés dans un soutien-gorge à armature. Je l'avais vue une seule fois, quand mon père m'avait amené dans le café qui communiquait avec ce cinéma par une porte vitrée. J'observais par-delà les battants la femme que mon père regardait par en dessous d'un air que je ne lui connaissais pas, avec des yeux d'enfant sous ses sourcils épais de vieux satyre. Il avait l'air heureux de se trouver là, son fils d'un côté et sa maîtresse de l'autre. Peut-être avait-elle demandé à me rencontrer. Je fis comme si de rien n'était. Plus tard, j'ai su que cette femme s'appelait Maria Teresa, qu'elle était mariée avec un invalide et qu'elle n'avait pas d'enfants. Mon père et elle allaient souvent déjeuner dans un petit restaurant niché dans l'arrière-boutique d'une charcuterie, son plat préféré était la langue de bœuf à la sauce verte. Je n'ai jamais voulu en savoir plus. La main posée sur le drap changé en écran de cinéma, je vois cette femme qui se déshabille, qui enlève sa montre et la pose sur le dessus en marbre d'une vieille commode. Et juste à côté, mon père qui retire son pantalon et le suspend au cintre en bois. Mon père qui fait l'amour avec une vieille caissière au visage usé, à la nuque amère de parfum, dans une pension coincée au fond d'une ruelle à côté de la charcuterie où elle a mangé de la langue à la sauce verte. Comment ça s'était terminé pour ces deux-là ? Eux aussi avaient laissé un lit tiède et froissé dans une pension aux escaliers étroits, où sous les portes passait le vent d'une autre porte qu'on

221

ferme au même étage. Mon père fume tandis que la caissière est dans la salle de bains, elle se lave les aisselles et, la bouche en cœur, se met du rouge à lèvres, puis éteint la lumière comme elle le fait chez elle. Plus tard, quand ils ne sont plus là, une femme de chambre entre pour ouvrir la fenêtre et jeter les draps par terre. La femme de chambre, qui s'en va avec le seau d'eau savonneuse et les draps enroulés sous son bras. Une autre femme, avec son odeur à elle et sa chemise de nuit à elle, qui se déshabille à côté d'un autre homme, et elle aussi fait l'amour, elle aussi se laisse remuer les viscères. Tu te demandes si ton père avait une bite plus grosse que la tienne. Tu ne l'as jamais vue, mais dans ton for intérieur tu penses que oui. Depuis, il est dans le cercueil où tu l'as laissé il y a quelques mois, la face sombre, du coton dans le nez et une fleur entre les mains. Qui la lui avait mise, cette fleur ? La caissière, peut-être. Non, elle n'était pas à l'enterrement, cette histoire avait eu lieu bien des années auparavant. Ils s'étaient probablement séparés. Elle avait continué à manger de la langue à la sauce verte avec quelqu'un d'autre. Peut-être était-elle morte elle aussi. Italia est dans la salle de bains, tu caresses encore le drap tiède d'elle. Le film est fini, l'écran est à nouveau blanc, froissé. Et maintenant tu sais que d'ici peu tu vas pleurer, pour tous les amants morts, pour toi et pour elle, qui est face au miroir comme la caissière de ton père. Quand elle te cédera la place dans la salle de bains, tu pleureras. Car elle et toi êtes comme toutes choses, déjà du passé. Nous continuerons et nous mourrons séparés. Personne ne saura jamais combien nous nous sommes serrés et frottés, ni rien de cette vie qui a couru jusqu'ici, jusqu'à mon bras posé sur ce drap où elle a reposé et qui perd sa tiédeur. Nous sommes de la chair en manque, projetée sur un écran vide, de la chair qui se répète. Ou peut-être notre énergie a-t-elle alimenté un autre monde, Angela, un monde parfait qui existe au revers du nôtre et n'a pas besoin d'avoir peur ni de souffrir. Peut-être sommes-nous comme ces machinistes noirs qui transpirent dans le ventre des navires à vapeur pour permettre à deux amants de danser amoureusement sur le pont supérieur, au-dessus du tapis brillant de la mer. Quelqu'un recueillera nos rêves, quelqu'un de moins imparfait que nous. Nous faisons le sale travail. Je suis dans la salle de bains, mon sexe bouge sous la pression du jet d'eau, je l'ai abandonné à lui-même. Penché sur le bidet, je pleure, les mains sur la tête. D'ici peu, la femme de chambre viendra jeter par terre les draps où il reste une petite tache humide tombée de l'intimité d'Italia. Une tache que j'ai embrassée.

Tandis que nous sortons de la chambre et que mon bras s'attarde pour éteindre la lumière, Italia se retourne pour regarder une dernière fois ce marais sombre qui se referme derrière nous. Nous pensons la même chose : *Quel dommage, quelle occasion manquée !*

Ils devraient presque y être. L'aspiration a nettoyé le sang de ta tête, la canule s'est remplie de rouge. Ils te réhydratent avec du sérum physiologique.

Manlio est assis en face de moi. Il est arrivé depuis un moment. Il m'a enlacé, a essayé de pleurer sans y parvenir, s'est pendu à son portable. Il s'est énervé contre quelqu'un de l'aéroport. Le vol de ta mère a un léger retard et il a insisté pour connaître l'horaire exact d'atterrissage. Il s'est mis à discuter, a haussé le ton. S'énerver contre un steward au sol, contre le néant, est sa façon d'être proche de moi. Son portable est encore chaud dans sa main, il n'arrive pas à le lâcher, il voudrait encore téléphoner, mais il ne sait pas à qui. Il a peur de rester seul avec moi dans ce silence. Tu le sais, il est habitué à embraser la vie comme il embrase ses cigares. Il s'agite, souffle bruyamment, sa bouche tombe en même temps que ses yeux : il est en cage. Enfermé dans une cage avec son meilleur ami, le jour le plus sombre de ma vie. Je le regarde sans appréhension, je pense à ce graffiti sur un mur : *Comment peux-tu voir le fond de l'eau si tu n'arrêtes pas de troubler la surface ?*

— Excuse-moi, j'appelle Bambi.

Il va à la fenêtre, se protège avec ses épaules, grommelle. Il ne veut pas que j'entende. Je vois son cul, il a eu cinquante-sept ans le mois dernier, il est définitivement gros.

Le ton de sa voix a changé, il l'a nettoyé de tout catarrhe. Il parle avec les jumelles, les « pisseuses », comme tu les appelles. Très blondes, très belles, très antipathiques. Elles ne lui ressemblent en rien. Manlio est brun, trapu, incontestablement sympathique. Elles ressemblent à leur mère, à Bambi. Cette Vénète au physique diaphane de mannequin et au cœur dur de paysanne. Elle l'a obligé à quitter la ville pour s'installer dans cette grande propriété, avec des chevaux, des daims, des oliviers, où elle se fait photographier devant les écuries pour des revues de déco habillée en cow-girl, avec ses filles en jupe à carreaux et chemisier brodé. Ils font de l'huile d'olive première pression à froid, la mettent dans de petites bouteilles à liqueur et l'exportent en Amérique. Ils font beaucoup d'argent. Bambi est une comptable du bio. Manlio, lui, se goinfre de friture et de putes en ville, puis le soir il avale l'autoroute à cent quatre-vingt-dix à l'heure pour rejoindre cette maison d'épis de maïs et de touffes de lavande séchées. Il déteste la nature, son silence. Bien sûr, il a une piscine, avec écoulement automatique et rochers dessinés par un architecte. Mais il est furieux aussi contre cette piscine, contre le robot qui ronronne sur le fond. Il regrette Martine, le petit bonhomme à ressorts. Chaque fois qu'il le peut, lors de ses voyages, lors des congrès de plus en plus fréquents, il fait escale à Genève et va la voir dans ce magasin d'antiquités plein de petites statuettes qui lui ressemblent. Elle est seule, décrépite, heureuse. Lui détache les chèques, il veut toujours tout lui acheter.

— J'aime bien t'aider, lui dit-il.

Elle sourit, lui arrache les chèques des mains :

— Merci, mais ce n'est pas la peine, Manliooo.

Cet accent sur la dernière syllabe de son nom le rend fou de joie. Et qui sait, dans l'avion, au milieu du ciel intercontinental, le masque sur les yeux, peut-être que ça le fait pleurer.

Il a remis le portable dans sa poche, s'est touché les couilles. Le cigare entre ses lèvres noires est éteint. Il t'adore, il t'a toujours considérée comme sa fille rêvée.

— Je vais chercher Elsa à l'aéroport, on se voit plus tard.

Je ne frappais pas, je détachais la clé de son chewing-gum et j'entrais. Je la trouvais étendue sur le lit à côté du chien. Crevalcore levait à peine la tête, elle même pas. Couchée en chien de fusil, le visage absent :

— Ah, c'est toi..., disait-elle.

Dans la cuisine, il n'y avait plus rien, je sortais et je lui faisais ses courses. Je rinçais la gamelle du chien et j'y vidais une boîte. Je lui avais aussi acheté un radiateur, mais je le trouvais toujours éteint. J'ouvrais les fenêtres pour faire entrer au moins un peu de soleil. Dans la maison stagnait un air malsain, une odeur de malade. Je revenais sans envie, j'avais mal au dos. Je revenais parce que je ne savais pas où aller.

Elle changea la disposition des meubles. Elle déplaça la table près de la cheminée et mit le canapé à la place. Elle réorganisa aussi les objets, les petits bibelots ; elle les rangea suivant un nouvel ordre, mais cet ordre lui échappa aussitôt. Elle passait son temps à chercher les choses sans les trouver. Le chien la suivait, déboussolé, comme si lui non plus ne retrouvait plus ses marques. Cette suractivité la prenait soudainement. Je la trouvais debout sur un escabeau à astiquer les vitres, le lustre. Elle lavait, mais elle oubliait les choses partout, une éponge trempée sur la table, le balai contre une chaise. Elle faisait cela aussi avec elle-même. Elle avait les yeux parfaitement maquillés, les cheveux attachés, mais elle était distraite, elle allait aux toilettes et un morceau de sa jupe restait enfilé dans ses collants. Je m'approchais et je tirais sur le bord, comme si elle était une enfant. Alors je tâtais sa chair, je respirais l'arôme de sa peau. C'était le plus dur, ces moments où j'aurais voulu prendre un bidon d'essence et mettre le feu à tout, à son balai, à son lit, à son chien. Un cône de fumée noire, puis plus rien.

J'espérais qu'elle se rebellerait, je regardais ses doigts qu'elle ne se mangeait plus et j'espérais qu'elle s'était laissé pousser les ongles pour me griffer le visage. L'idée d'abandonner derrière moi une créature si triste et si aimable m'emplissait de peur. Sur l'autre rive, Elsa et son ventre qui enflait lentement. Le téléphone sonnait à des heures inhabituelles. Elsa prenait le combiné et personne ne parlait. Je savais que c'était elle. J'espérais qu'elle dirait quelque chose, n'importe quoi, une insulte, un grondement. Ta mère raccrochait et, sereine, reposait la main sur son ventre. Le téléphone sonnait de nouveau.

— J'y vais.

Mais avec moi non plus elle ne disait rien. C'était moi qui parlais.

— C'est toi? Tu as besoin de quelque chose?

Je retournais m'asseoir à côté d'Elsa, ma main sur la sienne, dans cette mélasse où nous t'attendions. J'aurais pu continuer comme ça éternellement. *Peut-être que je deviens fou. Peut-être que la folie est cette minutie fortuite, cette grâce constante.*

228

Puis, un soir, je la rejoignis. Elle puait l'alcool et ne s'était même pas lavé les dents pour le camoufler. Elle était échevelée, en peignoir, et pourtant elle semblait enfin redevenue elle-même. Ses yeux cerclés de noir avaient perdu leur patine opaque. Elle me demanda de faire l'amour. Elle me le demanda abruptement, du fond de ces yeux pochés.

— Ça te dit de...

Et elle fit un geste des deux mains. Un geste vulgaire.

J'étais en smoking, j'étais venu au retour d'une soirée. Je me sentais mal à l'aise. Je desserrai mon nœud papillon. Ma bouche se ressentait d'un trop grand nombre de saveurs mélangées entre elles, j'avais soif. Elle était debout contre le mur, sous le poster du singe.

— Comme au bon vieux temps, dit-elle.

Elle avait ouvert le peignoir. Elle n'avait pas de culotte, mais je reconnus tout de suite le tee-shirt. Je reconnus la fleur en strass qui pendait de travers, arrachée par ma frénésie cet après-midi d'été désormais si lointain. Elle était là, elle brillait sinistrement dans mon regard. Elle leva un bras contre le mur.

— À l'aide..., marmonna-t-elle, à l'aide..., s'imitant elle-même, et elle rit.

Comme une enfant corrompue et désespérée. Puis sa voix revint au présent.

— Tue-moi. S'il te plaît, tue-moi.

Je regardai, plus bas, cette touffe de poils déplumée. Je pris les pans du peignoir et la couvris.

— Tu vas prendre froid.

J'allai à la cuisine pour boire. Je me collai au robinet et y bus directement, l'eau semblait de la glace fondue. Quand je revins à côté, je la trouvai fourrée dans la cheminée, les mains sur la tête comme si elle essayait de l'immobiliser. L'alcool commençait à faire son effet.

— Éteins la lumière, dit-elle. J'ai la tête qui tourne.

— Qu'est-ce que tu as bu?

— De l'acide chlorhydrique.

Elle riait de nouveau, mais elle ne vomit pas. Elle parla, sans cesser de se tenir la tête.

— Tu te souviens de ce vendeur ambulant, celui de la robe? C'était mon père. Je couchais avec lui. Je baisais avec mon père.

— Tu l'as dénoncé?

— Pourquoi? C'était pas un monstre, c'était un pauvre type, incapable de faire la différence entre des cailloux et des olives.

Elle secoua la tête, ravala un rot qui lui gonfla les joues. La cuite était passée et, comme un orage, elle avait tout nettoyé. Italia était comme neuve.

— C'est mieux comme ça, mon amour. Je n'aurais jamais pu être une bonne mère.

Je voudrais la tirer de cette cheminée, de cette grotte noire. Elle est loin, dans un lieu où je n'ai rien à faire.

Maintenant seulement elle me raconte le secret de sa vie, maintenant que nous nous séparons. Elle sait que plus jamais elle ne trouvera quelqu'un à qui le confier. Elle a bu pour se donner du courage. Elle veut m'aider à m'en aller. Je m'approche, je caresse son front, mais entre sa chair et la mienne un fossé s'est creusé. Une partie de moi est déjà en sûreté, loin de son amour carié. *Est-ce vraiment toi que j'aimais? Ou est-ce un amour que j'ai exigé du destin, que j'exige encore? Je retournerai me promener de par le monde, et peu importe si la nostalgie fait trembler mon cœur comme une dent dans une gencive ratati-*

230

née. On a tous un passé oublié qui danse derrière nous. À présent je te regarde et je sais ce que tu m'as appris. Tu m'as appris que les péchés se paient. Ce n'est peut-être pas vrai pour tout le monde, mais c'est vrai pour nous. Car avec cet enfant, c'est nous-mêmes que nous avons curetés.

Je ne fume pas et donc il n'y avait même pas un mégot avec l'empreinte de ma bouche. Rien de visible ne témoignait de mon passage dans cette maison. L'invisible était dans le corps d'Italia. Autrefois elle m'avait coupé les ongles des pieds, mais elle ne les avait pas jetés, elle les avait fait glisser dans un petit sac en velours, comme ceux qu'on utilise pour les bijoux. Ces rognures d'ongles coupés étaient tout ce que je lui laissais de moi.

Je connais le parfum de ta tête, Angela, et tous les parfums qu'au fil des années tu as rapportés de l'extérieur. Pendant quelque temps, tu as eu le parfum de tes mains en sueur, de tes feutres, du plastique de tes poupées. Tu as eu un parfum d'école, de couloirs fermés, d'herbe du parc et de pollution. Maintenant, le samedi soir, tu rapportes le parfum des endroits que tu fréquentes, de la musique que tu as écoutée. Le parfum de tout ce que ton cœur a gardé. J'ai flairé ta joie, et les nuages qui t'ont traversée. Car le bonheur a son propre parfum, la tristesse aussi. Italia m'a appris à m'imposer le silence et à percevoir. Elle m'a appris à flairer. À m'arrêter, à fermer les yeux pour respirer une odeur. Une seule, perdue au milieu de millions d'autres ; on attend et elle vient, elle se concentre pour nous : une légère fumée, le sillage d'un moucheron. Et pendant toutes ces années je l'ai cherchée avec l'odorat. Si tu savais combien de fois j'ai suivi un halo lointain, je me suis glissé dans un petit chemin, j'ai monté des escaliers. Elle est restée dans les odeurs. Et même maintenant, tu sais, si je flaire mes mains dans cette pièce aseptique, si j'écrase mon nez contre le fond de mes paumes, je sais que je trouverai son odeur. Car elle est dans mon sang. Ses yeux flottent dans mes veines, deux trous luminescents comme les yeux d'un caïman dans la nuit.

Les premiers temps furent moins difficiles. Certes, j'étais visiblement blessé, amaigri, éprouvé physiquement. Mais, surtout, je reprenais mon souffle. Je commençai à me soigner, à prendre des oligo-éléments, à manger de façon moins déréglée. La claudication de l'âme, elle, se soignerait toute seule avec le temps, pensais-je. Et, un jour, je cédai à une nouvelle extravagance. Exactement comme après un déménagement, quand on monte des cartons de livres, qu'on installe les meubles, qu'on remplit les tiroirs, qu'on jette tout ce qui ne sert plus : les médicaments périmés, les bouteilles d'alcool impossibles à ouvrir, le vieux balai. Je m'étais inscrit dans une salle de sport. J'y allais le soir après l'hôpital, je m'enfermais dans ce local sans air, au milieu d'autres hommes coincés dans des machines de force, et je transpirais. Je crachais la sueur sur le vélo d'appartement, convaincu que cet exercice m'aiderait à expulser aussi les scories internes. Je faisais sauter la manette des vitesses, je devais souffrir davantage, grimper le long d'une montée imaginaire. Je baissais la tête, fermais les yeux et tirais sur les muscles. Je rentrais chez moi, vidais le sac avec mes vêtements moites par terre, près du lave-linge, et je me sentais mieux préparé à affronter cette ambiance de conte de fées factice. Le ventre de ma femme enflait. Au-dehors, on voyait briller entre les branches des arbres les lumières tremblantes des illuminations de Noël. Un soir, la vague me rattrapa avec force. La vague noire de la mélancolie, du désastre. La vie me tombait dessus. Il ne suffisait pas de pédaler dans le vide pour être sauvé. Le mal ne me quittait pas, il demeurait immobile comme cette bicyclette sans roues.
Ce soir-là, je lui téléphonai. Dans le salon, il y avait des invités, les mêmes que d'habitude. On jouait

à un jeu de société aux règles sophistiquées, mais au déroulement trivial. Je me retirai. Je composai son numéro en vitesse, mais je dus m'arrêter : je ne me rappelais pas les derniers chiffres. Je fus accablé par l'angoisse. Je continuai à respirer, le combiné sur la poitrine, jusqu'à ce que le numéro apparaisse nettement dans mon esprit.

— Allô?

Je ne répondis pas tout de suite.

— Allô...

Sa voix était déjà plus faible, elle avait baissé de plusieurs tons. Dans ce bref moment d'attente, le soupçon avait dû lui venir que c'était moi qui l'appelais.

— Qu'est-ce que tu fais?

Cela faisait presque un mois que nous ne nous étions plus parlé.

— J'allais sortir.

— Avec qui?

Je n'avais aucun droit de le lui demander, je secouai la tête pour m'en blâmer. J'avais le visage contracté, mais je forçai ma voix pour lui faire croire que je riais.

— Tu as un petit ami?

Elle répondit sur le même ton.

— On va boire quelque chose.

On? Toi et qui? Oh, ma petite salope, déjà tu te consoles! Et à présent je ne ris plus du tout, ma voix racle, elle a du mal à sortir, mais je l'écorche en une condescendance faussement joyeuse.

— Bon, alors bonne soirée...

— Merci.

Et alors elle était là, oh oui, elle était là, cette tristesse que j'espérais entendre, cette gangue de nostalgie, de souffrance.

— Italia?

— Oui?

Ce « oui » était différent, Angela. Je voulais lui dire que j'avais déjà fait deux électrocardiogrammes depuis que nous n'étions plus ensemble. J'étais monté en cardiologie et j'avais demandé au collègue de me poser les ventouses. « Je fais beaucoup de sport » m'étais-je justifié. Je voulais lui dire que je l'aimais et que j'avais peur de mourir loin d'elle.

— Fais attention à toi, je dis.

— Toi aussi.

Peut-être qu'elle se reconstruisait une minuscule existence. Elle était retournée dans ce café où nous nous étions rencontrés, elle était repartie de là. Et un autre homme s'était approché pour lui demander quelque chose. Elle était habituée à se donner en échange de peu, d'un regard qui lui renvoie une image d'elle-même, n'importe laquelle. Oui, elle finirait dans les bras de n'importe quel homme susceptible de la laisser sombrer en paix. Un idiot qui ne la connaissait pas, qui ne savait pas combien elle était précieuse, qui ignorait sa souffrance. Elle se laissait baiser pour avoir l'illusion d'exister encore, elle tournait la tête sur le coussin et elle pleurait, sans qu'il la voie. Moi, je la voyais.

Dans ces jours-là, nous découvrîmes ton sexe. Tu avais les jambes recroquevillées à l'envers. Manlio te donna un petit coup, poussa la sonde, se tourna vers Elsa :

— C'est une fille.

Ta mère se tourna vers moi :

— C'est une fille...

De retour dans la voiture, Elsa était silencieuse, la bouche figée en un sourire. Je savais qu'elle voulait une fille. Tandis que la route défilait, elle pensait, somnambule, à la vie qui t'attendait, Angela, à cette grêle de petits et grands événements qui accompagnent une croissance, un destin. Elle portait une pèlerine en drap couleur de lait. À côté de cette majestueuse cigogne, j'avais l'impression d'être un vilain canard dans un étang sans eau. Je plongeais la tête dans le trafic, dans le présent, je cherchais un oreiller où déposer mes pensées. Italia était là, elle allait et venait avec les essuie-glaces. Je me rappelais ses paroles. Elle parlait peu, mais le peu qu'elle disait affleurait sur ses lèvres comme après un long voyage dans sa tête, dans son âme.

— C'est un garçon, j'en suis sûre.

Elle l'avait dit sans solennité, car c'était ce qu'elle sentait, et c'était vrai. Maintenant je le savais. Maintenant qu'il me semblait pouvoir pénétrer ce destin de rechange où étaient alignées les choses non advenues. Cette idée me saisit sans me blesser. Ce serait plus facile de m'en sortir. Reculer chaque jour d'un pas, jusqu'à vous laisser seules. Les filles vont avec leurs mères, elles les regardent se maquiller, elles enfilent leurs chaussures. Et moi, sans attirer les regards, je pourrais me défiler, rester comme une toile de fond dans la maison, aussi policé qu'un serveur indien.

Les jours se suivaient l'un derrière l'autre avec leur bouquet d'événements toujours identiques, aux infimes nuances, comme mon visage. C'est ainsi que le temps travaille, Angela, en une progression systématique. Un mouvement invisible mais implacable nous use. La trame des tissus se distend et se rajuste sur le châssis de nos os et, un jour, sans que personne ne nous en ait avisés, on a le visage de son père. Le sang n'est pas seul en cause. Peut-être l'âme a-t-elle encouragé les impulsions d'un désir caché, qu'on sait avoir, même s'il nous répugne. Cette mutation se révèle à la moitié de la vie, les années à venir ne feront qu'ajouter quelques retouches fatales. Le visage des quarante ans est déjà le visage de la vieillesse. Celui qui entrera dans la tombe.

Moi qui avais toujours cru ressembler à ma mère, je devins mon père un matin de décembre, dans le rétroviseur de ma voiture immobilisée dans le trafic. La souffrance avait poussé mes cellules dans le sens de cet homme que je continuais à détester sans raison précise, seulement parce que j'y étais habitué, depuis mon premier souvenir de lui. Je retirai mes lunettes et m'approchai du rétroviseur. Mes yeux vaguaient, sombres, dans un cercle violacé, le nez nu (où me restait le sillon creusé par la monture) était devenu plus encombrant. La pointe s'était incurvée vers la bouche qui, elle, avait rétréci, comme un rivage englouti par la mer. C'était tout lui, ou presque. Il manquait sa joie, cette pente comique qui, inscrite dans les traits d'une nature triste, le rendait unique et ne l'abandonna pas, même mort. Le visage sec, sans plus de volonté, conservait l'arrogance de son défunt locataire. J'étais une mauvaise copie égarée, un triste sire au visage rapace.

Le jour de Noël, je ne restai pas chez mes beaux-parents pour le bingo, auquel s'ajoutèrent à partir d'une certaine heure de nouveaux invités, l'air repus et ensommeillés. Je passai à mon voisin les numéros que j'avais devant moi et sortis prendre l'air. Après tous ces jours d'agitation, les rues étaient vides, les grilles des magasins baissées. Il ne faisait pas beau, il faisait très froid et il n'y avait pas de soleil. Je me réfugiai dans l'église du quartier. Elle était presque déserte à cette heure intermédiaire, mais on sentait encore l'odeur des fidèles venus en nombre à l'office du matin. Je marchai sur le côté, sous les voûtes, dans la niche où se trouvait la crèche. Quelques formes en plâtre, grandes, presque à l'échelle humaine. La Madone, avec sa mante aux longs plis immobiles, avait les yeux baissés sur une paillasse surélevée où reposait la statue de l'Enfant. Mes jambes se plièrent sottement devant ce vilain cercle de statues aux bobines ahuries. Je sombrai dans un pathétique entretien avec moi-même, comme si quelque présence invisible m'observait et me jugeait. Naturellement, rien ne se produisit, Dieu ne se dérange pas pour un homme ridicule. Au bout d'un moment, je pensais déjà à autre chose.

Aucune lumière divine ne tombe sur ce bébé rigide, qui est face à moi dans l'ombre dorée de cette église. Son auréole est tenue par une baguette de fer noire que quelqu'un peut-être a recollée, car il y a une tache jaune de vieille colle derrière la nuque en plâtre. Peut-être que je vois trop de choses pour pouvoir croire, Angela, elles courent vers moi dans leur insignifiance. Les sordides vicissitudes de la terre, sur lesquelles le ciel ne se penchera jamais. Cette pauvre statue qui entre et sort de la paille d'une caisse en bois cachée dans la sacristie. C'est là que ce nouveau-né aux yeux bleus passe l'hiver, là que le trouvent le printemps et l'été, dans le noir d'une caisse en planches de bois où pénètrent la poussière et l'humidité. Et sa mère emballée plus loin, sur le flanc, avec elle aussi de la paille sur le visage. Des figurants en plâtre, qu'on sort une fois par an pour des cœurs anxieux et menteurs comme le mien.

Je regardais cette naissance avec désenchantement, comme un de ces touristes en bermuda et sandales qui entrent dans une église pour échapper à la canicule et jettent un coup d'œil curieux à ce lieu d'encens et d'oraisons jaculatoires, sous le regard affligé d'une vieille bigote au corps courbé au premier rang, le plus proche de l'autel. Et il y a vraiment une femme agenouillée, cachée derrière une colonne. Il y a toujours une femme agenouillée dans une église. Je vois les semelles de ses chaussures, et déjà je vois ma mère. Elle était croyante, et pendant toute sa vie mon père lui avait interdit de pratiquer sa foi. Pour ne pas déplaire à son mari, elle s'habitua à prier en silence. Elle feignait de lire, les yeux extasiés devant un livre ouvert, mais elle oubliait de tourner les pages. Elle ne retrouva le courage que vers la fin, quand les absences de mon père se firent de plus en plus fréquentes. À ses heures perdues, elle se glissait dans l'église moderne de ce quartier qu'elle détestait. Elle s'asseyait sur un banc à l'écart, près de la porte, près du bénitier, près du bruit de ceux qui entraient, comme si elle ne se sentait pas digne de ce lieu saint. Les semelles des chaussures de cette femme, comme celles de ma mère, les semelles de ceux qui sont agenouillés, qui décollent de la terre et prient. Italia aussi était croyante. Elle avait un crucifix sur le mur de sa chambre à coucher, qui pendait parmi les grains d'un gros rosaire en bois, et un petit crucifix d'argent autour du cou qu'elle suçait quand elle était triste. Peut-être qu'elle aussi à présent se glissait dans une église pour demander pardon à une statue. Qui sait comment elle avait passé Noël. Je vis un panettone brisé sur la nappe en toile cirée, et au milieu des miettes sa main qui en coupait une tranche et une bouchée qui franchissait sa gorge noire dans cette maison sans chauffage. Peut-être qu'elle aussi avait devant elle une crèche, une de ces petites crèches en plastique toutes d'un bloc qu'on achète dans les grands magasins.

Puis j'oubliai. Et tandis que j'oubliais, la vie me récompensait. En février je devins chef de service. C'était dans l'air depuis un moment. Je le méritais. Je travaillais dans cet hôpital depuis dix-sept ans. J'avais été assistant, puis aide-chirurgien, puis premier aide. À présent, c'est moi qui commandais. Je me laissai porter par l'euphorie des autres, ta mère en premier lieu, et des collègues qui organisèrent une fête en mon honneur. Cette promotion consacrait mon futur, mais le circonscrivait aussi. J'abandonnais pour toujours le rêve de partir dans un pays sous-développé où ma profession pourrait enfin être ce que j'avais imaginé quand j'étais jeune. Un frisson constant, une mission. Loin de la lente et hypnotique baudruche qu'était cet hôpital riche et mal géré, où les médicaments sont périmés et où les équipements vieillissent dans leurs grandes caisses encore fermées. Où tout se passe sous anesthésie, et la chose la plus vivante est ce rat qui de temps en temps traverse la cuisine et provoque les cris des cuisinières. Chacun de nous rêve de quelque chose qui sorte de ses gonds son univers quotidien, Angela. On rêve assis sur un canapé, débraillé au milieu des avantages en nature que la vie nous octroie chaque jour. Soudain, poussé par un ridicule mouvement de révolte, on recherche la moelle de l'homme qu'on aurait voulu être. Mais par chance, on est dans du tulle gras qui nous enveloppe bien et nous protège des arêtes et des conneries que de temps en temps on se raconte.

Resté seul après que le directeur de l'hôpital m'eut félicité, en rentrant chez moi en voiture je me surpris à réfléchir à ce changement, à la façon dont les choses se mettaient en place. Et il me sembla que cette promotion aussi était un signe précis dans le graphique que la vie avait tracé pour moi. Je repensai à ces derniers mois d'étourdissement amoureux comme à une sorte d'année sabbatique, de vacances intenses et déchirantes que mon cœur s'était auto- risées avant le nouveau cycle de responsabilités qui m'attendait. Je me sentais à nouveau fort. Et si quel- que chose de terrible était arrivé, à présent tout s'était envolé derrière moi comme un papier gras dans le vent, sur le front de mer à la fin de l'été.

Pendant ce temps, tu bougeais de plus en plus diffi- cilement à l'intérieur de ta mère. Son ventre était gros, il pointait sous ses vêtements comme un trophée, le nombril proéminent tel l'ombon d'un bouclier. Il restait peu de temps, moins d'un mois. Elsa avait de moins en moins de souffle. Le soir, après dîner, je posais ma main sur le col de son estomac et je la massais doucement. Elle dormait peu, quand elle s'allongeait tu semblais te réveiller. La nuit, souvent je la trouvais aux aguets et silencieuse, immergée dans ses pensées. Elle veillait sur cette chrysalide de désirs dont tu sortirais d'ici peu. Je la scrutais dans la pénombre et je n'osais pas la déranger, je sentais qu'elle voulait être seule. Dans la rue, elle s'appuyait à mon bras, sa silhouette était imposante et maladroite, je m'attendrissais en voyant son reflet dans une vitrine. Ses manières m'attendrissaient, comme cette obstination qui ne la quittait jamais. Sur son corps si transformé, tout cet orgueil était vraiment drôle. Elle voulait me prouver qu'elle se débrouillait très bien toute seule, de sorte qu'elle menait une vie beaucoup plus remplie que son état ne le conseillait. Elle s'habillait avec soin, et jamais dans les magasins pour femmes enceintes, qu'elle détestait. Sa peau était devenue satinée, son regard plus clair. Elle poursuivait imperturbablement la compétition avec les autres femmes.

Nous faisions encore l'amour, son désir ne paraissait pas affecté par l'essoufflement physique. Elle s'étendait sur le côté et je m'appropriais son corps vaste et abandonné qui m'accueillait. J'avais du mal à vaincre mes peurs, qui semblaient n'être que les miennes, devant ces traits si changés qui me faisaient me sentir minuscule et inopportun. C'était un accouplement doux, offert à une chair déjà gravide. Je m'en serais volontiers dispensé. Mais Elsa réclamait mes attentions, alors je la satisfaisais. Je m'installais en elle, entre vous deux, comme un invité abasourdi assis sur un strapontin dans une fête bondée. J'écoutais dans le noir le bruit de la vie qui était entre nous, que nous avions créée par ce mouvement des corps qui se poursuivait, comme si nous n'avions jamais cessé. J'étais chez moi, entre les jambes de la femme que je connaissais depuis quinze ans, qui était enceinte de moi. À côté, dans la chambre d'amis, il y avait désormais du papier peint constellé de petits ours et un berceau était déjà prêt. Peut-être aurais-je dû me sentir plus heureux que je ne l'étais. Mais l'intimité est un territoire dangereux, Angela. Je ne pensais pas à Italia, mais je la sentais. Je savais qu'elle était restée dans mes membres comme le bruit de pas sombres, comme la vieille gouvernante du château qui va éteindre les lumières une à une, jusqu'au noir complet.

Et nous voici dans la cohue de ce magasin à deux étages avec de grandes baies vitrées qui laissent voir l'intérieur. Ta mère m'avait demandé de l'accompagner pour acheter ta layette. Il était six heures de l'après-midi, il faisait déjà sombre, il pleuvait. Elsa secoua son parapluie, le laissa dans le panier à côté de la porte, toucha ses cheveux pour sentir s'ils étaient humides et me chercha derrière elle. Au-dessus de nos têtes pendait une infinité de petits animaux en peluche collés au plafond par des ventouses. Dans l'aire de jeux pour les enfants, il y avait des jouets en plastique aux arêtes arrondies. Les filles à la caisse avaient un calot rouge comme leur minijupe et offraient à tous les enfants qui sortaient du magasin un ballon fixé à une petite tige en plastique.

Nous prîmes les escalators. Nous errâmes étourdis parmi les stands en poussant notre chariot, sans réussir à nous décider. Nous étions au rayon premiers mois, ces petits vêtements nous laissaient songeurs. Il faisait chaud, j'avais le manteau d'Elsa sous le bras et le mien encore sur le dos. Je le déboutonnai. Elsa se penchait méthodiquement sur les minuscules articles, elle lisait le prix, la composition du tissu.

— Ça te plaît ?

Elle avait pris un cintre avec une petite robe de princesse, tout en volants de taffetas. Elle la tourna d'un côté puis de l'autre et décida qu'elle était trop chargée pour un nouveau-né. Elle voulait acheter seulement des choses pratiques, faciles à mettre et lavables en machine. Mais par la suite, après quelques tours, nous attrapâmes le taffetas en riant et le jetâmes dans le chariot. Et, dans la même euphorie, nous ramassâmes des chemisettes, des jupes, des pyjamas en éponge, un protège-oreilles en peluche, un poisson bleu ciel pour la baignoire, qui mesure la température de l'eau, un livre flottant, une guirlande d'animaux avec des grelots pour mettre sur la poussette, une paire de petites chaussures de sport taille zéro, complètement inutiles, mais trop belles pour qu'on les laisse là. Une vendeuse nous suivait pour nous conseiller, elle souriait. Ta mère et moi nous tenions par la main, de temps en temps ta mère me donnait une petite bourrade, car à présent c'est moi qui voulais tout acheter. Ce magasin était vraiment une fête pour nous, où soudain nous désirions que tu naisses rapidement pour pouvoir t'enfiler cette robe de conte de fées, ces petites chaussures d'athlète. Maintenant que nous avions tes affaires, nous avions l'impression de te voir. Quand la vendeuse poussa le chariot dans l'ascenseur, Elsa, les joues rouges et le front perlé de sueur, donna un petit coup sur la poignée :

— Bien, je crois qu'il ne manque rien.

Et, pendant un moment, elle sembla un peu perdue, car nous allions vers la caisse avec toutes ces choses. Tu n'étais pas encore là, tu étais vêtue d'eau. Et elle, d'ordinaire si avisée, s'était pour la première fois laissé déborder par la frénésie, elle qui était entrée en disant :

— Le strict nécessaire.

À la caisse, la fille au chapeau rouge sourit et m'offrit un ballon. Des sacs plein les mains, nous récupérâmes le parapluie d'Elsa dans le panier et nous sortîmes. Dehors, il y avait le bruit du trafic et de la pluie qui tombait sur le trottoir, sur les voitures arrêtées au feu rouge. J'avais demandé à la vendeuse de nous appeler un taxi que nous attendions debout sous l'auvent du magasin, une toile trempée où l'eau stagnait un peu avant de tomber bruyamment sur le sol. Il y avait d'autres gens autour de nous, entassés là-dessous pour échapper aux rafales de cette pluie devenue brusquement très violente. Le parapluie d'une femme distraite gouttait trop près de ma jambe. Mon regard embué fouillait par-dessus les cheveux d'Elsa, à sa gauche, parmi les phares rouges et jaunes qui m'arrivaient flous et se répandaient dans l'épais rideau de pluie au fond de la rue. Je cherchais l'enseigne lumineuse du taxi qui devait arriver. Tous les sacs dans une main, ce ridicule ballon dont je n'avais pas encore réussi à me débarrasser dans l'autre.

Entre deux colonnes de voitures, le taxi débouche enfin, il avance lentement vers nous. Je tourne la tête et mon regard cherche celui d'Elsa, qui est à côté de moi, distraite.

— Le voilà, je dis.

Je m'arrête. Mon regard revient un peu en arrière, sur un point au fond entre le trafic et moi, où dans son mouvement, gêné par le déluge, il a capté quelque chose : une ombre qui a glissé dans mon champ visuel pendant une fraction de seconde. De fait, je n'ai rien vu, ce n'est qu'une silhouette dans l'eau. Mais j'ai eu tout de suite cette certitude. Je sens un coup à l'estomac et un nœud à la gorge. Italia est là, immobile sous la pluie. Elle regarde dans notre direction. Peut-être nous a-t-elle vus sortir du magasin... Nous étions en train de rire, à cause de ce ballon, à cause de la caissière un peu trop expansive. « Quelle petite salope, m'avait murmuré Elsa à l'oreille, elle pense qu'avec ce ventre je suis hors course... » J'avais ri et manqué de glisser sur le trottoir. En essayant de me soutenir, Elsa avait perdu l'équilibre et nous avions failli tomber ensemble. Alors nous avions ri encore plus, heureux et burlesques, sous cette eau qui tombait à verse. Italia regarde Elsa à côté de moi. Elsa et son ventre rond sous son manteau. J'ai à la main ce ballon rouge, je le baisse, car maintenant j'ai honte, et en même temps j'essaie avec mon corps de cacher celui d'Elsa. Je la protège de ces yeux figés sous la pluie à quelques mètres de nous. Je ne vois pas l'expression d'Italia, la lumière d'une vitrine l'éclaire par-derrière, son visage est dans l'ombre. Elle n'a plus les cheveux jaunes. Mais je sais que c'est elle, et je sais qu'elle nous a vus. Et je ne sais plus où je suis. Tout n'est qu'ombres et lueurs qui effleurent mon visage. Je suis seul avec elle dans le bruit de la pluie. Elle sans protection, son corps rigide transi de froid, sa veste en laine trempée, les jambes nues. Je lève une main, l'eau qui s'écoule de l'auvent entre par la manche de mon imperméable. Je lui dis de m'attendre, je lui dis : *Ne bouge pas.*

Le taxi s'est arrêté à côté de nous, Elsa monte, son parapluie replié au-dessus de la tête. Je vois ses épaules et son manteau qui se glissent par la portière. Je regarde à nouveau Italia : elle s'en va. Je suis sa silhouette qui traverse la rue entre les voitures au pas. Je me penche par la portière ouverte. Elsa me regarde d'en bas, elle ne comprend pas ce que j'attends.

— On se voit à la maison.

— Pourquoi ? Tu ne viens pas ?

— J'ai oublié ma carte de crédit...

— Je t'attends.

Derrière le taxi, les voitures klaxonnent.

— Non, vas-y. Je marche un peu.

— Prends au moins le parapluie.

Je vois par la lunette arrière le visage d'Elsa tourné vers moi tandis que le taxi s'éloigne. Je traverse la rue, j'ai gardé un sac rempli d'affaires de nouveau-né dans une main, dans l'autre le ballon de la caissière et le parapluie d'Elsa que je n'ai pas ouvert, car je n'ai aucune intention de m'abriter. Je regarde le trottoir opposé, je regarde d'un côté puis de l'autre, pas d'Italia. Je regarde dans un café rempli de gens debout au comptoir dans l'attente que l'orage se termine. Ça sent la sciure mouillée et le ketchup, Italia n'y est pas. Je ne sais plus où la chercher, mais je cours, je m'enfile dans la première rue que je rencontre, qui se termine puis se poursuit en une ruelle latérale, étroite et sombre, où la pluie résonne, solitaire. Je la vois. Elle est assise sur les marches devant un portail contre lequel elle a appuyé son dos. Elle ne m'entend pas, car le bruit de la pluie dévore celui de mes pas. Elle ne me voit pas, car elle a la tête enfouie dans les mains. Je regarde la fuite de sa nuque courbée. Elle n'a plus ses cheveux de paille, maintenant ils sont courts, foncés, collés à la peau comme un bas luisant. C'est là que je pose ma main, sur cette tête incroyablement petite, sur ces cheveux mouillés. Elle sursaute. Son cou, son dos vibrent comme si elle avait reçu un coup de fouet. Elle ne m'attendait pas. Son visage est un masque rongé par l'eau, ses dents claquent sous ses lèvres serrées. J'écoute ce claquement de dents affolé qu'Italia ne parvient pas à

248

réfréner. Je suis devant elle, tout près d'elle. L'imperméable trempé pèse sur mes épaules, l'eau s'insinue dans mon cou entre ma chair chaude et mes vêtements. J'ai couru, je respire la bouche ouverte tandis que la pluie coule sur mon visage. J'ai un ballon rouge à la main. Comme elle est bien peu de chose, elle qui serre son corps trempé, ses jambes blanches étendues sur les marches, une paire de bottines sur ses chevilles brillantes d'eau. C'est atroce de la retrouver, et c'est magnifique. Elle paraît plus jeune. On dirait une petite fille malade. On dirait une sainte. L'eau creuse ses traits. Il ne lui reste que les yeux. Deux flaques luisantes qui me scrutent tandis que le maquillage noir coule sur ses joues comme de la suie mouillée. Elle est seule avec ses os, avec ses yeux. C'est elle. Mon chien perdu.

— Italia...

Et son nom roule dans cette rue sombre et étroite, entre les murs qui l'enferment. Elle met ses mains sur ses oreilles, secoue la tête, elle ne veut pas m'entendre, entendre son nom. Je m'agenouille sur les marches, devant elle, je saisis ses bras. Elle trépigne, décoche des coups de pied.

— Va-t'en, dit-elle entre ses dents qui continuent à trembler. Va-t'en... Va !

— Non, je ne m'en vais pas !

Et maintenant c'est moi, le chien. Je baisse le museau contre elle, dans son giron mouillé. Ces vêtements trempés ont une odeur forte. L'eau a réveillé quelque vieille odeur prisonnière de la trame souple de cette veste en laine. C'est une odeur de bête en sueur, en couches. Et déjà je suis un enfant, je tremble agenouillé sur les marches, tandis que le déluge s'abat sur nous. Et j'entoure de mes bras ses hanches maigres.

— Je n'ai pas pu te le dire, je n'ai pas eu le courage...

Elle s'est écartée pour échapper à mon étreinte, elle respire à bout de souffle, mais elle a cessé de me repousser.

Je me relève, je cherche ses yeux. Une de ses mains se détache du sol, s'approche de mon visage et le caresse. Et quand cette main froide comme la pierre où elle était posée s'arrête sur ma joue, je sais que je l'aime. Je l'aime, ma chérie, comme je n'ai jamais aimé personne. Je l'aime comme un mendiant, comme un loup, comme un pied d'ortie. Je l'aime comme une entaille dans le verre. Je l'aime parce que je n'aime qu'elle, ses os, son parfum de misère. Et je veux hurler à toute cette eau qu'elle ne réussira pas à l'emporter loin de moi dans une de ces rigoles qui courent sur le pavé désert.

— Je veux rester avec toi.

Elle me regarde de ces yeux que l'eau semble avoir rouillés. Sa main caresse mes lèvres, son pouce se glisse entre mes dents.

— Tu m'aimes encore? dit-elle.

— Plus, Chiendent, bien plus.

Et je lèche son pouce, je le suce comme un nouveau-né. Je suce tout ce temps où nous avons été séparés. Nous sommes toujours là, plus vieux d'un été, adossés à un portail sous la pluie qui coule des terrasses, dans le parfum d'un jardin humide là-derrière, nous et notre chair tiède et fumante sous les vêtements mouillés, nous, à nouveau dans la rue comme deux chats. Ma langue est sur le fil de ses cils. Elle a retiré sa culotte et la serre dans une main. Les jambes écartées comme une poupée, les pieds dans les bottines brillantes d'eau. Je m'avance et m'écrase en elle, tandis que l'eau glisse sur notre cabane tiède comme un kiosque de jardin, comme une serre. Nos visages enchaînés, et dessous ce plaisir visqueux, qui nous projette au loin et emporte tout avec lui. Et tu ne sens plus la peur dans ce dos que quelqu'un pourrait atteindre et remplir de coups de pied pour t'humilier. Tu es un ver de chair bien à l'abri dans le corps que tu aimes. Nous sommes toujours là, dans l'épuisement de nos souffles. Nous qui ne durerons pas, qui mourrons comme tout ce qui meurt.

Puis il fait vraiment sombre et il pleut vraiment beaucoup. Où irons-nous ? Vers quel destin ? Quelle chambre nous accueillera désormais ? Nous ne devions pas nous aimer, et pourtant nous l'avons fait. Comme des chiens, au milieu de la rue. Et l'après est toujours opaque, pénible, incertain. Quelques gestes maladroits pour se rajuster, une caresse, une honte en plus. Nous l'avons fait et nous ne devions pas le faire. J'ai une épouse enceinte qui m'attend chez moi. Peu importe, remets ta culotte, Italia. Et moi aussi, hop, le pantalon, vite et mal sous l'imperméable qui a l'air d'un torchon bon à jeter. Personne ne nous a vus, car il n'y a pas âme qui vive dans cette rue retirée du monde juste pour nous. Italia s'est levée, je regarde son corps de spectre dans la veste en laine alourdie par l'eau. On dirait une chèvre égarée, seule dans un escarpement sous une averse. Tout est à nouveau terrible. À côté de moi, il y a un lampadaire éteint. *Si seulement un éclair nous avait frappés pendant que nous nous aimions ! Un serpent électrique, planté entre elle et moi. Un fil bleu et vibrant, enfoncé dans notre plaisir. Alors oui, ça aurait eu un sens...*

Mais maintenant... Maintenant, passer la main sur mes vêtements froissés, sur mes cheveux collés, avec toujours ce remue-ménage à l'intérieur, ces corps secoués dans tous les sens, et retourner au monde de lumières reflétées par l'asphalte, de voitures qui voyagent, de jambes rapides sous les parapluies qui brillent au fond de la rue. Nous sommes toujours là, deux amants misérables au milieu de cette rue. Il y a un ballon rouge sur le pavé noir, comme un cœur oublié. Italia le regarde.

— Pourquoi tu t'es coupé les cheveux?

Elle ne répond pas, elle sourit dans le noir, ses dents imparfaites apparaissent sous la lame menue de ses lèvres. Nous retournons donc parmi la foule, mon bras plié et sa petite main au milieu, ses doigts plongés dans mon imperméable. Nous avançons tout doucement, je sens dans le bras auquel elle s'est appuyée qu'elle a du mal à marcher. Les quelques personnes qui passent bruissent près de nous sans nous voir. Maintenant enfin le ciel s'écoule lentement, comme un drap essoré qui exsude les dernières gouttes.

— Qu'est-ce que c'est? Fais-moi voir.

Nous sommes toujours là, assis encore une fois dans un café, à la table la plus reculée. Derrière Italia, le mur est couvert de planches de bois sombre. La table est étroite, mouillée par nos coudes mouillés. En dessous, nos genoux s'effleurent et de vieilles serviettes en papier se sont collées à la semelle de nos chaussures. J'ai fait l'erreur de poser le sac sur la table, je ne m'en suis pas rendu compte. Et Italia l'a tiré de son côté. Je retiens le sac :

— C'est rien...

— Fais-moi voir.

Et la petite robe avec les volants de taffetas apparaît, humide et chiffonnée.

— C'est une fille?

Je fais signe que oui, le regard baissé vers l'entonnoir de mes mains entrouvertes sur la table. Voir ce tissu blanc entre nous me trouble. Il y a moins d'une heure, ta mère et moi riions devant cette robe, nous l'avions retirée de son cintre et mise dans le chariot. Nous étions heureux. Maintenant je la regarde et je la trouve horrible. L'eau l'a flétrie tandis qu'Italia et moi faisions l'amour. On dirait la robe d'une enfant morte, noyée dans un lac. Italia a la tête baissée, elle agite les mains, elle les agite trop, elle tire sur le tissu, effleure les volants.

— Quel dommage! Espérons qu'elle n'ait pas rétréci.

Elle la retourne, cherche l'étiquette à l'intérieur.

— Non, c'est une chance, elle se lave en machine...

Mais qu'est-ce que tu fais? Qu'est-ce que tu dis?

— ... il suffit de la repasser, elle sera à nouveau parfaite.

Maintenant elle la plie. Elle prend les manches, les tourne vers l'intérieur, avec soin, comme si elle ne réussissait pas à se détacher de ce tissu. Ses yeux ne veulent pas me regarder, ils se posent au-delà de moi, parmi les gens qui bougent au fond, de l'autre côté du café.

— Le matin où j'ai avorté, je suis venue sous ta maison. Tu es sorti par le portail de l'immeuble, mais je ne me suis pas approchée parce qu'il y avait ta femme. Vous êtes allés vers la voiture, tu lui as ouvert la portière, tu l'as légèrement heurtée. Elle a mis les mains sur son ventre, en bas... Alors j'ai compris. Parce que ma vie a toujours été comme ça, pleine de petits signes qui viennent me prendre par la main.

— Tu ne me pardonneras jamais, hein?

— Dieu ne nous pardonnera pas.

Elle a vraiment dit ça, Angela. Et, à présent, j'entends ses paroles qui me reviennent depuis ce café, depuis cette pluie, depuis cette époque lointaine. *Dieu ne nous pardonnera pas.*

— Dieu n'existe pas! je sifflai en serrant ses mains glacées.

Elle me regarda, et peut-être rit-elle de moi. Elle haussa les épaules :

— Espérons.

Nous ne parlâmes pas de nous revoir, nous ne parlâmes de rien. Je la laissai au milieu de la rue. Elle me dit qu'elle partait, qu'elle devait laisser la maison aux nouveaux propriétaires.

— Et tu vas où?

— Pour le moment je retourne dans le Sud, ensuite on verra. Peut-être que j'irai en Australie.

— Tu parles anglais?

— J'apprendrai.

Ta mère a accouché le soir suivant. Les contractions ont commencé dans les premières heures de l'après-midi. J'étais à l'hôpital, je suis parti immédiatement. Elle était dans le séjour, devant la télévision éteinte. Elle était encore en robe de chambre. Elle a tendu la main sur le canapé vide.

— Viens.

Je me suis assis à côté d'elle. Elle a mis ses mains sur ses hanches, son visage s'est crispé pour chasser la douleur. J'ai regardé ma montre, après quelques minutes elle a eu une autre contraction.

Je suis allé dans la chambre où depuis quelques jours déjà le sac avec vos affaires était prêt.

— Je peux le fermer? ai-je crié pour me faire entendre.

Mais elle m'avait déjà rejoint :

— Oui, a-t-elle dit doucement.

Elle a retiré sa robe de chambre et l'a jetée sur le lit. J'ai pris la robe qui était sur la chaise, je l'ai aidée à l'enfiler.

— Reste tranquille.

Elle a tourné encore un peu dans la maison sans but précis. Elle s'est approchée de la bibliothèque, elle a pris un livre, puis l'a remis à sa place et en a pris un autre.

— Le cardigan...

— Je le prends. Lequel?

— Le bleu clair. Celui que tu veux.

Je lui ai donné le cardigan et elle l'a laissé sur la table.

Elle va à la salle de bains. Elle en sort coiffée et avec du rouge sur les lèvres, mais elle tremble. Les douleurs l'encerclent, de plus en plus rapprochées. Elle s'arrête dans l'entrée, prend le combiné du téléphone et compose le numéro de ses parents.

— Maman, on y va. Mais ne venez pas tout de suite, il y a le temps.

En fait, du temps il n'y en a pas eu beaucoup. Elle a perdu les eaux dans la voiture. Ce flot de chaleur inopinée l'effraie, la met mal à l'aise. Ça ne lui plaît vraiment pas d'arriver à la clinique avec la robe mouillée. Par chance il y a mon pardessus, elle le garde sur les épaules tandis que nous pénétrons un hall de marbre sombre. Je suis derrière elle, avec le sac. Nous montons tout de suite. Bianca, la gynécologue, est déjà là et nous attend devant l'ascenseur. Elsa et elle se tutoient.

— Comment ça va, Elsa?

— Ma foi...

Je l'ai vue deux fois en tout et pour tout. C'est une femme d'âge moyen avec les cheveux courts et grisonnants, grande, élégante, elle fait de la voile. Manlio l'a mal pris quand Elsa lui a dit qu'elle préférait se faire suivre par une femme, elle le lui a dit au cours d'un de nos dîners, avec un joli sourire sans pitié, quand peut-être elle a senti cette complicité molle entre lui et moi. Bianca me tend la main :

— Bonjour.

La maternité est au quatrième étage, le sol est en carrelage vert prairie, il lui donne un air joyeux, comme une école maternelle. Dans le couloir, des cocardes roses et bleues sont accrochées aux portes closes. La chambre a un lit électrique en métal doré et une grande fenêtre où surgit le feuillage du jardin. Elsa s'appuie sur le lit, elle respire avec difficulté. Je sors tandis qu'entre Kentu, une sage-femme de couleur, aux traits robustes et joyeux, suivie par Bianca, qui doit examiner Elsa. Quand je reviens, le bloc du monitorage pour mesurer l'intensité des contractions est à côté d'Elsa, qui regarde dans le bleu du moniteur avec des yeux gélatineux. Elle a les lèvres sèches, je l'aide à boire. Ils lui ont fait un lavement, l'ont rasée, ils ont manipulé son intimité et elle a été docile comme un nouveau-né. Elle va d'avant en arrière dans la chambre, les mains sur les hanches. Par moments elle s'arrête, pose une main contre le mur et reste ainsi, la tête baissée, les jambes écartées et son grand ventre qui pend. Elle se plaint doucement. Je l'aide à respirer, caresse son dos. De temps en temps, Bianca passe la tête. « Comment ça va ? » elle demande. Alors Elsa ébauche un sourire qui ne vient pas. Elle a lu dans un manuel que le caractère d'une femme se révèle lors de l'accouchement. Elle veut avoir l'air courageuse, mais peut-être n'a-t-elle plus autant envie de l'être.

— Vous êtes plus pâle que votre femme, dit Bianca quand elle revient entrouvrir la porte.

Elle a des manières brusques, assurées, et n'est pas dépourvue d'une tranquille ironie. Elle n'a pas l'air d'avoir beaucoup de considération pour les hommes, je comprends pourquoi Elsa l'apprécie tant. Je suis médecin, je devrais l'aider mieux que je ne le fais, mais je n'ai que des rudiments d'obstétrique, et de toute façon l'événement qui vient vers nous a peu à voir avec la science, il appartient à la nature. C'est elle qui secoue son corps, qui le fait vibrer à côté du mien. Et j'espère que tout se terminera vite. Soudain, Angela, j'ai peur que quelque chose aille de travers. Ta mère souffre, je soutiens son front, et pendant ce temps j'ai peur. Je suis un imposteur. J'ai une maîtresse que je n'arrive pas à oublier. Parce que j'ai perdu un enfant d'elle, je l'ai laissé partir sans lever le petit doigt. Un enfant qui serait passé par le même travail pour venir au monde. Mais il est resté dans le noir d'un moniteur éteint. Elsa est à nouveau étendue. Sur le moniteur, les pics rouges des contractions augmentent. Elle écarte les jambes, Bianca l'examine. Elle glisse une main à l'intérieur, au fond. Elsa soulève la tête, elle crie. Le col de l'utérus est ouvert, la dilatation est de dix centimètres.

— On y est presque, dit Bianca tout en retirant le gant en latex et en le jetant dans le conteneur en acier.

Elsa agrippe de toutes ses forces les bras nègre de la sage-femme, forts comme des troncs d'arbre.

— Venez voir.

Je m'approche et je regarde. Le sexe de ta mère s'est agrandi, il est large et tendu. Enflé par ta tête. Il y a quelque chose au milieu. Une touffe de noir. Tes cheveux, Angela. La première chose que j'ai vue de toi.

Nous montons vers la salle de travail. La main d'Elsa me cherche, serre fort la mienne. L'infirmière pousse le brancard en courant, j'ai du mal à retenir la main d'Elsa. Avant d'entrer dans la salle de travail, elle murmure, épuisée :

— Tu es sûr de vouloir venir ?

À vrai dire je ne suis pas sûr du tout. Je suis chirurgien, mais j'ai peur de m'effondrer. Ça m'a dégoûté de voir cette morsure noire, au milieu du sang et de l'aine rasée de ta mère. Je resterais volontiers dehors, cette affaire à la fois poétique et sanglante me terrifie, mais je sais que je ne peux pas dire non, c'est important pour Elsa que je sois là. Je sens une grande force tout autour, et j'enregistre en moi cette vibration mystérieuse, ces ultrasons qui capturent ma personne adulte dans le cristal où commence la vie.

Et donc je suis à l'intérieur, dans la salle de travail, et le travail a commencé. Bianca a les mains entre les cuisses d'Elsa, son visage est sérieux, tendu, et ses bras sont soudain téméraires, des bras d'accoucheuse de campagne. Il faut faire vite. Il faut qu'Elsa pousse, et elle le fait, guidée par Bianca et par Kentu qui, les mains sur le haut du ventre, accompagne ses mouvements, décidée :

— Une belle respiration et ensuite tu pousses fort, comme si tu allais aux cabinets.

Elsa a le cou soulevé par l'effort, la tête raide, le visage cyanosé. Elle regarde son ventre encore plein, grince des dents, ferme les yeux et essaie de pousser, mais elle est déjà exténuée.

— Je n'y arrive pas, ça fait trop mal...

— Inspire, prends une belle inspiration !

Et maintenant Bianca parle fort, son ton est autoritaire.

— Courage, comme ça !

Je caresse les cheveux mouillés de ta mère qui se collent aux paumes de mes mains. Bianca fait un pas en arrière, elle s'écarte du petit lit. Kentu est entre les cuisses d'Elsa, les yeux plantés dans son sexe. Je m'approche. Maintenant je veux voir. Ça dure un instant, Angela, Kentu dans cette bouche ensanglantée, un doigt d'un côté, un autre de l'autre. Un bruit sec, comme un bouchon qui saute, et ta tête est dehors.

Puis le reste du corps, très vite. Tu ressembles à un lapin. Un lapin gris écorché. Le torse long, le museau ratatiné. Tu es souillée de sang et d'une boue claire. Le cordon ombilical est enroulé autour de ton cou.

— Voilà pourquoi elle ne sortait pas...

Bianca saisit le cordon, libère ta tête, puis le coupe. Entre-temps, tu prends un petit coup dans le dos, un petit coup d'une main noire. Ton visage est tellement sale que je ne réussis pas encore à voir comment tu es. Tu es bleue. Tu sens le coup et tu ne bouges pas, tu restes immobile, suspendue comme un boyau. Il y a un spécialiste de néonatologie derrière le mur de verre satiné qui partage la salle de travail. Bianca se précipite vers lui avec toi dans les bras. Je ne vois plus rien. Seulement l'ombre de têtes, de corps. J'entends le bruit de l'aspiration en marche... Tu as la gorge obstruée par le mucus, ils te nettoient. Tu n'as pas pleuré, tu n'as pas encore pleuré. Tu n'es pas encore vivante. Elsa me regarde, violacée et en sueur. Nous dialoguons à travers des regards qui se croisent, incrédules. Nous pensons la même chose : *C'est pas possible, c'est pas possible.* La main d'Elsa est glacée, son visage aussi. Ça a duré un instant, Angela. Mais cet instant ouvrait sur un enfer. Je vois Italia et moi en elle, un nombre infini de fois, toutes les fois où nous avons fait l'amour. Me punir est tout ce que j'ai. Glisser la tête dans un nœud coulant. Je regarde ta mère, et peut-être qu'elle aussi renonce à quelque chose pour te sauver la vie. J'attrape mes vieux démons, ceux qui creusent mon dos, ceux qui m'entrent dans les couilles : *Fais vivre la petite et je renonce à Italia!*

Le cri arrive. Aigu, intense, parfait : le premier cri planté entre mes mains et celles de ta mère, entre nos paumes moites. Une larme glisse sur la tempe d'Elsa, se perd dans ses cheveux. La joie prend son temps, elle est placide, lente. L'aspiration s'est tue, les choses reprennent leur place. Les pactes avec le diable ne tiennent plus. Entre les bras de Kentu, c'est toi : un petit singe rouge dans une couverture blanche. Je te reçois, je te scrute. Tu es vraiment affreuse. Tu es vraiment magnifique. Tu as des lèvres épaisses, déjà dessinées, tournées vers l'extérieur de ton visage encore chiffonné, les yeux gonflés, mi-clos à cause de toute cette lumière soudaine qui te gêne. Je lève le coude pour te protéger de ce rayon violent qui tombe du Scialytique encore allumé. C'est le premier geste que je fais pour toi, le premier pour te protéger. Et je me penche sur ta mère. Je n'oublierai jamais le visage avec lequel elle te regarde. Un visage comblé et stupéfait, mais avec un imperceptible fond de tristesse. Je comprends le sentiment qu'il exprime : la conscience subite de la tâche que lui confie la vie. Jusqu'à l'instant d'avant, c'était une femme qui transpirait et renversait la tête, maintenant déjà c'est une mère, la maternité a transformé son aspect. Isolée dans ce cône de lumière qui tombe du plafond, les cheveux ébouriffés, comme si l'anxiété les avait fait pousser, elle a la puissance et l'incertitude d'un premier exemplaire.

Ta mère resta dans la salle de travail pour l'expulsion du placenta. Je pris l'escalier jusqu'à la chambre avec toi dans les bras. Même si tu étais légère comme une provision de pain, tu pesais lourd, je me sentais inapte à ce convoi exceptionnel. Sur la porte, une cocarde rose était déjà accrochée. Nous étions enfin seuls. Je t'ai posée doucement sur le lit. Penché sur toi, je t'ai regardée depuis mon visage d'adulte. J'étais ton père et tu ne savais rien de moi, de la vie qui m'avait courbé l'échine. J'étais ton père, un homme aux grosses mains tremblantes, avec son odeur tapie dans les pores de sa peau, un homme que quarante années avaient traversé jour après jour. Tu es restée immobile, comme je t'avais posée, comme une tortue sur le dos. Tu me regardais avec ces yeux d'eau, d'un gris profond. Et peut-être te demandais-tu ce qu'était devenue cette douce gaine, cette étroitesse qui t'avait abritée. Tu ne pleurais pas. Tu étais là, toute gentille, tu émergeais à peine de ces vêtements trop larges pour toi, on aurait dit une souris habillée. Je me suis dit que tu me ressemblais. Tu étais minuscule, indéchiffrable, mais je reconnaissais quelque chose en toi. Tu as pris presque tout de mes traits, Angela. Tu as dédaigné la beauté de ta mère pour prendre possession de mes tissus peu attirants, qui ont mystérieusement acquis sur toi des plis et des formes privilégiés. Tu n'es pas une beauté moderne, agressive. Tu as un visage désuet, d'une infinie douceur, large et silencieux, un visage sans crépuscule, je t'ai toujours trouvée spéciale. Je m'accroupis à côté de toi, je repliai les jambes comme un fœtus. Tu n'avais que quelques minutes de vie, je te regardais et je me sentais imprécis et flou, exactement comme tu me voyais. Je me demandais si tu avais emporté pour moi aussi un peu de la grâce du monde blanc d'où tu venais. C'était l'aube maintenant, ta première aube.

Je te laissai seule sur ce grand lit et j'allai vers la fenêtre. J'entrouvris les rideaux. Sous la terrasse, en bas, un jardin commençait à fleurir. L'air était une brume farineuse et le soleil absent. Je pensai à ce jour couvert et visqueux qui se levait entre les immeubles et les baraques autour de la maison d'Italia. Que faisait-elle en cette éclaboussure d'aube ? Peut-être avait-elle retiré un torchon suspendu au fil coulissant par la fenêtre de la cuisine, puis elle était restée à soupeser le ciel coupé par le viaduc, une main sous le menton. Je pensai à ma mère, ça lui aurait plu d'avoir une petite-fille. Elle l'aurait emmenée avec elle dans un de ces grands hôtels de vacances en demi-pension. Grand-mère et petite-fille. Au déjeuner, un sandwich sur le lit couvert de sable. Au dîner, l'eau minérale fermée par un bouchon en caoutchouc et la même serviette que la veille. Mais je ne pouvais évidemment pas frapper à sa tombe. Tu étais née, tu pesais deux kilos sept cents grammes, tu avais des yeux en amande mélancoliques comme les miens.

La journée fut bien remplie. La chambre fut envahie de visiteurs et de fleurs. Les parents d'Elsa déambulèrent jusqu'au soir entre le lit de leur fille et la nurserie. Arrivèrent parents lointains et amis proches. Grand-mère Nora parlait, elle amusait les visiteurs, cherchait à qui tu ressemblais. Dans les pauses entre deux visites, elle rangeait les affaires dans la chambre, les pâtes de fruits, les boîtes de chocolats. Comme d'habitude, ses manières trop empressées agaçaient Elsa, qui était prostrée sur le lit, les mains croisées sur son ventre gonflé, un bracelet en caoutchouc rose au poignet. Quand elle croisait mon regard, elle haussait les sourcils et ses yeux m'imploraient de la libérer de sa mère. Je prenais Nora par le bras et je la traînais derrière moi jusqu'au bar de la clinique. Tu étais déjà collée contre son sein. Je me penchais sur Elsa et je l'aidais à t'installer correctement. Tu semblais bien plus experte que nous, tu savais déjà tout. Tu saisissais son téton, tu suçais, puis tu t'endormais. Je restais à vous regarder sur la chaise à côté. Dès ces premières heures, j'ai senti que le seul vrai lien était entre vous.

Le soir venu, je suis assommé, épuisé. J'ai déplacé la chaise près de la fenêtre, le rideau entrouvert dans une main. La brume n'a jamais complètement disparu, elle est encore là et se mêle à la nuit. Dans le jardin, parmi les plates-bandes, les lumières ont un halo blanc dans l'air embrumé. Une voiture passe prudemment, disparaît parmi les haies et glisse silencieusement loin de mes yeux, loin de mon nez. *De toute façon, aucun de nous ne vivra, ce cirque aura une fin, ce frétillement diffus des choses, de voitures dans le noir, de lumières dans la brume, d'yeux reflétés dans la vitre. Je suis un homme triste et je le resterai, un homme qui regarde avec méfiance son œil dans la vitre, un homme qui a du mal à s'aimer, qui survit malgré ce désamour de lui-même. Et que pourrai-je te donner, ma chérie ? Tu es retournée à côté dans le berceau à roulettes de la nurserie, car il faut que ta mère se repose. Elle a laissé son plateau-repas au pied du lit et regarde d'un œil endormi un téléviseur au volume trop bas. Que pourrai-je t'apprendre, moi qui ne crois pas à la joie, moi qui punis la beauté, moi qui aime une petite nana aux fesses maigres, moi qui éventre des corps sans un murmure, moi qui pisse debout et pleure en cachette ? Peut-être qu'un jour je te parlerai de moi, peut-être qu'un jour tu sauras me faire une caresse et qu'il te semblera étrange que, sous ta main, ce soit moi.*

Raffaella traverse le jardin dans sa veste vert acide. Elle est déjà venue dans l'après-midi, elle a pris beaucoup de photos. Elle s'est jetée sur le lit à côté d'Elsa pour en faire une avec le déclenchement automatique, et le lit a tremblé sous ce poids gaillard et inopiné. Elle avait dit qu'elle reviendrait plus tard, après le travail, et la voilà qui sautille entre les plates-bandes, un sachet à la main : des petits fours pour sa meilleure amie, à déguster en cette douce soirée. Et sa tête apparaît à la porte, avec ce sourire qui ne peut pas ne pas être là. Elsa se relève, elles s'embrassent à nouveau.

— Où est Angela ?
— À la nurserie.
— Alors on peut fumer.

Une de ses cigarettes brunes à la bouche, Raffaella ouvre la boîte de petits fours et les dépose sur le ventre d'Elsa. J'en profite pour prendre un peu l'air, il fait trop chaud dans la chambre. Je marche dans la brume nocturne, sans m'éloigner. Je me glisse dans le self-service de la clinique, avec d'autres hommes, devenus comme moi pères depuis peu. Des pauvres couillons, avec leurs vestes imperméables, leurs cernes, leurs plateaux à la main. L'endroit est sombre comme le carrelage en granit noir, sombre comme les plafonds bas, comme les plafonniers tristes, jaunâtres et satinés. Les pères au réfectoire, comme des enfants de maternelle. Et bien sûr la nourriture est dégueulasse. Mais c'est bien comme ça, à l'arrière de la clinique comme en colonie de vacances, tous punis. Il est un peu tard, les pâtes sont molles et trop cuites, les escalopes au citron sont brûlées par endroits et la sauce ressemble à de la colle à papier peint. Mais personne ne se plaint. Les voix basses comme à l'église, le tintement des verres retournés près des couverts et la feuille de papier qui bouge sur le plateau. Et quelqu'un qui s'arrête et cherche parmi les petites bouteilles d'eau minérale le quart de vin avec le bouchon à vis. Il réfléchit un peu avant de le prendre. Et puis si, après tout : *Et merde ! Ce soir c'est la fête. Ce soir ma bite a offert au monde une nouvelle recrue. Je mérite bien un petit verre.*

Puis ils s'asseyent et ils mangent, comme mangent les hommes seuls, sans femme. Rapidement, avec des mouvements détendus, le morceau de pain toujours prêt. Nous mangeons comme nous nous masturbons, quand nous accélérons pour en finir. Je suis dans un coin, j'ai pris une bière et deux morceaux de fromage que j'avale par petits bouts, en les détachant avec les doigts, sans pain. Les coudes sur la table en Formica, là où on voit la trace d'une éponge qu'on a passée il y a peu, dans cette profondeur opaque je regarde le dos de mes semblables.

Je suis resté avec Elsa toute la nuit. Le canapé en skaï sous le téléviseur se transforme en lit court et étroit. Mais je ne m'étends pas, je ramasse le coussin frais et immaculé et le place sous mon dos dans le fauteuil où je suis assis, contre le mur. Je ferme les yeux, je somnole. Pas de bruit particulier, mais pas de silence. Vers deux heures, Elsa demande un peu d'eau, j'approche le verre de sa bouche, ses lèvres sont desséchées, presque craquelées.

— Viens à côté de moi.

Je m'étends sur son lit de reine, large, articulé, avec plein de coussins. Elsa a les seins lourds sous la chemise de nuit, et une odeur de sueur séchée et de médicaments.

— Je n'arrive pas à dormir, c'est comme si on m'avait jetée dans une machine à laver...

Au bout d'un moment, elle se tait. Elle est muette, comme ses cheveux. Et peut-être dort-elle, à présent. J'ouvre la porte et je me glisse dans la pénombre du couloir vers la nurserie. Il y a un rideau de voile contre la vitre. On devine, agrandies, les silhouettes des berceaux, leurs ombres. Je pose une main sur la vitre : ma fille dort là-dedans. Petites mains violacées, yeux comme des coquillages clos sur le visage.

À l'aube, Kentu entra avec toi dans les bras, chaude de sommeil et rouge du bain que tu venais de prendre. Tu portais un pyjama neuf, blanc avec des broderies roses, et ton visage paraissait plus détendu. Au contraire, le visage de ta mère avait pâli et sa peau laissait transparaître un fond jaunâtre. Elle était penchée sur toi, et toi aussi tu la regardais de tes yeux voilés, tu surveillais sa poitrine comme un animal affamé.

— J'y vais.

Elle lève à peine la tête. Je suis debout au pied du lit, d'une main fatiguée je tiens ma veste froissée sur mon épaule. Pas rasé, j'ai la tête de quelqu'un qui n'a pas dormi. Son regard est doux, mais suspendu, comme fêlé par le soupçon. Je me déplace vers la porte tel un papillon de nuit aux ailes de liège, resté prisonnier dans une pièce jusqu'au jour.

— Tu reviens quand ?

J'ai entendu un bruit, un choc soudain, et un coup sourd à l'intérieur, dans la poitrine, comme quand on tombe en plein sommeil. Peut-être ne s'est-il rien passé, l'éboulement était seulement intérieur, un reste de pensée. Non, quelque chose a dû tomber à côté. C'était un bruit violent, mais atténué par le mur, de la ferraille jetée contre quelque chose. Un brancard. C'est ça : un brancard qui roulait sur le sol et qui dans son élan a fini contre le mur. Peut-être que tu es morte. Et ça, c'était le geste d'Alfredo. Tu t'es éteinte entre ses mains juste quand il croyait avoir réussi, sans prévenir et sans un bruit, comme une flamme. Alfredo s'est tourné, il a vu le brancard dans lequel ils t'ont transportée et il l'a frappé. Avec le bras, avec le pied. Le bruit était pareil à un cri, il y a eu quelque chose, il y a forcément eu quelque chose. Je suis incapable de bouger, j'attends. Qu'une porte s'ouvre. J'attends deux jambes élégantes et clémentes. J'entends les pas des sabots d'Ada amortis par les semelles en caoutchouc. C'est elle qui vient, comme je le lui avais demandé. Elle marche vers moi, sans savoir que tu viens tout juste de naître. Tu n'as que quelques heures et tu es collée au sein gorgé de lait de ta mère. Elle marche les mains en sueur gelées par la peur qu'elle a affrontée et qu'elle affrontera encore quand elle croisera mon regard. J'écoute le léger bruit de ces mains qu'elle frotte lentement contre sa blouse en faisant les derniers pas. Maintenant elle est là, dans le miroir de la porte, je ne la regarde pas. Je regarde seulement ses jambes, et j'attends. *Ne parle pas, Ada, ne dis rien. Ne bouge pas. Un morceau de jupe sort de ta blouse, gris comme notre âge. Il y a trente ans j'aurais pu t'épouser, tu étais la plus jeune anesthésiste de l'hôpital, la meilleure. Je te faisais lanterner et tu restais muette. Jusqu'à un après-midi, c'était quand? Tu étais à l'arrêt de l'autobus, j'ai ralenti, et dans la voiture, soudain, tu as parlé. Je ne t'avais jamais vue sans blouse, tu avais la taille fine, les hanches qui s'élargissaient vers les fesses. J'ai gardé le souvenir d'un genou que je te caressais d'une main. Tu es passée et je ne m'en suis pas aperçu. C'est bien comme ça, ne t'en fais pas. La vie est un stock de boîtes vides, ignorées. Nous sommes ce qui reste, ce que nous avons raflé. Que fais-tu à présent? Le soir, tu manges debout? Pourquoi ne t'es-tu pas mariée? Tes seins sont-ils usés? Tu fumes? Les hommes t'ont-ils bien traitée? Sur quel côté dors-tu? Ma fille est morte?*

J'arrive comme un ours, comme un bison au poil sale. Sa porte est entrebâillée, je la pousse et elle peine à s'ouvrir, car quelque chose la freine. Dedans, c'est l'obscurité, les volets sont fermés, une obscurité diurne où l'on perçoit quand même la lumière. Deux gros sacs et quelques cartons bloquent la porte. Autour, il y a un étrange désordre, beaucoup d'objets manquent sur les étagères, et il flotte une odeur de poussière remuée et de café. Je fais quelques pas silencieux dans cette maison en voie de démantèlement. Je regarde par la porte de la cuisine, elle est déserte, il y a seulement une tasse retournée près de l'évier.

— Je suis là.

Italia est sur le lit, elle a les coudes appuyés sur l'oreiller et regarde les lanières de plastique du rideau, entre lesquelles j'apparais.

— Tu te reposais, excuse-moi.

— Non, j'étais réveillée.

Je m'approche et je m'assieds à côté d'elle sur le lit sans drap. Italia est habillée, elle porte une robe bleu marine à col montant qui ne semble même pas à elle, on dirait une robe d'Elsa. Elle n'a pas retiré ses chaussures, elles pendent encore à ses pieds sur le matelas nu. Des chaussures décolletées couleur lie-de-vin. Son long cou tendu est enfoncé dans ses épaules, qui paraissent minuscules dans cette position inconfortable.

— J'allais partir.

— Où ?

— À la gare. Je pars, je te l'ai dit.

Autour de son cou blanc comme la lumière, elle porte un foulard à fleurs, un pan retombe sur sa poitrine et l'autre derrière elle, sur le matelas. Son visage rachitique est maintenu en vie par le maquillage. Elle a l'air dépaysé de quelqu'un en transit.

— La petite est née, je dis.

Elle ne dit rien, mais son regard tombe un peu et se pose plus bas, sur moi, peut-être sur mes mains. Il revient se poser sur tout ce qui a été et qui ne sera plus, sur tout ce que nous avons perdu. Et elle soupire tout bas, elle aussi, dans un sifflement de nez.

— Elle est belle ?

— Oui.

— Comment vous l'avez appelée ?

— Angela.

— Tu es heureux ?

Je prends un pan de son foulard, puis l'autre, et je les tiens dans mes mains comme ça, en douceur, puis tout à coup je serre, resserre ma prise et tire un peu dessus.

— Comment je pourrais être heureux ? Comment je pourrais ?

Je pleure, soudainement. De grosses larmes dures qui roulent lentement sur mes joues hérissées de poils.

— Je ne peux pas vivre sans toi, je bougonne. Je ne peux pas...

Elle sourit, secoue la tête :

— Mais si, tu peux.

Et dans son regard, il y a une lueur, comme un défi silencieux, et cet éternel fond de commisération pour elle-même et quiconque l'entoure.

— Je dois y aller, je vais rater mon train.

Je relâche ma prise, je me relève d'un seul coup et je sèche mes larmes d'un geste brusque.

— Je t'accompagne.

— Pourquoi ?

Elle s'est levée. Elle est squelettique dans cette robe sombre qui la moule. Ses seins ont comme disparu, il n'y a qu'une petite proéminence sur les côtes où bruit sa respiration. Elle a une pince sur le côté dans ses cheveux coupés très court, une pince inutile qui brille dans la semi-obscurité. Le miroir est encore dans la chambre, elle se tourne, fait quelques pas vers elle-même et s'arrête pour se regarder. Elle effleure ses sourcils d'un doigt, elle a seulement ce petit geste qui m'est inconnu. Une ultime et inutile retouche à son maquillage ou peut-être un salut, un vœu pour la vie qui s'annonce.

Je me penche pour ramasser les sacs. Elle me laisse faire, murmure « Merci » et va prendre sa veste à la texture moussue posée sur le canapé, les manches écartées comme un crucifix qui attendrait ses bras.

Sur le seuil, elle se tourne et regarde encore la maison, son humble maison. Il ne me semble entrevoir aucune nostalgie en elle, seulement de la hâte et une sorte d'inquiétude sous-jacente, comme si elle avait peur d'avoir oublié quelque chose. Peut-être suis-je plus triste qu'elle. Je l'ai aimée dans cette maison. Je l'ai aimée sur ce sol en grès, sur le canapé, sur le couvre-lit en chenille tabac, contre le mur, dans la salle de bains, dans la cuisine. Je l'ai aimée dans la lueur de l'aube et au fond des nuits sans lune. Et soudain je réalise combien j'aime cette maison qui tremble encore une fois tandis qu'une voiture passe sur le viaduc.

Les yeux d'Italia fixent les pieds du canapé sur lequel un velours ocre sale et déchiré a remplacé le drap à fleurs.

— Qu'est-ce que tu cherches ?

— Rien.

Mais il manquait quelque chose dans ses yeux. Alors je me souvins du chien, de son museau éternellement glissé sous le châssis de ce canapé défoncé.

— Où est Crevalcore ?

— Je l'ai donné.

— À qui ?

— Aux gitans.

Le poster, lui, est toujours là, le singe avec son biberon n'a pas bougé du mur.

Dans la rue, je m'aperçus qu'elle titubait de manière inhabituelle sur ses talons. La faiblesse semblait irradier de son thorax, qui était courbé et légèrement penché en avant, hors de l'axe normal du corps, comme si elle tentait de précéder quelque chose, une peur, peut-être. Je glissai les deux sacs dans le coffre, puis je revins vers Italia, immobile de l'autre côté de la route. Je pris la valise qu'elle voulait absolument porter elle-même et qui était là, à ses pieds.

Elle ne bougea pas, me laissa faire, me regarda fermer le coffre. Quand elle entra dans l'habitacle, quand elle se plia pour entrer, je vis son visage se contracter en une expression tourmentée, comme si on lui avait infligé une douleur imméritée.

— Qu'est-ce que tu as ?

— Rien.

Mais peu après, tandis que je conduisais, elle mit les deux mains sur son ventre et les fit lentement glisser vers le bas, comme pour m'empêcher de surprendre son geste.

Je n'allai pas à la gare, je ne fis même pas mine de vouloir traverser la ville, je pris le périphérique en direction des bretelles d'autoroute.

— Où on va ?

— Vers le Sud. Je t'accompagne.

Nous étions déjà sur l'autoroute. Italia secoua faiblement la tête, puis se rendit. Elle s'abandonna sur le siège sans se rebeller.

— On mettra combien de temps ?

— Moins qu'en train. Repose-toi.

Elle ferma les yeux. Mais ses paupières continuèrent à vibrer comme si son regard, dessous, ne trouvait pas la paix. Elle rouvrit les yeux, tourna la tête vers moi et tendit la main jusqu'à ce qu'elle effleure ma jambe. Une caresse qui me fit trembler de plaisir et de bonheur, et j'eus envie de garer la voiture le long du rail de sécurité pour l'aimer tout de suite, pour me glisser dans son maigre écrin.

— Viens près de moi.

Elle obéit, posa la tête sur mon épaule, sa petite tête osseuse et frémissante, et elle resta ainsi à regarder la route avec moi. Je conduisais et il me suffisait de temps en temps de bouger un peu la mâchoire pour rencontrer son oreille ou une partie d'elle quelconque, pour l'embrasser. Elle respirait tout bas, et peu à peu une grande paix s'emparait de nous. Ce n'était pas une journée de grand soleil, le temps était peu charitable, et il y avait encore quelques traînées de brume. La circulation était chargée. De temps à autre, un semi-remorque déboîtait de la file de droite et signalait son mouvement avec retard. Une journée quelconque, ma chérie, vraiment rien de spécial. Mais ce fut le plus beau voyage de ma vie. Si je repense à ma vie, si je

274

pense à une récompense, je revois ce voyage. La vitesse qui brouille les limites hors de l'habitacle et nous, immobiles dans le souffle de quelque chose qui s'offre à nous comme par enchantement, sans heurts, sans effort. Un bonheur fait de rien, profond et inespéré. C'était comme si le ciel, ce ciel grisâtre et anonyme, nous dédommageait.

Je ne me rappelais pas avoir jamais été autant en harmonie avec moi-même... Ma poitrine sous la chemise, mon front, mon regard, mes mains posées sur le volant, le poids léger de sa tête. Italia s'était endormie, je ne voulais pas bouger pour ne pas la réveiller et, seulement quand j'y étais obligé, j'actionnais le levier de vitesse contre lequel reposait une de ses jambes lentement, avec douceur. J'avais eu du mal à l'aimer, je l'avais repoussée, éloignée, elle avait avorté par ma faute. À présent tout cela était passé. Je la garderais avec moi pour toujours, et cette fugue vers le Sud me semblait le premier pas vers elle. Oui, ce voyage à rebours vers son monde nous donnerait la possibilité de tout recommencer depuis le début. J'avais hâte d'arriver, de la voir descendre dans sa robe froissée par le voyage. Alors qu'une de ses mains blanches bouge vers moi, derrière son dos, derrière son foulard qui vole, et m'invite à ne pas la suivre, à la laisser faire seule les premiers pas dans cet effarement de choses retrouvées. Peut-être que là-bas, sur ses terres, sur le parvis d'une pauvre église en pierre qui se délite, je m'agenouillerai à ses pieds, j'entourerai ses jambes et je lui demanderai pardon pour la dernière fois. Puis je n'aurai plus besoin de le faire. À partir de ce moment-là, je l'aimerai sans lui faire de mal.

Je pensais à cela, Angela, pas à toi. Tu étais née, tu étais en bonne santé, ta mère aussi allait bien. Je lui écrirais une lettre, une brève lettre dans laquelle je raconterais tout sans même tenter de me justifier : les faits, rien d'autre que les faits, en quelques lignes. Le reste n'appartenait qu'à moi. On ne peut pas expliquer l'amour. Il est seul, il se trompe et se perd en lui-même.

Je réglerais tout rapidement, sans tracas inutiles. Dès le lendemain j'appellerais Rodolfo, notre ami avocat, pour qu'il se mette d'accord avec Elsa. Je lui donnerais carte blanche pour tout. Cette créature qui battait contre mon flanc était la seule chose que je voulais pour moi. Je l'emportais, je la promenais en voiture le long de cette autoroute devenue plus plate, avec les bouquets poussiéreux d'oléagineux qui pointaient de l'autre côté du rail de sécurité. La lumière avait changé, le jour se transformait en soir, les contrastes étaient moins nets, mais peut-être plus profonds, le visage d'Italia paraissait presque violet. Plus bas, une de ses mains tombait sur le siège, à moitié ouverte, entre ma jambe et la sienne. Je pris cette main et la tins bien serrée. Gare à celui qui la touche, je pensai. Gare.

Je m'arrêtai dans un restoroute. J'avais soif et il fallait que j'aille aux toilettes. Je retirai lentement mon épaule de sous la tête d'Italia qui se posa sur le siège avec un petit reniflement. Dehors, il ne faisait pas froid du tout, je cherchai dans mes poches une ou deux pièces à déposer dans la petite assiette en fer-blanc abandonnée sur une table devant les cabinets. Je n'avais pas de petite monnaie et il n'y avait personne dans les parages, si bien que je pissai sans laisser mon obole. Dans le snack-bar, il y avait seulement un autre client avec moi. Un homme robuste, sans manteau, qui mangeait un sandwich. Je pris un café dans un gobelet en plastique, une bouteille d'eau minérale, un paquet de biscuits pour Italia, et je sortis.

Je bus mon café sur le parking, pendant que deux voitures faisaient le plein. Un homme descendait, écartait les jambes, s'accoudait au toit de l'auto. L'air était différent, le soleil que je n'avais pas vu de toute la journée s'était montré au moment de se coucher. La lumière s'approchait de la terre, la caressait, et on aurait dit que la terre jouissait de cette bienveillance rosée comme d'une parure précieuse. Et cet air insolite, cette lumière flamboyante étaient le signe que le Sud avait vraiment commencé. Je regardai au fond de la station-service les grosses brosses bleues destinées au lavage des autos, qui pendaient, oisives. Je me tournai vers la voiture. Sur le siège, Italia était éveillée, elle me regardait à travers la vitre, elle souriait. Je répondis à ce sourire d'un signe de la main.

Après, nous fûmes joyeux. Italia alluma la radio, elle connaissait les paroles de toutes les chansons et elle les reprenait de sa voix rauque, en remuant les épaules. Puis vint la nuit, Italia ne chantait plus, nous écoutions une voix qui disait que la mer était agitée.

Elle tremblait, ses jambes tremblaient, comme ses mains oubliées au milieu, dans ce maigre creux blanc où la chair devenait douce.

— Pourquoi tu n'as pas mis de bas ?

— On est en mai.

Je montai le chauffage. Peu après, je transpirais, et Italia n'avait pas cessé de trembler.

— Peut-être qu'on ferait bien de s'arrêter quelque part pour dormir.

— Non.

— Pour manger, au moins.

— J'ai pas faim.

Elle regardait en frémissant la route devenue sombre devant nous, et les phares des voitures qui nous précédaient. Nous avions quitté l'autoroute, nous roulions sur une nationale enveloppée de silence. Italia m'avait indiqué la sortie, c'était elle qui me guidait, hésitante, inquiète peut-être, car dans le noir elle ne reconnaissait rien, et beaucoup de choses pouvaient avoir changé.

— Depuis quand tu n'es pas revenue ici ?

— Longtemps.

Elle s'était reposée, et pourtant elle avait visiblement du mal même à garder la tête droite sur son cou. Je posai une main sur son front : il était brûlant.

— Tu as de la fièvre, on doit s'arrêter.

Quelques kilomètres plus loin, dans un village de passage (quelques vilaines maisons pendues au bord d'une route mal éclairée), une enseigne fluorescente disait, verticalement : Trattoria, et continuait horizontalement, en caractères plus petits : Chambres, Zimmer. Je garai la voiture sur le terre-plein en bordure de la route.

— Tu as besoin de ta valise ?

Elle ne répondit pas, mes paroles effleurèrent sa nuque immobile dans le noir.

— Viens, lève-toi.

Je l'aidai à descendre, je me baissai jusqu'à elle et j'entourai sa taille d'un bras. Je sentis ses os qui vibraient tandis qu'elle se soulevait, un profond soupir lui secouait la poitrine, un appel à elle-même. Dehors, le ciel était habité par une lune pleine, large, avec une rondeur charitable que nous nous arrêtâmes pour regarder, tout en marchant enlacés vers l'enseigne lumineuse. Elle était si proche, cette lune, qu'elle semblait faire partie de nous plus que du ciel. Si basse et lourde, elle perdait un peu de son mystère, elle s'était humanisée.

Nous pénétrâmes dans la trattoria par une porte en verre voilée de fins rideaux. Sur la droite, il y avait un comptoir de bar désert, de l'autre côté, dans une salle large et triste, des hommes assis ici et là. Quelques-uns mangeaient, la plupart avaient devant eux une carafe de vin et les yeux levés vers un téléviseur qui diffusait un match de football. Nous nous assîmes à une table à l'écart. Quelques regards se tournèrent vers nous, des yeux indifférents qui revinrent aussitôt se poser sur l'écran.

Une femme sortit de la cuisine en s'essuyant les mains sur un tablier. Elle avait un visage grossier, auréolé d'une crinière grise et ébouriffée.

— C'est possible de manger quelque chose ?

— Le serveur a fini.

— De la charcuterie, un peu de fromage...

— Vous voulez aussi un peu de soupe de légumes ?

— Merci, je dis, surpris par la disponibilité inattendue de la femme.

— Je vous la réchauffe.

— Et dormir ? On peut dormir ?

La femme fixa Italia plus qu'il n'était nécessaire :

— Combien de nuits ?

Italia n'avala que quelques cuillerées de soupe. Je regardais la noirceur de ses cheveux courts, à laquelle je ne m'étais pas encore habitué, son visage amaigri, fait de creux, de petites ombres, et la robe bleue au col montant : elle ressemblait à une bonne sœur sans voile. Je lui avais versé un grand verre de vin et l'avais poussée à porter un toast auquel elle avait répondu en approchant son verre du mien sans le soulever, un toast au ras de la nappe. Trop au ras, comme la lune dans le ciel. Nous pouvions la voir à travers la fenêtre au châssis métallique. Elle était là, avec sa face indulgente et repue, et l'air qui enveloppait sa sphère était diaphane dans l'obscurité. Elle semblait curieuse de nous. J'étais un peu éméché, j'avais vidé au moins trois grands verres de vin l'un après l'autre. Dans cette auberge qui sentait les restes de nourriture et le mauvais alcool, j'étais heureux parce que j'étais avec elle, à des centaines de kilomètres de la ville où j'avais vécu comme un rat. Heureux parce que notre vie commençait et que chaque étape en serait superbe, devait l'être. Et maintenant j'avais peur qu'Italia ne soit triste, je voulais me ressaisir pour la dérider, je craignais de devenir triste moi aussi d'ici peu. Je pressentais que nous mirer dans cette lune risquait de nous rendre moroses. Je buvais et j'étais plein de confiance, car la vie me fournirait le moyen de me racheter, je buvais et nous aurions un autre enfant et je ne la priverais plus d'aucune joie, je la comblerais jusqu'au dernier jour. Je la regardais et mes yeux stupides brillaient de confiance, et peu importe si elle ne mangeait rien, elle était seulement fatiguée. Il fallait qu'elle dorme et qu'elle rêve, pendant que je la caresserais en présence de cette lune grasse et, si elle avait faim dans la nuit, je descendrais dans la cuisine éteinte pour voler quelque chose, un peu de pain, quelques tranches en douce. Et je la regarderais manger, mon amour dans la nuit.

Elle vomit dans son assiette. Le haut-le-cœur la surprit, fit rougir son visage, une veine sombre se gonfla sur son front. Elle prit sa serviette et la porta à sa bouche.

— Excuse-moi.

Je serrai sa main posée sur la table, une main trop chaude, collante de sueur.

— C'est moi qui te demande pardon, je t'ai forcée à dîner.

Elle était devenue blanche, ses yeux s'étaient remplis d'une étrange reddition. Elle toussa, puis regarda autour d'elle, comme si elle avait peur que quelqu'un ait remarqué son malaise. La salle se taisait, hormis le ronronnement du téléviseur et la voix du commentateur qui suivait les phases de jeu. Derrière elle, au fond, la porte de la cuisine s'ouvrit, poussée par le corps de la femme. Elle s'approcha de nous et posa sur la table un plateau de charcuterie. Il était bien présenté, parmi les tranches dépassaient de petits bouquets de légumes conservés dans l'huile, aubergines, tomates séchées.

— Mon amie ne se sent pas bien, vous pourriez nous accompagner jusqu'à notre chambre ?

La femme nous scrutait avec perplexité, peut-être ne nous faisait-elle plus confiance.

— Excusez-nous, je dis, puis je glissai un billet de cent mille lires sur la table en même temps que ma carte d'identité. Je redescendrai vous apporter les papiers de la dame.

Elle prit le billet et alla lentement vers le comptoir, ouvrit une boîte métallique et nous tendit la clé.

La chambre était grande et avait l'air impeccable, mais elle sentait le renfermé. Il y avait un lit en aggloméré, et l'armoire assortie, les pieds encore emballés de plastique. Deux serviettes, une bleu clair et une autre plus petite couleur noix de muscade, pendaient à côté d'un lavabo. Le couvre-lit était vert comme le rideau, je le tirai vers le pied du lit. Italia s'assit, pliée en deux, sans lâcher son ventre.

— Tu as tes règles ?

— Non.

Et elle se laissa aller, les épaules sur le lit.

Je lui retirai ses chaussures, puis l'aidai à étendre les jambes. Je lui mis l'oreiller sous la tête, un oreiller mou qui disparaissait presque, alors je pris aussi celui qui aurait dû me revenir, pour la soulever un peu plus.

Il y avait vraiment une odeur étrange dans la pièce, chimique, malsaine, peut-être due à ce meuble minable qui sortait de l'usine. J'écartai le rideau, remontai le volet et ouvris grande la fenêtre pour laisser entrer le parfum de cette nuit si douce qu'on aurait dit, déjà, une nuit d'été.

Sur le lit, Italia tremblait. Je fermai la fenêtre et cherchai une couverture. J'en trouvai une dans l'armoire, dans un des tiroirs, une couverture marron, rêche, de l'armée. Je la pliai en deux et l'étendis sur elle. Je glissai la main en dessous pour prendre son pouls. Les battements étaient faibles. Je n'avais pas ma trousse avec moi, je n'avais rien, même pas un thermomètre, je me détestai pour cette négligence.

— Dormons, s'il te plaît, dit-elle.

Je m'allongeai à côté d'elle sans même retirer mes chaussures. *Maintenant on va dormir. On va dormir comme ça, tout habillés, dans cette vilaine chambre, et demain elle ira bien, on partira de bonne heure, à la fraîche. On s'arrêtera dans un café pour prendre le petit déjeuner, j'achèterai les journaux et des lames de rasoir.* Le vin que j'avais bu trop vite stagnait dans mon corps étendu. La voix d'Italia me manquait, son corps me manquait, j'avais le membre enflé et j'aurais volontiers fait l'amour. Elle dormait déjà. J'éteignis la lumière. Sa respiration était lourde et bruyante, comme celle d'un enfant épuisé ou d'un chien qui rêve. Mais le vin n'était pas bon, il m'avait remis sur pied trop vite, je me sentais à nouveau éveillé, la bouche épaisse, amère. Je m'adossai à Italia, doucement, pour ne pas la réveiller. Elle était mienne et le serait pour toujours.

La lumière de la lune illuminait son profil qui m'apparaissait contracté, perplexe, comme si elle avait emporté avec elle sur le seuil du sommeil une incertitude. Je ne me demandai pas laquelle. Mais je souris dans le noir, et je sentis ma peau se plisser, sous la mâchoire, contre le drap, en pensant combien j'aimais l'épier. J'étais heureux, on ne réalise jamais qu'on l'est, Angela, et je me demandai pourquoi le fait de prendre conscience d'un sentiment si bienveillant nous trouve toujours mal préparés, peu attentifs, si bien que nous ne connaissons que la nostalgie du bonheur, ou son éternelle attente. J'étais heureux dans ce moment-là et je me le répétais à moi-même : Je suis heureux ! Heureux pour le peu que cette clarté éphémère m'offrait d'Italia dans cette chambre triste comme un magasin de meubles.

Son front luisait, je m'approchai pour le lui essuyer avec un morceau de drap. Il était toujours brûlant, peut-être encore plus, et un filet de salive coulait de sa bouche jusqu'à son cou, du côté où sa tête était inclinée. Je réalisai alors que chacune de ses expirations s'accompagnait d'une plainte. Je demeurai à l'écoute. Lentement, la plainte se brisait, s'éteignait. Puis revenait, aussi violente que le piaillement d'un oiseau effrayé.

— Italia...

Je la secouai. Elle ne bougea pas.

— Italia !

Elle devait être plongée dans une profonde torpeur. Elle entrouvrit péniblement les lèvres, comme si elle mastiquait dans le vide, sans ouvrir les yeux, peut-être chercha-t-elle un mot, mais elle ne réussit pas à le trouver.

J'étais hors du lit, debout, penché sur elle. Je la giflai, d'abord doucement, puis de plus en plus fort pour tenter de la réveiller. Sa tête oscillait, soumise, sous les impacts.

— Réveille-toi... Réveille-toi !

Je n'avais pas de médicaments avec moi, je n'avais rien. Et je ne savais rien, je n'étais pas diagnosticien, j'étais habitué à intervenir sur un tracé sûr, sur des portions de corps délimitées par des champs. Et où étions-nous ? Dans une pension en bordure d'une nationale que je ne connaissais pas, loin de toute ville, de tout hôpital.

Puis elle bougea, marmonna comme un au revoir. Mais elle était si engourdie que mes gifles devaient lui paraître de légers battements d'ailes, comme si un papillon la picotait. Je la redressai dans le lit, je voulais qu'elle appuie son dos contre le mur, qu'elle reste droite. Elle se laissa faire, glissa juste un peu, la tête abandonnée sur une épaule. J'allumai la lumière, courus jusqu'au lavabo et ouvris grand le robinet, qui toussa en m'éclaboussant. J'imprégnai une serviette d'eau et je la passai sur son visage, je mouillai ses cheveux, sa poitrine. Elle se reprit, ouvrit les yeux et les garda ouverts.

— Qu'est-ce qu'il y a ?

— Tu as quelque chose qui ne va pas, je balbutiai.

Mais elle semblait ne s'être rendu compte de rien, elle ne s'était pas rendu compte de ce malaise soudain dans son sommeil. Violemment, je la déshabillai jusqu'à la taille.

— Je dois t'examiner, je dis, et je criais presque.

Je palpai son ventre. Il était dur comme du bois. Elle ne bougea pas.

— J'ai froid, murmura-t-elle.

Je regardai au-dehors et j'espérai que cette lune cesserait de nous éclairer et se coucherait rapidement. Il faut qu'on parte, je me dis tout à coup. Je m'aperçus alors qu'elle urinait, une flaque chaude s'étendait sur le drap. Elle me fixait sans se rendre compte de ce qu'elle faisait, comme si ce corps ne lui appartenait pas. J'appuyai à nouveau sur son ventre pointu :

— Tu m'entends? je criai. Tu sens ma main?

Elle ne mentit pas.

— Non, murmura-t-elle, je sens rien.

Alors, Angela, je compris que quelque chose de grave était en train de se passer. Contre le mur, le dos d'Italia s'était à nouveau affaissé, son visage gris gisait parmi les oreillers.

— Allons-y.

— Laisse-moi dormir...

Je la soulevai comme un poids mort; elle ne pesait rien. Sur le lit était restée une tache pâle, sa robe bleue avait déteint sur le drap. Je traversai le couloir et commençai à donner des coups de pied dans la porte en verre dépoli qui portait la plaque : « privé ». La femme apparut, en compagnie d'un jeune homme aux yeux hallucinés.

— Un hôpital! je criai. Où est-ce qu'il y a un hôpital?

Et, en même temps, je secouai le corps d'Italia pour leur montrer l'objet de ma douleur, de ma folie. Je criais et j'avais les yeux remplis de larmes de fureur, d'un refus si absolu que tous deux, mère et fils peut-être, s'étaient collés contre le mur en essayant de m'indiquer le chemin. Je courus jusqu'à la voiture, j'allongeai Italia sur la banquette. Effrayée, en pantoufles et robe de chambre, la femme m'avait suivi, sans motif, seulement parce qu'elle ne savait pas quoi faire pour accompagner ma fureur. Je la vis dans le rétroviseur sur le terre-plein, brouillée par la poussière que j'avais projetée tout autour d'elle en démarrant.

Ses indications étaient insuffisantes et imprécises et j'étais si perturbé que je ne m'en souvenais même pas.

Mais quand il faut y aller, la vie nous porte, Angela. La route luisante dans l'aube était l'aiguille métallique d'une boussole qui m'attirait à elle. J'appuyais sur l'accélérateur et je parlais à Italia.

— Sois tranquille, lui disais-je. On arrive, tout va bien. Sois tranquille.

Italia était tranquille, immobile et bouillante, peut-être déjà dans le coma.

Pendant ce temps, l'air sentait la mer, sur les routes plates et disjointes, dans la végétation. La mer du Sud, avec ses horreurs immobilières le long des plages, au-delà de la route. Au milieu d'un rond-point, sous une profusion de panneaux indicateurs rouillés, enfin le panneau blanc avec au centre un H rouge. Je parcourus encore quelques centaines de mètres, puis nous arrivâmes. Un édifice de taille modeste, rectangulaire et plutôt bas, entouré d'une esplanade en ciment. Un de ces hôpitaux de station balnéaire, qui l'hiver sont presque complètement inactifs. Quelques voitures sur le parking, une ambulance à l'arrêt. Les urgences étaient désertes, seulement éclairées par une veilleuse. Je tenais Italia dans mes bras, elle avait perdu une de ses chaussures lie-de-vin. Je regardai par le hublot d'une porte, la poussai : encore des portes, encore du silence.

— Il y a quelqu'un?

Une infirmière survint, une fille aux cheveux noirs attachés sur la nuque.

— C'est une urgence. Où est le médecin de garde?

Sans attendre la réponse, je pénétrai dans les pièces successives en écartant les portes à coups de pied. Effrayée, la fille me suivait à quelque distance avec un petit homme qui portait une blouse trop courte, comme un tablier d'écolier.

Je trouvai enfin une salle de réanimation, vide elle aussi, aux volets baissés, pleine de matériel entassé là qui, de toute évidence, ne devait plus être utilisé depuis bien longtemps. Je reliai Italia à une bouteille d'oxygène. Je me tournai vers la fille :

— Il faut que je fasse une échographie.

Elle resta figée, je l'attrapai par les bras, la secouai :

— Dépêchez-vous !

Peu après, le chariot de l'échographe roulait vers moi, poussé par le brancardier en blouse courte. J'avais ouvert l'armoire à médicaments, je m'agitais entre ces boîtes inutiles. Le médecin de garde arriva, un homme d'âge moyen, avec une barbe hirsute qui lui montait jusqu'aux lunettes. J'injectai un antibiotique à Italia.

— Qui êtes-vous ? demanda-t-il, de la voix enrouée de quelqu'un qui est passé brutalement du sommeil à la veille.

— Je suis chirurgien, je dis, sans même me retourner.

Le moniteur de l'échographe était en marche.

— Qu'est-ce qu'elle a ?

Je ne répondis pas. J'appuyais la sonde sur le ventre d'Italia, les yeux fixés sur le moniteur... Je ne distinguais rien. Et à présent, autour de moi, tous les autres étaient silencieux, j'entendais tout près de moi le souffle du médecin de garde, un souffle fatigué de grand fumeur. Puis je compris, même si je ne voulais pas y croire, et les autres aussi comprirent. Son ventre était plein de sang. Et pourtant elle n'avait pas eu la moindre perte. L'hémorragie était seulement interne, les organes en dessous étaient peut-être déjà nécrosés.

— Où est la salle d'opération ?

Le médecin de garde me scrutait, essoufflé.

— Vous n'êtes pas autorisé à opérer dans cette structure...

Mais déjà je poussais le brancard sans savoir dans quelle direction aller. L'infirmière avançait péniblement à côté de moi en essayant de me guider. La salle d'opération était une des pièces du rez-de-chaussée, au fond d'un couloir au carrelage azur, identique aux autres, lumière éteinte, imprégnée d'une puanteur d'alcool évaporé. L'électrocardiographe était flanqué dans un coin, avec un chariot de service vide. Nous pénétrâmes cette obscurité, je déplaçai le brancard vers le centre de la pièce, sous le Scialytique qui pendait du plafond. Je l'allumai, un bon nombre d'ampoules étaient grillées.

— Remontez les volets, ouvrez tout! je dis à l'infirmière, qui s'exécuta comme un automate.

— Où sont les instruments?

Elle se glissa dans un débarras d'où dépassaient les portes d'une armoire métallique. Elle commença à fouiller parmi les étagères, je la rejoignis. Elle était à quatre pattes par terre, du fond d'un tiroir elle sortit une enveloppe scellée remplie de ciseaux, rien que des ciseaux. Elle me regarda, elle n'avait pas la moindre idée de ce dont j'avais exactement besoin. Je sortis le tiroir de ses rails et je le vidai par terre, puis j'en vidai un autre, et encore un autre. À la fin, je trouvai tout ce qu'il me fallait, bistouri froid, pinces, écarteur, cautère, aiguilles, il y avait tout. J'attrapai les enveloppes en plastique et les jetai dans le chariot de service. Je coupai la robe d'Italia au milieu, pris les pans et les écartai. Sa chair m'apparut soudain, d'une blancheur irréelle sous cette lumière froide, les os du sternum, les petits tétons rosés traversés de veines.

— Électrodes, je dis.

L'infirmière colla les ventouses de l'électrocardiogramme sur la poitrine d'Italia. Puis je l'intubai, lentement, pour ne pas lui faire mal. Je pris deux champs verts d'une grande pile et je les posai doucement sur Italia, un sur ses jambes, l'autre pour lui couvrir les seins. Je préparai la dose exacte de penthotal. Je me lavai les mains et enfilai à la hâte une veste stérile, par-dessus mes vêtements. Le médecin de garde s'appro-cha, animé d'une voix plus métallique :

— Cet hôpital n'est guère plus qu'un dispensaire, nous ne sommes pas équipés pour des interventions de ce type. S'il arrive quelque chose, vous allez avoir des ennuis, je vais avoir des ennuis, on va tous avoir des ennuis...

— Elle fait une septicémie.

— Mettez-la dans une ambulance, conduisez-la dans un vrai hôpital, croyez-moi. Si elle meurt pendant le trajet, ça ne sera la faute de personne.

Je l'attrapai par le visage, Angela, par un morceau de barbe, une oreille, par ce que je pouvais. J'attrapai cet homme et je le balançai contre le mur. Il s'en alla. Je me lavai de nouveau les mains.

— Gants, je dis, en écartant les doigts.

L'infirmière brune fit de son mieux pour me les tendre convenablement, mais ses mains tremblaient.

Le jeune type à la blouse trop courte était resté dans un coin. Maintenant il portait une veste longue et un masque. Je lui lançai un coup d'œil, il avait un drôle de visage trapézoïdal.

— Tu es stérile ?

— Oui.

— Alors viens me donner un coup de main.

Il obéit et s'approcha de la tête d'Italia.

— Ne perds pas de vue le moniteur, et tiens-toi prêt avec le défibrillateur, au cas où.

À la fenêtre apparaissait une lumière bleuâtre. Le visage d'Italia était serein. Je me sentais fort, éton-namment fort, Angela. J'avais déjà vécu cette scène, Dieu sait où, peut-être en rêve. J'avais déjà vu ce moment et peut-être l'avais-je attendu. Nous avions rendez-vous. Et il me sembla pénétrer enfin ma propre vie. La peur du sang que j'avais, jeune. L'incision, cet instant blanc pendant lequel la chair incisée ne saigne pas encore... Peut-être était-ce elle. Elle était dans cette incision. Le sang qui me faisait peur était le sien, comme son amour m'avait fait peur. Elle était déjà là. La personne qu'on aime est toujours déjà là, Angela. Elle est là avant qu'on la connaisse, elle est là avant nous. À présent je n'avais pas peur. Une chaleur soudaine envahissait mes épaules, un soleil dense et bénéfique, destiné à moi seul.

— Bistouri.

J'empoignai l'instrument, je le serrai, je le posai sur sa chair. Je t'aime, je pensai, j'aime tes oreilles, ta gorge, ton cœur. Et j'incisai. J'entendis le bruit qu'elle faisait en s'ouvrant, et j'attendis son sang.

Puis ce fut à moi de jouer. L'épanchement sanguin avait mélangé les organes, qui dans la partie la plus exposée avaient déjà la couleur foncée de la nécrose. Je déplaçai l'intestin. L'utérus était déjà gris, les trompes gonflées. Il y avait du pus partout, une grosse poche stagnait dans le cul-de-sac de Douglas. Je pensai tout de suite à l'avortement, Angela. Cette infection était due à une intervention traumatique. Et pourtant je n'arrivais pas à m'en persuader, on meurt en quelques heures d'un avortement septique. Elle avait dû subir un autre curetage, lui aussi mal fait. Et elle s'était traînée comme ça, avec cette infection à l'intérieur. Mes yeux s'écartèrent, je reculai d'un pas. Bien sûr : maintenant il y avait ça, en plus... Je regardai autour de moi, le type au visage trapézoïdal me fixait, terrifié, l'infirmière aussi avait un air défait et une éclaboussure de sang sur le front. Je regardai le petit visage d'Italia, cireux et endormi, où se réverbérait le vert des champs qui l'entouraient. C'est alors que je demandai à Dieu de m'aider. Je levai les bras au ciel, mes poings ensanglantés serrés. Je lutterais, je ne la laisserais pas partir, et je voulais qu'il le sache.

Je tamponnai le sang, nettoyai le pus, fis une petite résection intestinale. Je ne m'occupai de son utérus qu'en dernier. Il était trop mal en point, l'infection s'était étendue partout, je ne pouvais prendre de risque. J'extirpai cette gaine grise qui aurait dû être la niche de notre enfant. Je ne levai plus les yeux, Angela ; de temps en temps seulement, quand j'avais besoin d'un nouvel instrument, je les posais sur ma droite, sur les mains de l'infirmière aux cheveux noirs, qui ne savait jamais vraiment quoi me tendre. Dans la pièce ne résonnait que le bruit de mes mains dans le corps d'Italia. Ce bruit glissant, visqueux, que font les doigts quand ils opèrent. Mais, à la fin, j'étais redevenu optimiste, plein de confiance. J'étais sale et tremblant, je puais. Le jour montait de la fenêtre, il y avait une lumière neuve sur moi, une lumière pleine. L'infirmière transpirait de fatigue et de chaleur. Car, je ne m'en apercevais que maintenant, la pièce était imbibée d'une moiteur accablante. Je refermai et cette chaleur se collait à mes cheveux, au bout de mes doigts. La fréquence cardiaque était régulière. J'enfilai l'aiguille sur sa chair, comme un tailleur soigneux qui apporte les dernières retouches à une robe de mariée. La nuit était passée. D'ici peu, enfin, je m'assiérais sur la chaise qui était derrière moi. Je ne m'étais pas lavé ni rasé depuis deux jours, et pourtant je croyais être un ange. Les yeux fermés, la nuque contre le mur, comme un héros de téléfilm.

Pourtant elle mourut. Deux heures après, la vie l'abandonna. J'étais auprès d'elle. Elle s'était réveillée. Je l'avais déplacée dans une pièce du même étage, il y avait un autre lit, vide, à côté du sien. Elle s'était réveillée alors que j'étais debout devant la fenêtre qui donnait sur la route. Je scrutais le paysage que je n'avais pas vu la veille au soir et qui se révélait dans la lumière du jour, plat et argileux. Sur un grand panneau publicitaire, un cow-boy piétinait une canette de bière. C'est une frontière, je pensai. Oui, on avait l'impression d'être dans une zone de transit. Le pâté de maisons qui comprenait l'hôpital avait lui-même l'aspect fragile et bureaucratique d'une douane. Toute histoire d'amour a besoin d'épreuves, je songeai. Une voiture passa, une petite voiture rouge, elle passa sans bruit. Le soleil était haut dans le ciel. *Bientôt ce sera de nouveau l'été.* Je souris.

Elle balbutia quelque chose et je me tournai. Elle avait le soleil dans les yeux, ses iris gris étaient parsemés d'écailles d'argent.

— J'ai soif, murmura-t-elle, soif.

Il y avait une bouteille d'eau sur la table de nuit en Formica, que l'infirmière avait apportée pour moi et que j'avais presque toute bue, sans reprendre mon souffle, après la soif terrible de l'intervention qui avait duré presque six heures. Il ne restait qu'une goutte, stagnant sur le fond vert. Je versai un peu d'eau sur le mouchoir que j'avais dans la poche et je le passai sur ses lèvres sèches, crevassées. Elle ouvrit grande la bouche, comme un oiseau affamé.

— Encore...

Je mouillai à nouveau le mouchoir, je le glissai entre ses lèvres et elle le suça. Tout se produisit en quelques minutes. Soudain, elle releva la tête, tendit le cou en arrière. La voix qui sortait d'elle n'était pas la sienne.

— Comment je fais ?

Et elle semblait parler au néant, ou peut-être à une autre elle-même qu'elle voyait de loin, une jumelle qui dansait au-dessus de sa tête, au plafond. Je me glissai dans son regard, j'enfonçai mes mains dans le lit avec force. *Où veux-tu aller, petit chardon craquelé, grenouille essoufflée ? Où crois-tu pouvoir aller ?* Je m'appuyais sur mes poings, les bras tendus, attentif à ne pas tomber sur elle. Je lui barrais la vue. J'étais dans l'ombre et elle était sous moi, dans la lumière. Elle était déjà au-delà. Elle montrait le blanc de ses yeux et cherchait quelque chose, un lieu au-dessus d'elle, elle se débattait comme si elle avait du mal à le rejoindre.

« Comment je fais ? » dit-elle encore, avec un filet de voix étranglée, et elle semblait s'adresser à quelqu'un qui attendait, là-haut, sur ce plafond bas rasé par le soleil. Je caressai son visage, ses mandibules étaient anormalement rigides. La chair sous le menton était veinée de bleu, son cou tendu et diaphane comme un lampion en parchemin dans le vent. Combien de fois l'avais-je vue partir ainsi ! Quand nous faisions l'amour, elle penchait soudain la tête en arrière contre le mur, étirait ce cou qui devenait long et maigre et elle cherchait une place rien qu'à elle dans le noir. Elle serrait les paupières sur les orbites, dilatait les narines comme si elle poursuivait un parfum. L'arôme intense d'un bonheur qu'elle ne connaîtrait jamais et qu'elle humait désespérément dans cet oreiller couvert de sueur. Une fois encore, je tentai de prendre possession de son regard, mais son menton échappa à ma main en sueur.

— Amour...

Elle respira, profondément, sa poitrine se souleva, puis s'effondra, et, dans cette expiration, son corps entier plongeait, s'abandonnait. Alors elle me regarda, mais je n'étais pas sûr qu'elle me voyait. Elle remua les lèvres, souffla un dernier mot.

— Emmène-moi.

Elle ne me dit pas où. Elle était immobile sur l'oreiller, plus tout à fait vivante et pas encore ailleurs, suspendue dans ce non-lieu qui précède la mort. Son visage s'était élargi, relâché, elle regardait vers le haut, où quelqu'un l'attendait, sans plus de souci, sans plus de peine. Son dernier souffle fut un doux gémissement, un soulagement. Ainsi trouva-t-elle son chemin vers le ciel, Angela.

Ne bouge pas.

Je vis ma salive goutter sur elle, j'en avais la bouche pleine. Je ne la quittai pas, ni mes yeux, ni mon souffle ne la quittèrent. Je restai à respirer contre elle. Et, pendant ce temps, je me baissais, j'étais tout près d'elle, peut-être espérais-je la sauver avec mon haleine. Je faisais peser sur elle mon visage défait. Je sentais une force légère se libérer d'elle, comme la vapeur qui monte de l'eau. Je ne pensai à rien que je puisse faire en tant que médecin, j'avais oublié que je l'étais. Je la regardais comme on regarde un mystère, les yeux vigilants et embués, je la regardais comme je t'avais regardée naître quelques heures auparavant. Je la laissai mourir ainsi. Je laissai ce dernier souffle affleurer à ses lèvres et le vent de ce souffle atteignit mes cils. Elle avait fui, aspirée par le plafond. Instinctivement, je levai la tête pour la chercher. Alors je le vis, Angela, je vis notre fils. Son visage m'apparut là-haut pendant un instant. Il n'était pas beau, il avait une petite tête gracile et âpre comme celle de sa mère. Ce fils de pute était venu la récupérer.

Et là où avait été son visage, sur le plafond, il restait une fissure dans le crépi et une tache humide qui lui ressemblait vraiment. Je me recroquevillai à côté de ce qu'il m'avait laissé, ce corps immobile et encore tiède. Je pris sa main et la serrai contre moi. *C'est bon, va-t'en, Chiendent, va quelque part où la vie ne pourra plus te blesser, suis le mouvement bancal de ta démarche de chien. Espérons qu'il y ait vraiment quelque chose là-haut, car tu ne mérites pas la noire compagnie du néant.*

Des tas de choses traînaient dans la pièce, chaises, médicaments, équipement... Je flanquai des coups de pied dans tout ce que je trouvais. Puis je regardai mes mains. Elles étaient encore blanchâtres après leur long séjour dans le caoutchouc des gants chirurgicaux. Je serrai les poings, je serrai toute mon inutilité. Et je me jetai contre le mur, les mains en avant. Je frappai avec une férocité toute particulière, jusqu'à ce que la peau des articulations saigne, se brise et qu'il ne reste que le blanc des os. Je ne cessai que lorsqu'on entra. Ils étaient nombreux, c'est un homme qui m'arrêta, il me tordit les bras dans le dos.

Plus tard, ils me bandèrent les mains, j'étais assis sur un brancard, je regardais ces blessures sans émotion, comme si elles n'étaient pas les miennes. Je ne sentais pas la douleur, je pensais à ce que j'allais faire. Je m'étais lavé le visage, j'avais mis la tête sous le robinet, j'avais pissé, j'avais remis ma chemise dans le pantalon, le tout avec ces mains douloureuses, et maintenant j'étais là, les cheveux mouillés plaqués en arrière sur le crâne.

Ils me bandaient les mains et c'est une jeune fille avec une mèche de cheveux cuivrés retombant sur son visage baissé qui s'en occupait. Le médecin légiste était venu, il avait rempli son formulaire et il était reparti. Ils ne l'avaient pas encore rhabillée, il fallait le faire, ses vêtements étaient dans le coffre de ma voiture. Je n'étais pas son mari, je n'étais pas un parent, je n'étais personne. La fille qui me pansait avait les mêmes droits que moi sur le corps d'Italia, ni plus, ni moins. Elle leva la tête, glissa derrière son oreille ces cheveux qui lui masquaient le visage. Je la remerciai et descendis du brancard.

Je me glissai dans le bureau du directeur de l'hôpital, de là j'appelai un sous-préfet que j'avais opéré quelques années auparavant. Les formalités furent réglées en moins d'une heure. De la caserne voisine arriva un adjudant de gendarmerie très bien disposé. Il avait retrouvé la trace de la famille d'Italia, en la personne d'une cousine. La femme n'avait manifesté aucune opposition à ce que je m'occupe du corps, bien au contraire, elle avait paru soulagée, dès lors que je prenais à ma charge les frais d'inhumation.

Nous étions debout dans le couloir et il regardait mes mains bandées.

— Mais vous, quel lien aviez-vous avec la jeune femme décédée ?

C'était une curiosité naturelle que l'uniforme favorisait.

— C'était ma compagne

L'adjudant avait des yeux bleu vif entourés d'une épaisse ligne de cils noirs et une bouche ironique au milieu de la peau hérissée de poils. Il fit une grimace qui ressemblait à un sourire et son regard bleu rétrécit entre les rides :

— Toutes mes condoléances, murmura-t-il.

Tout de suite après, j'avais en poche un formulaire couvert de tampons et dans les bras le paquet de vêtements d'Italia. Je les avais choisis debout, penché sur le coffre, sur l'esplanade attenante à l'hôpital, sous le soleil. J'avais ouvert sa valise et j'avais fouillé. Arrête de réfléchir, je me disais. Attrape quelque chose et va-t'en.

Il faut être deux pour habiller un mort, mais je voulus le faire tout seul. Quand l'infirmière s'offrit à m'aider, je secouai la tête et lui demandai de me laisser seul. Elle ne se rebella pas. Personne, notai-je, n'avait plus osé se rebeller contre moi dans cet hôpital. La douleur que j'éprouvais terrifiait et repoussait quiconque.

Comme les jambes de la mort sont rapides, Angela, avec quel zèle elle prend possession de son dû. Italia était figée, froide, comme le lit, comme la table, comme n'importe quelle chose inanimée. Ce ne fut pas facile de l'habiller, je dus la faire rouler sur un flanc, puis sur l'autre, pour lui enfiler les manches du chemisier. Elle ne m'aidait pas, pour la première fois. Et j'étais vraiment effondré, car je savais que si elle avait été même faiblement en vie, elle m'aurait aidé. Elle aurait soulevé ces bras qui pesaient et retombaient, qui battaient contre le fer du lit sans se blesser. Le chemisier était enfilé, il fallait encore unir les boutons à leurs boutonnières. Elle me quittait juste au moment où je savais l'aimer, quand elle m'avait appris comment faire.

Je regardais ses tétons, d'un côté et de l'autre, sur sa poitrine élargie. Des tétons clairs, transparents comme les membres d'une larve. Par hasard, en fouillant dans sa valise, j'avais trouvé le petit sac à bijoux où elle avait conservé mes ongles coupés. Je l'avais mis dans ma poche, c'était une petite bourse de velours beige, je la lui cachai entre les mains. *Tiens, prends tes bijoux, Italia, ces restes jaunis deviendront poussière en même temps que toi.*

Un homme vint. Ses lunettes étaient noires comme son costume, ses chaussures brillantes claquaient sur le dallage. Il frappa et entra dans la pièce sans attendre de réponse. Il savait se comporter en face d'un deuil, rester discret mais résolu. De ma face inerte, il déduisit tout de suite quel genre de mort il était venu enterrer et quelle dose de douleur j'avais en moi. Il fit quelques pas vers le lit, sa veste s'ouvrit, il avait une ceinture noire avec une boucle dorée. Je tombai en extase devant cette boucle. C'était un personnage à l'ancienne, impeccable, les cheveux gominés tirés en arrière sur sa tête ronde et le regard mangé par les verres fumés, la bouche comme une entaille figée sur le visage. Il regardait Italia et examinait ses restes. Elle était belle, Italia. Parfaitement étendue dans la mort, emprisonnée dans une beauté de pierre, sans ombres, sans lâcheté. L'homme ne pouvait pas ne pas s'apercevoir de cette beauté, ma chérie, de la distance au-delà de laquelle elle se trouvait. C'était son domaine et il devait certainement apprendre quelque chose de chaque mort. Il affichait le regard vif d'un tailleur expérimenté, de quelqu'un qui sait prendre les mesures sans mètre. Il faisait son travail rapidement. Elle était si maigre qu'un cercueil d'enfant aurait suffi à la contenir, le reste était du bois gaspillé. Je regardais

Italia avec ses yeux à lui, les yeux du croque-mort qui devait prendre soin d'elle. Et je sentais avec cet inconnu une intimité inattendue. Nous étions sur le même fil, des hommes qu'une même pensée unissait. Des visages face à un mystère. Le sien plus compétent que le mien, mais tout aussi fragile, derrière ce déguisement, la veste sans plis, le verre teinté.

Il posa une main sur mon épaule, une main chaude qui ne bougea pas. J'avais besoin de cette main, ma chérie, et je ne le savais pas. Je sentis qu'elle me faisait du bien. C'était une main tannée, volontaire, méridionale, qui me maintenait au sol. Elle paraissait me dire : Il faut rester, oublier, sans chercher un sens à ce noir de fumée qui nous effleure. Il fit le signe de croix, aussi ample sur son front qu'une faux dans l'inconnu. Je me signai moi aussi, près de lui, comme un enfant désobéissant près du prêtre.

Nous nous mîmes d'accord pour attendre quelques heures, car il était encore tôt, il fallait respecter le délai légal avant la mise en bière. Je n'étais pas pressé, je voulais qu'Italia reste à l'air libre le plus longtemps possible. Derrière moi, le soleil déferlait dans le ciel par cette fenêtre que je n'avais plus osé regarder, car le mouvement des choses ne m'intéressait plus. J'observais la fixité d'Italia pendant que la lumière tombait sur elle et que l'ombre du monde se confondait avec l'obscurité. Et dans ce bleu vibrant qui remplissait chaque recoin de la pièce, sa chair devint de la cendre pâle. Je m'endormis sur la chaise, le menton contre la poitrine. Je la traînais derrière moi comme elle était, bleue. Elle avançait péniblement dans les eaux limoneuses d'un bassin immobile, vers une péniche chargée, peut-être un bateau postal, les jambes mouillées jusqu'à l'aine. J'entends l'eau que le bruit de ses mouvements effleure tandis qu'elle essaie de s'approcher de ce bateau amarré pour peu de temps encore. Elle a emporté des affaires à elle, une robe de tulle à fleurs rouges, pendue à un cintre qu'elle agite, et une chaise hissée sur une table flottante qu'elle tire derrière elle dans ces eaux basses. Une chaise vide. Elle n'est pas fatiguée et elle n'est pas triste. Au contraire, elle est pleine d'ardeur, ses cheveux sont des grenouilles dans la nuit.

À la nuit tombée, quelqu'un entra, s'étonna de l'obscurité.

— Où est-ce qu'on allume ?

Et la main qui correspondait à cette voix tâtonna sur le mur, je la vis, car je devinais dans le noir. C'était un prêtre, un petit homme pas vraiment maigre, avec une cape jusque par terre. Un visage émacié mais tombant, sans couleur, avec une unique expression, une espèce de sourire qui voulait peut-être suggérer la béatitude enfin trouvée, mais qui en vérité avait tout d'un rictus sardonique, plutôt flasque. Il s'approcha du lit d'Italia et mâchonna une prière douloureuse, incompréhensible. Le jacassement las de ce prêtre n'avait rien de sacré, il me semblait percevoir une certaine tristesse chez l'individu. Aussi insignifiant qu'un huissier paresseux, de ceux qui restent dans leur loge et fixent le va-et-vient des gens sans y prêter le moindre intérêt, comme la poussière soulevée par le sirocco. Il donna sa bénédiction à la morte, vite, avec une plainte presque muette, et s'en alla en laissant la lumière allumée.

Puis ce fut l'aube. J'avais la tête abandonnée dans mon coude sur le lit et je regardais Italia d'en bas. Quelque chose de sombre commençait à apparaître sur son visage, comme si la nuit avait oublié quelque ombre sur elle. Mais c'était la noirceur du sang figé, les premiers signes d'une dégradation désormais proche. Instinctivement je regardai mes bras pour voir si ma peau aussi était marbrée des mêmes ombres. Mais ma chair éclairée par l'aube était intacte.

Quand il revint, le croque-mort avait les yeux nus, les verres fumés étaient posés sur sa tête. La chemise blanche resplendissait au-dessus du col noir de la veste dans une lumière polaire. Il n'était pas seul, il y avait un jeune type avec lui. Ils posèrent le cercueil par terre, hors de la pièce. L'homme frappa et apparut à la porte.

— Salut, dit-il.

— Salut, répondis-je.

Il hocha la tête, satisfait, car je lui avais répondu, j'étais désormais en mesure de parler. Je fixai ces yeux privés de protection. Et je compris que cet homme était conscient de l'obscénité de son métier.

— Vous voulez sortir ?

Je sortis, le cercueil entra, avec le jeune type, lui aussi en costume et cravate, et une infirmière qui était venue les aider, une femme au corps maigre et au regard fuyant.

Je marchai vers un café qu'on m'avait indiqué, au bord de la nationale. À côté, il y avait une exposition de piscines. Des vasques bleu ciel pleines de poussière.

— Quelle heure est-il ? je demandai au vieux derrière le comptoir, occupé à trier un jeu de cartes.

— Six heures et quelques.

Je bus un café. Je n'avais pas faim, mais j'essayai quand même d'avaler une brioche industrielle qui avait le goût du paquet dans lequel elle était enveloppée. Je pris deux bouchées et jetai le reste dans un grand seau en bronze qui était peut-être un porte-parapluies.

— À la prochaine, fit le vieux derrière moi, tandis que je m'en allais.

Sur la nationale passait un autocar qui fendait la route en silence, comme un navire fend la mer. Il n'y aurait pas de prochaine fois, le café du vieux était dégueulasse. Et je ne reverrais plus cette plaine argileuse qui se perdait à l'horizon. Ici, j'avais cru partir. J'avais cru à l'aventure. À présent, il y avait un air figé, sans vent, qui s'étendait à perte de vue sur le paysage, comme un voile de cellophane qui bloquait le mouvement des choses. La mort d'Italia régnait sur cet espace, jusqu'au bout, là où le soleil s'était levé. *Adieu, mon amour, adieu.*

Elle était dans le cercueil, plongée dans le satin qui en tapissait l'intérieur. Ils lui avaient glissé le chemisier dans la jupe et lui avaient peigné les cheveux. Le luxe de cette mise en scène dévoilait l'humilité de ses origines, il lui donnait un air de mariée de village, de sainte dans une procession de ploucs. Peut-être lui avaient-ils passé quelque chose sur le visage, une cire ou une crème, les joues d'Italia scintillaient, et c'était précisément ce scintillement qui lui donnait un air misérable.

— Il manque une chaussure, dit le croque-mort.

Je retournai sur l'esplanade et je la trouvai, cette chaussure couleur lie-de-vin au talon haut et fin qui lui était tombée du pied la nuit précédente. Je la lui mis. Je regardai ces deux semelles jumelles, qu'avait noircies je ne sais quelle route. Elles m'impressionnèrent plus que le reste. Je pensai à ses pas, à cet effort qu'elle faisait pour marcher, pour vivre, à cette faible ténacité qui ne lui avait servi à rien. La dernière chose d'elle que je caressai fut une cheville. Puis ils fermèrent.

Nous partîmes. Je n'avais ni la force, ni l'envie de conduire, je voyagerais à côté de cet homme silencieux qui portait autour du ventre une ceinture à boucle dorée. Je fermai ma voiture et marchai vers le corbillard. Avant d'entrer, le croque-mort retira sa veste et la pendit derrière lui, à un crochet dans la garniture, près de la vitre qui nous séparait du cercueil. Sa veste effleurait le bois dans lequel Italia reposait, et continuerait pendant tout le voyage. Cette familiarité me plut. J'étais à mon aise dans cette voiture aux sièges profonds, impeccable comme son chauffeur. La garniture et le tableau de bord en ronce de noyer dégageaient un parfum de santal.

Nous voyageâmes sur de vieilles routes, rapiécées en plusieurs endroits, qui traversaient des clairières où se mêlaient de petits buissons de pruniers sauvages, des oliviers aux troncs tordus et quelques palmiers qui trouaient inopinément l'asphalte. Une végétation qui ne suivait aucune règle, surgissait sporadiquement et sans ordre comme les hangars que nous rencontrions. Tout ce qui se découpait sur ce panorama avait l'air arbitraire, prêt à être déplacé, abattu. Et peut-être l'esprit des gens qui y habitaient était-il identique, peut-être l'ordre résidait-il dans ce caractère arbitraire. Oui, car l'œil cessait d'être étonné et finissait par s'habituer à ce chaos, jusqu'à en exhumer le charme secret. Je regardais, et je n'avais pas de lunettes noires, je voyais la lumière rase de midi glisser sur les choses en les dénudant, en les explorant dans les moindres détails. En fin de compte, nous voyagions vers un cimetière et tout ceci était un purgatoire qui ne me déplaisait pas.

Le croque-mort conduisait en silence. Les cheveux brillants de gomina, le col de la chemise immaculé, sans une trace de sueur, il semblait si étranger à ce décor confus. Il roulait. Son cou rigide conservait sa dignité malgré les secousses répétées. Et c'était pour moi un voyage hors de la vie. Le lieu, mon voisin d'habitacle, mon état d'âme, tout était scellé du même effroi. Et derrière, le cercueil, son paisible clapotis contre le fond molletonné du fourgon, dans les virages et sur les portions de route plus accidentées. Ou peut-être était-ce le corps d'Italia qui oscillait à l'intérieur, dans ce luxueux cercueil qui lui était trop large. Je ne recherche pas la pitié, Angela, je ne recherche rien, crois-moi. Je ne sais même pas pourquoi je repense à ces choses. C'est qu'on ne peut pas s'empêcher de pisser quand on a trop bu. Et on pisse dans un trou qui engloutira tout, ou contre un mur qui ne nous connaît pas.

Des maisons de pierre, d'autres en carreaux de faïence, de petits immeubles populaires, des balcons aux maigres rambardes. Des vies modestes s'écoulaient derrière les vitres brunies. Tous se retournaient au passage du corbillard, certains se touchaient l'entrejambe pour conjurer le mauvais sort, d'autres se signaient. Les gamins qui jouaient au ballon sur les terrains vagues poussiéreux se retournaient, les femmes aux fenêtres, les hommes plantés comme des piquets devant les cafés qui levaient la tête de leur journal. Il y avait beaucoup de gens désœuvrés dans les rues, et je me souvins alors qu'on était samedi.

Nous passâmes devant une église, dont le grand escalier trop raide plongeait vers la rue. Sur les marches, il y avait un groupe de personnes en tenue de fête. Une femme au visage émacié avec une petite fille dans les bras et un chapeau rose à voilette tourna le buste et nous suivit des yeux. Je croisai son regard, vif, habité par une curiosité malveillante. La petite fille

304

portait une robe à volants que le bras de la femme soulevait jusqu'à la culotte... Je fixai ces petites jambes violacées qui se balançaient sur ce corps fruste. Tout ce qui défilait devant mes yeux me paraissait être le signe de quelque chose, et peut-être l'était-ce, la trace obscure d'un destin illégitime, qui n'avait d'autre moyen de se révéler que de se glisser n'importe comment dans les choses que je rencontrais. Comme si ce voyage n'était pas réel, mais allégorique, rêvé. Les jambes de la petite fille semblaient inanimées, son visage était enfoui là où je ne pouvais le voir... Peut-être avait-elle peur de moi, c'est pour cela que sa mère me transperçait de ce regard livide.

Je cessai de regarder autour de moi, pour ne pas m'enfoncer davantage dans le malaise des autres. Je me concentrai sur un ruisseau fangeux qui entraînait dans son sillage aride quelques déchets et un nuage flottant de moucherons.

Mon voisin, lui, était un mélange de silence et de professionnalisme. Dans les centres-villes, il ralentissait, comme s'il voulait offrir aux vivants l'opportunité de saluer le cercueil, de prier. Et l'expression de son visage changeait, renforcée de bonnes intentions. Il jouait son rôle, son triste rôle d'ultime courrier. Il passait et savait qu'il laissait derrière lui une pensée. Mais je découvrais aussi une trace d'ironie dans son profil. Oui, c'était aussi une mascarade, tout ça, comme celle d'un gamin avec le masque de la mort qui brandit une faux devant les passants et les fait sursauter de peur. Et je croyais comprendre que ces lunettes noires, posées sur son visage, avaient plusieurs fonctions. Il avançait lentement, il fendait la foule qu'il rencontrait et qui se plaquait contre les murs, dans les coins, il étouffait les mots dans les gorges, capturait les regards, faisait plier les têtes : il laissait derrière lui un troupeau apeuré.

Puis ce fut la mer et je fus surpris. J'avais appuyé le front contre la vitre. La mer apparut soudain, entre l'œil et l'arête noire du nez, une bande bleue, immobile. Un train passa si près que je me sentis emporté, instinctivement je m'écartai de la vitre. La route longeait la voie ferrée et je ne m'en étais pas aperçu, les voies étaient toutes proches. Puis le train disparut et ce fut à nouveau la mer. Des cubes de ciment entassés étaient éparpillés le long de l'eau de cette côte trop étroite. Dévorée par les vagues, il ne restait plus qu'une bande de plage grumeleuse, juste après la voie ferrée. Et une sordide rangée d'immeubles de toutes formes, qui se suivaient à perte de vue vers l'intérieur, compacts, avec leur crinière d'antennes tordues.

J'aurais dû avertir ta mère, je l'avais oubliée, et toi avec. Je vous avais mises de côté dans une zone de mon esprit, où vous ne sembliez pas m'appartenir plus que cela. Je pensais à Elsa comme à la femme d'un ami. Quant à toi, je n'étais pas ton père, j'étais un orphelin. Mon œil reflété par la vitre me scrutait comme un reptile perplexe.

Un grand robinet de lavabo passa à côté de moi sur un panneau publicitaire. Nous étions sur une route plus large que les précédentes. Le croque-mort avait changé de vitesse et faisait rugir le moteur sur cet asphalte enfin intact. Il n'y avait pas de terre-plein central, une voiture lancée trop vite aurait pu perdre le contrôle. Car tout le monde, apprenais-je durant ce voyage, voulait s'assurer que le corbillard était déjà occupé. Et donc, pour jeter un coup d'œil à notre chargement, un conducteur distrait aurait pu nous percuter. En fin de compte, nous étions l'avant-garde de la mort. Ç'aurait été grandiose de mourir dans un corbillard à côté d'un croque-mort. Et pendant un long moment, je demeurai convaincu que c'était là la fin que le destin me réservait. Mon compagnon de voyage semblait tout ignorer, loin de toute prémonition. Le corps massif comme un étang, il conduisait, les mains bien posées sur le volant, le regard dans les verres fumés.

Nous nous arrêtâmes pour prendre de l'essence.

— Vous voulez manger quelque chose ? demanda-t-il en désignant la construction en verre derrière la pompe.

Elle n'était pas descendue avec nous. La dernière fois non plus, quand je m'étais arrêté au restoroute, elle n'était pas descendue de voiture, elle dormait sur le siège, ou peut-être feignait-elle de dormir. J'avais croisé son regard éveillé derrière le pare-brise quand je m'étais tourné, après avoir observé les brosses bleues de la station de lavage à l'arrêt, et j'avais pensé que nous n'y arriverions pas, que je la perdrais de nouveau. Dans un restoroute, j'avais su qu'elle mourrait.

Le croque-mort mangeait. Il avait pris une salade de riz et de l'eau minérale. Il avait glissé une serviette en papier dans le col de sa chemise. Il avait fait cela de façon méticuleuse. Je l'avais regardé prendre son temps, avec un calme trop ostensible, presque agaçant, qui ressemblait certainement à cet homme, mais qui paraissait aussi être une publicité pour son métier. Par ses manières impudentes, il semblait inviter son prochain à prendre patience, avant le destin inévitable que lui-même symbolisait laconiquement.

Personne ne s'était assis à côté de nous. Je commençais à apprécier les avantages de voyager avec un fossoyeur, et je n'aurais pu désirer meilleur compagnon que cet homme, qui levait sa fourchette sans bouger la tête, ni baisser le cou. J'avais pris une salade de fruits et une bière. Je buvais à la bouteille froide avec une paille et regardais au-dehors le corbillard garé sous une marquise en béton, plus bas sur le parking. Je pris la fourchette en plastique et piquai dans la salade de fruits, un grain de raisin sombre jaillit de la barquette. Il toucha le croque-mort en haut, près du col. Ce petit dommage le laissa perplexe. Il avait pris le temps de mettre la serviette en papier, et moi, accidentellement, j'avais réussi à le toucher au seul endroit non protégé de cette chemise immaculée. Il arracha la serviette de sa poitrine, la trempa dans l'eau minérale et frotta la tache. Je ne m'étais même pas excusé. Je regardais les poils noirs qui apparaissaient sous le coton mouillé collé à la peau. Il avait retiré ses lunettes, les avait posées sur la table, branches écartées. Ses yeux étaient beaucoup plus petits que je ne l'avais imaginé.

Je repris la paille dans ma bouche et aspirai la bière jusqu'au bruit de la mousse.

— Vous voulez un café?

— Non, merci.

Il se leva et revint avec une seule tasse à la main. Il but, puis il prit le sachet de sucre encore intact et le glissa dans la poche de sa veste. Il n'avait pas remis ses lunettes. Ses mains effleuraient pensivement les branches qu'il avait refermées. Je m'étais adossé à la vitre, contre le convecteur éteint dont la grille était couverte de poussière grumeleuse.

— C'était votre maîtresse?

Sa question me prit par surprise, comme le vent qui bruissait parmi les alvéoles de béton au-dessus du corbillard.

— Qu'est-ce qui vous fait croire ça?

Je ne m'étais pas encore tourné. La bouteille de bière se reflétait dans la vitre, elle diffusait une lueur verte sur cette surface sale et neutre.

— Elle n'avait pas d'alliance, alors que vous en avez une.

— Peut-être qu'elle ne la mettait pas au doigt.

— Non, ces femmes-là la gardent au doigt.

— Elle l'avait peut-être perdue.

— Elles la rachètent. Elles économisent sur les courses, elles s'endettent, mais elles la rachètent.

Peut-être aurait-il dû continuer à se taire, sa voix n'était pas aussi impeccable que son silence.

— Vous l'aimiez beaucoup?

— Qu'est-ce que ça peut vous faire?

— Rien, c'était juste pour parler.

Il prit ses lunettes sur la table, se leva et regarda la lumière à travers les verres fumés.

— J'ai perdu ma femme l'année dernière.

Il avait remis ses lunettes d'un geste précis des deux mains. Les solides branches d'écaille sombre avaient glissé derrière ses oreilles et il était resté immobile à évaluer la justesse de leur position, puis il les avait lâchées. Il était déjà debout.

— On y va?

À présent, tandis qu'il conduisait, il avait l'air plus triste, ou peut-être est-ce moi qui l'étais, la route me semblait une bouillie de fange grise qui défilait devant le nez du corbillard.

— Je l'aimais énormément, je murmurai. Énormément.

Et, plus tard, nous étions arrêtés sur un chemin de traverse en terre blanche, au milieu d'un champ en bordure de la départementale. La voiture noire mal garée. Il y avait un grand mûrier juste à côté, j'étais appuyé contre son tronc encore chaud, beaucoup plus chaud que mon dos. La tête basse, je pleurais. Le croque-mort était debout devant moi. Mais, peu avant, il s'était penché pour me réconforter, il m'avait étreint :

« Courage... », puis il s'était redressé et j'avais perçu le craquement de ses genoux qui se dépliaient dans ce pré de hautes herbes où le vent s'engouffrait et bruissait avec un sifflement musical.

Je lui avais tout dit, d'Elsa, de toi qui venais de naître, d'Italia. Et pour elle j'avais pleuré, toujours, chaque fois que j'avais tenté de prononcer son nom. Je n'arrivais pas à le finir, je sanglotais au milieu des syllabes, la bière qui continuait à remonter dans ma gorge me faisait roter comme si elle fermentait et croissait dans mon estomac.

De temps en temps seulement, le croque-mort regardait des lambeaux de moi avec un embarras plein d'affection, de compréhension humaine. Il regardait mes lèvres humides, mes yeux trop rouges pour qu'on les regarde. Puis il se retirait, plongeait le regard dans cette herbe musicale dont le vent tirait toujours la même ritournelle. Il alluma une cigarette. Il fuma en silence, puis jeta le mégot sur le chemin blanc. Il l'éteignit en l'écrasant sous sa semelle et observa la torsion de son pied dans la chaussure noire.

— On meurt comme on vit. Ma femme s'en est allée sans faire de bruit, comme une feuille.

Nous repartîmes, et pendant le reste du voyage nous redevînmes ce que nous avions été auparavant. Lui, le cou tendu, moi, le front appuyé à la fenêtre. Mais à l'intérieur, dans nos âmes dissemblables et pourtant contiguës, nous étions comme deux loups qui ont couru derrière une proie, qui l'ont perdue et soufflent, fatigués, dans son sillage, et ont encore faim.

Quand nous arrivâmes, il y avait une chaleur accablante dans l'air. Le village, perché sur un monticule de terre coupé au sommet, faisait penser au cratère

éteint d'un volcan. Les maisons ocre clair qui s'éta-
geaient, serrées les unes à côté des autres, ressem-
blaient à des lignes de soufre dans la roche.

Des femmes aux lourds costumes traditionnels,
jambes de laine noire, chaussures de travail et châle
sur les épaules, marchaient au milieu du chemin ter-
reux qui conduisait au cimetière, visiblement peu dis-
posées à s'écarter; elles nous scrutaient, aussi
incrédules que des chèvres. Sur la petite place, devant
la grille où nous arrivâmes en avançant au pas,
d'autres personnes plus normales, qui portaient des
vêtements modernes, se tenaient immobiles à côté
d'une petite voiture et regardèrent avec la même stupeur cet étrange fourgon qui apparaissait soudain et
transportait un cercueil sans fleurs. Le croque-mort se
tourna pour récupérer sa veste.

— Je vais m'occuper de la paperasse.

Et il prit sa serviette en cuir noir rigide comme un
cercueil.

Je le vis franchir les deux colonnes qui supportaient
la grille du cimetière et tourner à gauche, sans hésitation. Peut-être les cimetières ont-ils tous la même
topographie, toujours est-il qu'il se déplaçait dans ce
lieu de silence comme s'il le connaissait déjà, et même
avec un frémissement supplémentaire dans les jambes,
comme un animal qui reconnaît l'écurie. Sa silhouette
disparut derrière le mur blanc des pierres tombales qui
s'ouvraient en éventail. La petite voiture s'en alla en
soulevant la poussière. Je descendis et pissai en tour-
nant le dos au cimetière, protégé par le corbillard, laissant une flaque sombre par terre.

Le croque-mort revint, accompagné d'un homme un
peu plus petit, qui portait un pantalon bleu d'ouvrier.
Ils se dirent quelque chose avant de se séparer. Le
croque-mort s'approcha de moi :

— Ils ferment au coucher du soleil, il faut trouver un prêtre.

Le cercueil avait déjà été déposé, la terre qu'on avait retirée gisait en tas. La soutane du prêtre flottait au vent, comme son encensoir, et la fumée volait vers nous. L'estropié n'avait pas bougé, il attendait sa récompense. Le croque-mort l'avait recruté, et il était là, avec une tête exagérément éplorée, comme si elle aussi faisait partie du prix convenu, le poids du corps sur la jambe la plus longue. Même le gardien du cimetière était resté. Ensemble, nous avions déposé le cercueil, et ça n'avait pas été une mince affaire. Le croque-mort avait retiré sa veste et ne l'avait remise qu'à la fin. Il avait le front laqué d'une sueur sale où se collait la terre emportée par le vent. Ç'avait été un travail des muscles, mais qui avait aidé l'esprit. Je me sentais apaisé, tandis que ce vent chaud virevoltait autour de moi. Mes mains avaient jeté les premières mottes sur le cercueil d'Italia, et à présent la pelle du gardien suivait un bon rythme, elle se remplissait et se vidait. La douleur était bien là, mais adoucie, atténuée par la fatigue. Il restait le visage inexpressif de l'estropié dans sa touffe de cheveux clairs, comme un oignon déterré abandonné dans un champ. Le fraternel croque-mort semblait en paix avec lui-même, en ce crépuscule il avait terminé son travail. Sous son ventre, la boucle dorée de sa ceinture vibrait au rythme de sa respiration. Ç'avait été une longue journée. Il jeta un coup d'œil vers le haut, précis comme une incision, transversal comme un envol : oui, la nuit le dédommagerait. Italia était sous terre, et cette terre était passée entre mes mains, elle avait glissé dans le râteau de mes doigts, fraîche et grumeleuse. Maintenant elle était enterrée et avec elle, Angela, le temps éphémère de l'amour.

Je vis une ombre, aussi sombre que celle d'un oiseau. Une silhouette paysanne stationnait quelques mètres plus loin, à moitié cachée, derrière le mur du columbarium qui traversait le cimetière. C'était un vieil homme, aussi minuscule qu'un enfant. Il se tenait là, immobile, son chapeau à la main. Il n'y était pas, peu de temps auparavant, quand je m'étais penché pour ramasser la terre, ou peut-être ne l'avais-je pas remarqué. On l'aurait dit sorti de nulle part. Son regard s'immobilisa dans le mien sans curiosité, comme s'il me connaissait déjà. Je me détournai, mais continuai malgré tout à penser à ce regard planté dans ma nuque. Alors je me souvins de la photo dans la chambre d'Italia, cet homme jeune sur la photo jaunie. Son père, son premier bourreau. Je me tournai de nouveau, avec cette fois l'intention de bouger, de m'approcher de lui. Mais il n'était plus là, il ne restait que le souffle du vent qui tournoyait derrière le mur du columbarium et le noir au fond où l'on ne distinguait plus rien. Peut-être n'était-ce pas lui, peut-être était-ce un visiteur curieux. Mais je lui pardonnai, Angela, et en même temps je pardonnais à mon père.

Aucune stèle ne signalait la présence d'Italia. Le croque-mort s'était mis d'accord avec le gardien du cimetière pour une pierre simple, sans décoration, qui ne serait de toute façon pas prête avant une dizaine de jours. Il me passa un petit bloc de feuilles quadrillées et un stylo-bille.

— Qu'est-ce que vous voulez écrire?

Je n'écrivis rien d'autre que son nom et trouai la feuille avec la pointe du stylo. Il n'y avait plus rien à faire, on regardait cette fosse pleine en attendant que quelqu'un se décide le premier à partir. Le croque-mort fit le signe de croix et se mit en route. Lentement, l'estropié le suivit. Aucun geste ne me vint, ni aucune pensée particulière. Je songeai qu'un jour je me souviendrais de ce moment, je le remplirais de quelque chose qui n'y était pas. Dans le souvenir, je trouverais le moyen de rendre solennel ce qui à cet instant m'apparaissait inutile. Je pris une poignée de terre, pour la mettre dans ma poche, crus-je, pour la faire bruire entre mes doigts comme de la cendre, mais je la glissai entre mes dents. Je mastiquai la terre, Angela, et peut-être ne réalisai-je pas ce que je faisais. Je cherchais un geste d'adieu et je ne trouvai rien de mieux à faire que de me saloper la bouche. Je crachai puis, du dos de la main, je frottai ce qui restait sur mes lèvres, sur ma langue.

Le croque-mort avait payé avec mes chèques tout ce qu'il y avait à payer et maintenant il revenait. Je l'attendais devant le cimetière fermé, appuyé contre le mur d'enceinte, je regardais le village en surplomb, ponctué par les lumières immobiles des habitations et traversé par les phares des voitures. Je reconnus son pas derrière moi, il faisait noir désormais. Il s'appuya lui aussi contre le mur. Il tira de la poche de sa veste le sachet de sucre qu'il avait emporté du restoroute. Il l'ouvrit et le vida dans sa bouche. Il était si près de moi que j'entendis le bruit des grains sous ses dents, un grésillement qui me fit frémir. Il colla sa langue contre son palais pour savourer ce sucre qui devait avoir fondu et s'être mélangé à ses muqueuses. Il regarda en bas, là où je regardais, l'obscurité en surplomb où flottaient les lumières.

— Je ne sais pas, dit-il.
— Quoi?

— C'est injuste de mourir.

Il avala la dernière gorgée de salive sucrée.

— Et pourtant c'est juste.

Je regardai vers le cimetière. Il ne sent plus la douleur, je songeai. Et ce fut une pensée agréable.

Ada s'est arrêtée devant moi, tout près. Je regarde en surplomb, comme il y a quinze ans. Tu es là, dans le noir, une de ces lumières qui tremblent en bas. Je ne sais pas pourquoi je t'ai conduite jusque-là, Angela. Mais je sais maintenant que je suis debout sur ce mur, et que tu es à mes côtés, prisonnière comme un otage. *La voilà, Italia, c'est ma fille, c'est elle qui est née. Et toi, lève la tête, Angela, fais-toi voir, dis bonjour à la dame, dis bonjour à cette reine. Elle me ressemble, hein, Italia? Elle a quinze ans et un derrière un peu gros, elle était très très maigre, et depuis un an elle a le derrière un peu gros. C'est l'âge. C'est le genre à manger en dehors des repas et à ne pas attacher son casque. Elle n'est pas parfaite, elle n'a rien de spécial, elle est comme tant d'autres. Une prise au hasard dans le monde. Mais c'est ma fille, c'est Angela. Elle est tout ce que j'ai. Regarde-moi, Italia, assieds-toi sur cette chaise vide que j'ai à l'intérieur, et regarde-moi. Vraiment, tu es venue me la reprendre? Ne bouge pas, je veux te dire quelque chose. Je veux te dire ce qui s'est passé. Quand je retournai en arrière et marchai dans les traces que j'avais laissées: plus d'émotions, plus de douleur, plus de réconfort. Mais Angela a été plus forte que moi, plus forte que toi. Je veux te dire ce que c'est que l'odeur d'un nouveau-né dans une maison. C'est quelque chose de bon qui colle aux murs, qui colle à l'intérieur. Je m'approchais de son berceau et je restais là, à côté de cette tête en nage. Elle se réveillait et déjà elle riait, elle suçait son pied. Elle me regardait fixement avec ce regard profond qu'ont les nouveau-nés. Elle me regardait comme toi. Elle était comme un radiateur, elle faisait du bien. Elle était neuve et craquante, elle était un cadeau. Elle était la vie. Et je n'avais pas le courage de la serrer dans mes bras. Un avion passe dans le ciel, bientôt il atterrira. Il y a une femme qui pleure, là-haut. Une femme de cinquante-trois ans qui a un peu grossi, qui a une petite poche sous le menton. C'est ma femme. Son odeur a vieilli dans mon nez. Elle regarde un nuage, elle regarde sa fille. Coupe ce nuage, Italia, coupe-le comme une cigogne. Rends-moi Angela.*

— Professeur...

Je me lève, et je ne me suis jamais levé de ma vie.

— On referme.

— Les paramètres ?

— Normaux.

Mon cœur veut traverser mes joues, je sanglote dans mes mains. Et un peu de pipi m'échappe. J'attrape un bras d'Ada et je le serre, c'est ce qu'il reste de silence.

Puis il y a le chaos des émotions, des bruits qui reviennent tous ensemble. Reviennent les voix, les blouses, les portes qui s'ouvrent... Alfredo a la blouse tachée de sang. C'est la première chose que je vois. Il a retiré ses gants, ses mains sont blanches. Avec ces mains, il avance à ma rencontre.

— J'ai mis un peu plus de temps, j'ai eu des problèmes avec la dure-mère, elle s'est contractée, elle saignait trop, elle voulait pas coaguler.

Il a le bonnet trempé, la trace du masque autour de la bouche, et une tête de fou. Il parle vite, s'embrouille.

— Espérons qu'il n'y ait pas de lésion encéphalique diffuse, qu'au moment de l'impact la compression du cerveau n'ait pas fait trop de dégâts...

J'approuve en soufflant.

— Vous êtes en train de l'évaluer?

— Oui, j'ai dit à Ada d'essayer de la faire émerger, ça va prendre un peu de temps.

Ta tête bandée glisse sous moi vers la réanimation. L'infirmier pousse lentement le brancard, avec précaution. Maintenant tu es entre ces parois de verre. Je regarde tes yeux clos, et le drap qui bouge sur ta poitrine. Je regarde si tu respires. Ada a débranché le respirateur et arrêté les anesthésiques, elle veut te ramener vers la surface pour voir ce qui se passe. Elle tourne autour de toi, autour de tes tubes, avec une prévenance particulière. Elle est pâle, elle a les traits tirés, les lèvres sèches. « Allez-y », je murmure.

Elle obéit à contrecœur. Tu es de nouveau avec moi, Angela. Nous sommes seuls. Je caresse ton bras, ton front, je caresse tout ce que tu as encore de peau nue. Ta tête est posée sur un soutien en forme de beignet, il faut que tu restes comme cela. Les muscles du cou doivent demeurer tendus pour éviter toute compression du circuit veineux. Il faut que ta tête se maintienne au-dessus du niveau du cœur. Tu as les oreilles marron de désinfectant, un peu de bitume sur les joues. Ne t'inquiète pas, ça s'en va tout seul, le reste, je te l'enlèverai moi, au laser. Pour la tête, je t'achèterai un chapeau. Je t'achèterai cent chapeaux. Tes amis viendront te voir, ils te trouveront drôle avec ce bandage. Ils t'enverront parce que tu manqueras l'école. Ils apporteront de la musique sur ton lit. Ils apporteront aussi des cigarettes. C'est le petit con avec la coiffure rasta qui te les apportera, celui qui t'arrive aux épaules. C'est lui, ton petit ami? Je l'aime bien, j'aime bien ses cheveux. J'aime tout ce que tu aimes. Je louerai des patins, tu sais, noirs, avec plein de roues, comme les tiens. Je veux patiner avec toi sur les boulevards, les dimanches sans voiture. Je veux tomber, je veux te faire rire... Ta poitrine produit un étrange sanglot. Je te remets le respirateur. Ne bouge pas. Mais tu bouges. Tu serres ma main.

— Tu m'entends? Si tu m'entends, ouvre les yeux, ma chérie. C'est moi, c'est Papounet.

Et tu les ouvres, tu les ouvres sans effort, comme si c'était tout simple. Tu laisses voir le blanc et le noir de tes yeux et tu me regardes.

Ada arrive dans mon dos :

— Qu'est-ce qu'il y a?

Peut-être ne s'en est-elle pas aperçue, mais elle a crié.

Je ne cesse de te regarder, de sourire entre mes larmes.

— Elle a réagi, je dis. Elle a serré mon doigt.

— Ce pourrait n'être qu'un réflexe de préhension forcée...

— Non, elle a même ouvert les yeux.

Alfredo s'est changé. Il s'est lavé, coiffé. On dirait un athlète qui vient de gagner une course. Il a encore les couvre-chaussures sur ses chaussures de ville.

— La pression intracrânienne, l'anémie aiguë, l'arrêt cardiaque... Je n'y croyais pas, vraiment.

— Je sais.

— J'ai espéré.

— Tu as bien fait.

Il se penche sur toi, te stimule, contrôle tes réactions. Tu ouvres les yeux encore une fois. Et à présent, il me semble reconnaître ton regard espiègle, indolent. Alfredo contrôle les médicaments sur ta fiche, il vaut mieux te donner encore un peu de sédatifs, il faut te laisser tranquille pendant les premières vingt-quatre heures. Puis il s'en va, à sa façon à lui, brusque, sans saluer personne. Il retourne à sa vie de divorcé, à cette maison qu'un Philippin range quand il n'est pas là. Les collègues de la réanimation ne font pas attention à lui, ils sont penchés sur le registre de présence et discutent des gardes. Seule Ada le suit du regard, lui sourit. Il n'était pas d'astreinte, et pourtant il est revenu pour t'opérer. Peut-être qu'il l'a fait parce que c'est elle qui le lui a demandé.

Je vois ta mère dans la vitre. Son manteau, son sac, son visage. Ta mère qui déteste les hôpitaux, qui ignore comment ils sont faits, qui n'est jamais entrée dans un service de réanimation. Il y a un rideau de plastique blanc tiré d'un côté, elle est là. C'est toi qu'elle regarde. Peut-être est-elle déjà là depuis un moment. J'ai tourné les yeux et je l'ai vue, par hasard, je pensais que c'était une infirmière. Elle est petite, elle est décoiffée, elle est vieille. Tu sais ce qu'elle est, Angela ? Tu sais ce qu'elle est, avec cette tête de grand-mère ? Une mère qui regarde par la vitre d'une nurserie. C'est exactement ça. Une mère en robe de chambre, la poitrine lourde de lait, qui regarde son bébé, son singe rouge. Elle a ces yeux-là, les yeux d'une femme au ventre flasque et vide qui épie la chair sortie d'elle. Elle n'est pas triste, elle est hébétée. Elle n'entre pas, elle reste là. Je me lève et je vais vers elle. Je la serre, c'est un fagot qui tremble. Elle a un parfum de maison dans ce désert d'ammoniaque.

320

— Comment ça va ?

— Elle est vivante.

Je l'aide à enfiler une blouse, un masque, des couvre-chaussures et un bonnet en papier. Elle se baisse vers toi et te regarde de près. Elle regarde le bandage, les électrodes sur tes seins, les tubes dans ton nez, dans tes veines, le cathéter.

— Je peux la toucher ?

— Bien sûr que tu peux.

C'est d'abord une de ses larmes qui te touche. Qui tombe sur ta poitrine. Elle l'arrête d'un doigt.

— Elle n'a pas froid, toute nue ?

— La température est constante à l'intérieur.

— Alors elle a froid ?

— Oui.

— Elle n'est pas dans le coma ?

— Non, elle est sous sédatifs. En coma thérapeutique.

Elle approuve, la bouche ouverte :

— Ah... C'est ça...

Je la serre encore. Elle est petite, elle est tordue. Le sort lui est passé dessus comme un bulldozer.

— J'ai espéré tout le temps que l'avion s'écraserait. Je ne voulais pas la voir morte.

Puis elle ne dit plus rien.

Maintenant elle est assise près de toi. Elle s'est un peu ressaisie. Elle est moins effrayée, moins gourde. C'est une méduse qui palpite. Car entre vous, il y a de nouveau le liquide amniotique. Je le sens, vous flottez l'une vers l'autre dans ce silence. Cette nuit, sa tête s'effondrera sur son cou, mais elle ne lâchera pas ta main. Et demain, elle saura exactement quoi faire pour toi. Elle saura mieux que moi, qu'Ada, que n'importe qui. C'est elle qui te soignera, qui inter-

prétera les signes de ton rétablissement. Elle contrô-
lera les moniteurs, les perfusions, elle te donnera à
boire à la petite cuillère, elle assistera aux soins. Elle
ne lèvera pas le cul de cette chaise. Elle maigrira à
côté de toi et te ramènera à la maison. Et quand tes
cheveux repousseront, elle coupera les siens. Et cet
été, vous vous prendrez une photo avec cheveux
courts et lunettes de soleil, comme deux sœurs.

Je te laisse entre ses mains. Je vous laisse en vie,
attachées l'une à l'autre. Comme il y a quinze ans
dans cette clinique.

— Je reviens vite.

Et j'embrasse sa tête.

Maintenant, c'est moi qui vous regarde de derrière
la vitre, à côté du rideau en plastique.

Elle ne me demanda jamais rien au sujet de mon
absence, elle fit comme si je n'étais jamais parti.
Nous te glissâmes dans le porte-bébé et rentrâmes à
la maison. Et quand tu perdis le cordon ombilical,
nous retournâmes dans cette pinède et le déposâmes
dans la fourche d'un tronc, pour te porter chance. Je
l'aime, Angela. Je l'aime pour ce qu'elle a été, pour
ce que nous sommes. Deux vieux coureurs à pied en
route vers une ligne d'arrivée poussiéreuse.

Il pleut à peine. De l'eau vaporisée qui semble une
poussière humide. J'ai ouvert mon casier, je me suis
déshabillé, je me suis rhabillé. J'ai marché, puis je
suis entré dans cette cafétéria moderne, pleine de
tables qui se remplissent à la pause déjeuner. Pour le
moment elle est presque vide. Je regarde les sandwichs, ce qu'il reste. Je m'assieds près de la porte,
dans le courant d'air. J'ai ta bague au médius, elle est
passée, je ne sais pas quand, mais elle est passée, et je
n'arrive plus à la retirer. Il pleut. Sous la pluie, dans

un coin de cette ville, j'ai aimé Italia pour la dernière fois. Quand il pleut, où qu'elle soit, je suis certain qu'elle regrette la vie. Elle faisait partie de moi comme une queue préhistorique, quelque chose de mutilé par l'évolution, quelque chose dont je conserve le halo, comme une présence mystérieuse dans le vide. J'ai faim. Une fille vient vers moi pour prendre ma commande. Elle a un visage aplati, un tablier à rayures, un plateau sous le bras. C'est la dernière femme de cette histoire.

Cet ouvrage a été composé et imprimé par

FIRMIN DIDOT
GROUPE CPI

Mesnil-sur-l'Estrée

pour le compte des Éditions Robert Laffont
24, avenue Marceau, 75008 Paris
en décembre 2003

Imprimé en France
Dépôt légal : janvier 2004
N° d'édition : 44412/01 – N° d'impression : 65664